Den cubanske kabale

Bjarne Reuter

Den cubanske kabale

Gyldendals Bogklubber

Den cubanske kabale
© Bjarne Reuter 1988
Omslag: Kitte Fennestad
Denne bog må ikke gøres til
genstand for offentligt udlån
Kopiering fra denne bog er kun tilladt
i overensstemmelse med overenskomst
mellem Undervisningsministeriet og Copy-Dan
Bogen er sat med Palatino hos GB-sats, København
og trykt hos Nordisk Bogproduktion A.S. Haslev
Printed in Denmark 1989
ISBN 87-00-64794-2

Den 13-årige pige med de to tunge tasker får cyklen til at slingre fra side til side.

Gudrun hedder hun, og hun kører med morgenaviser nær de store omfartsveje.

Når hun er færdig med sin rute køber hun morgenbrød med hjem til familien og cykler gennem Vestskoven – i hvert fald om sommeren, når der er lyst på stierne.

En dag standser hun i skovbrynet, hvor der ligger en mand, underligt henslængt. Af måden han ligger på, kan Gudrun se, at han ikke sover. Hun tager sin walkman af og trækker cyklen langsomt hen over græsset.

Manden der er i jakkesæt ligger på maven.

Gudrun kalder på ham, idet hun ser sig om.

„Er De kommet noget til?" spørger hun forsigtigt og stiller cyklen. Først nu opdager hun det sorte hul i mandens nakke lige over flippen, der er gennemvædet af brunt blod.

Gudrun bakker rundt om manden, og kommer om på den anden side, hvor det blege ansigt med de tomme øjne stirrer op mod omfartsvejene.

Gudrun sætter sig på hug og kniber øjnene sammen, helt sikker på, at det er udenrigsminister Albert Como hun har fundet.

Havana, 1987.

Han stod bag skodden og lyttede til sit åndedræt. Sit åndedræt og kværnen fra airconditionanlægget. Varmen forsvandt ikke, fordi det blev mørkt. Den blev bare mere stoflig, og kom i tunger, rytmisk og roligt, som bølgeslaget fra Santa María.

Han gik ud på badeværelset og smed lidt koldt vand i ansigtet, og undlod at se sig selv i spejlet, men gik pludselig, med hånden presset mod brystet, hen til altandøren, som han slog op på vid gab. Stod nogle minutter og trak vejret i stød. Helvedes til varme. Helvedes til fugtighed.

Der kom noget orkestermusik op til ham, fra mørket.

„Hvad fanden laver Stern om natten?" Ordene sev ud af ham som savl.

Han tog sine hvide sejlersko på. De var nye, indkøbt til lejligheden. Som om han var turist. Det var ikke engang morsomt.

– Jeg går ned på stranden, sagde han til væggen, – og får lidt frisk luft.

Et stykke væk var et tolv mands stort orkester i gang. De stod på en rund tribune, omkranset af gule palmer, hvis tørre blade klippede træagtigt i tropevinden.

Johan gik langs vandkanten, men skråede så ind i anlægget, og stod et øjeblik og bare gloede på den groteske scene: Det energiske orkester, ældre mænd i cubanske nationalskjorter, sorte bukser, glinsende hår, den spraglede sangerinde med den gammeldags mikrofon. Overfor tre tilfældige unge, der stod og hang og røg i mørket, barfodede og indolente. Samt et lille spansk selskab. Kvinder med jakker

7

hængende på skuldrene. Mænd med indadvendte blikke. I mørket. Man sparer på elektriciteten på Cuba. Umodne kokosnødder lyser maritimt i det brune sand.

Hun stod lidt væk. For sig selv. I en rød kjole. Opsigtsvækkende alene og mærkelig smykkeløs. For ikke at sige tomhændet.

I samme øjeblik han så på hende, kom hun over til ham, som om hun bare havde stået og ventet på ham. Hun smilede ikke, hun kom bare. Langsomt, ludende, præcis som om de kendte hinanden.

Det havde ikke været hans mening at tage hende med op. Og da de stod i den lille zinkfarvede elevator tænkte han, at han ikke anede, hvad fanden man sagde til en prostitueret, selv om han hele sit voksne liv havde bakset med dem. Lagt dem i håndjern og smidt dem ind på utallige bagsæder. Snakket fortroligt til dem, i embeds medfør. Det var noget andet nu. Ordet luder passede bedre til hende her. Eller måske det bibelske, skøge? Nej, luder. En indiskutabel profession. Gennem tiderne. Ikke så meget pjat.

Og lige pludselig stod hun ret op og ned, ved sengens benende. Til stede. Med armene ned langs siden. Afventende.

Johan gik ud på badeværelset og vædede ansigtet.

Da han kom tilbage, havde hun flyttet sig. Stod med ryggen til. Mere anspændt.

Hans underbevidsthed arbejdede med et snapfoto af hende, bøjet over skuffen ved sengen.

„De stjæler vel også".

Måske lå Stern og sov eller lyttede eller onanerede? Måske forhandlede han. To værelser længere væk.

Måske sad han inde i byen og udvekslede oplysninger? Den store efterretningsmand.

Hun så på ham i rudens spejl. Og fandt lynlåsen bag på kjolen.

Jeg er fuldstændig impotent, tænkte han, og stirrede på hendes ansigt, mens han fulgte lynlåsen åbne sig.

Et billede af Hannah i efterårets blus. Al den luft, al den ilt.

Hendes mund ler. Hendes læber bevæger sig.

Da kjolen faldt ned på gulvet, drak han to slurke direkte fra cognacflasken og konstaterede, at den snart var tom. Så hurtigt han havde fået en ny vane. Sådan går det med monotoni.

Døren ud til altanen stod stadig åben.

Danseorkesteret var begyndt igen efter en kort pause. Samba, bølgeslag og airconditionanlægget.

Jeg er ved at blive godt beruset, for ikke at sige skide fuld.

Han gik hen for at slukke for anlægget og fik et strejf af hendes parfume, der var lettere end ventet. Måske findes der en russisk variant af Chanel no. 5 eller også er man nået ud over det punkt. I ruden kunne han se hende stirre på cognacflasken på sengebordet. Hun stod i en råhvid mundering, der mindede ham om en chemise.

Han skænkede op i to glas. Bagefter knappede hun hans skjorte op, der var våd af sved.

Hun var mørk i løden, næsten mulat, men uden negroide træk. Hun trak underkjolen op over hovedet. Imens satte han sig med ryggen til på sengen. Drak nu systematisk. Mærkede hendes fingre på hoften, hendes negle i nakken og læberne på øret. Besværligt kom han på benene, så hun kunne trække bukserne af. Hun sad på hug på sengen, og kærtegnede hans lem. Udenfor var musikken hørt op. Tilbage var nu kun cikaderne og bølgeslaget, og den fjerne rumlen fra Havana.

– Be a big boy, hviskede hun med kraftig accent.

Han så ned i hendes ansigt. Hun så appellerende op på ham.

Jeg duer hverken til det ene eller andet, tænkte han og svajede lidt i knæene. Heller ikke som politimand. Han så opgivende på hende. Hun så godt ud. Var ung, højst 25 år. Faste bryster, smuk krop. Ingen blå mærker og ingen synlige ar. Hun lagde armene om hans liv og kyssede ham forsigtigt på maven. Imens tømte Johan sit glas, men skubbede hende væk, da hun tog lemmet i munden. Stilheden var begyndt at gå ham på, så han tændte for anlægget. Hun så på ham.

9

Usikker i blikket.

– Come on … be a big boy …

Johan fandt sin tegnebog og rakte hende tyve dollars.

Hun smilede kort og trak i kjolen, idet hun med et skulder-træk gik ud til døren, da han løb efter hende, og drejede hende rundt i gangens mørke. Et kort sekund så han igen Hannah for sig og Hardinger med den lille pige og dukken, da luderen lod stropperne falde ned af skuldrene, måske for at han ikke skulle ødelægge hendes kjole. Han faldt ind over hende og fik hendes hud tæt på, følte den fremmede duft og hendes unge kølighed mod læberne. Hun rørte sig ikke, og sagde ikke et ord, da han forsøgte at tage hende stående. Til sidst skubbede hun ham forsigtigt væk, og tog ham med ind på sengen, hvor han væltede ind over hende og ind i hende. Det var sværere end ventet. Hun lå nu med hovedet vendt bort fra ham, selv om han forsøgte at kysse hende. Hun undgik hans mund.

Han tog hende om balderne og begyndte rytmisk at glide ind og ud af hende. Han stønnede højlydt og tænkte, jeg er et svin …

– Politimand, mumlede han på sit eget sprog – … der er selvfølgelig ludere alle vegne … også på Cuba.

Han borede ansigtet ned i hovedpuden og forsøgte at koncentrere sig om udløsningen.

– … jeg lover dig … vi skal nok finde de svin.

– Come on. Be a big boy now.

Hun begyndte at hjælpe til. For at få det overstået. Det sev ud af ham og efterlod kun en svag kuldegysning.

– Ikke som med Hannah, mumlede han og væltede om i sengen, hvor han prøvede at trykke sig ind til hende. Hun gjorde sig fri og sendte ham et lille, afmålt smil.

– Og her … ligger jeg og boller … what … what is your name? Han var ikke klar over om hans fuldemandsklynkeri var gråd eller latter. Det lød ynkeligt.

Han lå og stirrede op i loftet og undrede sig over hendes renlighed. Hun var ude i badet i næsten ti minutter. Måske havde de ikke brus dér, hvor hun kom fra.

Hun så helt anderledes ud bagefter. Havde også vasket hår.

– Why can't you stay a little longer, mumlede han.

Hun så fladt på ham og gik ud til døren. Johan kom på benene og støttede sig til væggen.

– De svin skød Como, mumlede han og tørrede underlæben. Hun lukkede døren efter sig.

Restauranten var stor og sval som et mejeri.

Henne ved vinduet sad et selskab på ti personer, alle uniformerede herrer, formentlig russere, at dømme efter deres uniformer og blege hud. De lo meget og var alligevel stive i blikkene og reagerede efter den vedtagne hakkeorden. Tjenerne stod langs de kalkede vægge, med hænderne på ryggen. Hotel Marazul var bygget til seks hundrede gæster. Men der var højst tolv besøgende, fordelt på fire etager. Det rungede i lobbyen og sang på svalegangene, og det blå vand i stueetagens swimmingpool lå kunstigt og uberørt hen.

Ved indgangsdøren stod Inspektøren iført mørkt jakkesæt og stift smil. En caribisk moskovit.

Johan sad som vanligt ved stambordet. Fingrene trommede på den hvide dug. Han tænkte på den nøgne strand, den smilende livredder, den endeløse dag og det sugende savn, der havde brændt sig fast i hans mavesæk. Efter kun fem dage var han holdt op med at tænke på Como, Mehmet, efterforskningen og Stern.

– Jeg vil hjem, hviskede han lavmælt og stædigt og slog på dugen med menukortet.

Victor Stern kom som altid på slaget syv. Måske stod han og ventede oppe på værelset. Måske var hele hans liv, hans rytme og hans tro bygget op omkring faste vaner, i særdeleshed regelmæssige spisetider. Tryghedens monotoni.

Han kantede sig ind med et afmålt, for ikke at sige distingveret smil. Lignede en fransk minister, en schweizisk impresario og en italiensk gourmet. Han var ingen af delene. Johan havde ham mistænkt for at se ned på cubanerne og afsky russerne. Men måske var Stern fuldkommen upolitisk. Den perfekte agent. En mand på arbejde. En hånd, der tog vinglasset ved stilken. Og et blik, der for længst havde set sig

12

mæt, og som ikke kunne rumme mere. En tilstedeværelse uden engagement, akkurat som luderen fra i går. Han var i et par lysegrå letvægtsbukser med sirlig pressefold, en mørkerød poloskjorte og sorte vintersko med udvendige syninger. En smuk mand. Som et Rolex-ur, en Mercedes Benz og en Dunhill pibe.

Han nikkede imødekommende og trak stolen ud med et lille smil, der var møntet på tjeneren, der ikke var nået så langt i sin uddannelse. Stern morede sig over cubanerne.

Han fik spisekortet, så distræt på det og bestilte „pollo frito" til dem begge.

– Vrøvl med shaveren igen, Klinger?

Johan tog sig til hagen og mærkede stubbene skure mod fingerspidserne. Han havde ellers haft hele dagen til at soignere sig.

– Jeg har ellers haft hele dagen til at soignere mig, sagde han.

Stern gned hænderne mod hinanden og ignorerede Johans åbenlyse utilfredshed med samarbejdet.

– Du fik da en adapter, ikke?

Tjeneren kom tilbage. Der var vrøvl med kyllingen.

Stern snakkede med ham på flydende spansk.

– Vi får flæskesteg med ris og brune bønner i stedet for.

Johan trak på skuldrene og tænkte på den første dag, en time efter ankomsten til Marazul, hvor han satte stikket til barbermaskinen i kontakten og afbrød strømmen på hele etagen.

– Typisk, havde Stern sagt. – Stort, flot hotel, masser af værelser, tiptop hygiejne, rimelig service, og så har man glemt at installere et fejlstrømsrelæ.

En time senere, da anlægget atter fungerede, gik de op på øverste etage, hvor der var en terrasse med i alt tres hvilestole. Johan mumlede noget om, at Cuba var et fladt land i grønt og gult, men med et hav, der var lammende turkis.

Stern havde nikket, set på hvilestolene og tilføjet „og ingen gæster".

Bagefter havde han gnedet sig i hænderne og tilføjet, at

13

Marazul var perfekt til formålet. Der var et par canadiere og et lille spansk selskab, alle sammen på gennemrejse. De ville have det hele for sig selv om få dage. I en beliggenhed i passende afstand til Havana. Bussen holdt lige uden for døren.

Det var også dér han havde åbenbaret sin enkle strategi, som kort sagt gik ud på, at Johan skulle stå „stand by", mens han, Stern, turede rundt i byen.

Og Johan havde tilsluttet sig glad og arbejdsivrig, og dag efter dag set Stern drage af sted, og blive mere og mere fåmælt, mere og mere kryptisk.

Johan prikkede til bønnerne og tog en slurk mineralvand.

– Var det ikke på tide, at du begyndte at informere mig lidt mere om, hvad der foregår, Victor?

– Selvfølgelig, sagde Stern. Præcis som dagen før. – Desværre er Havana ikke, hvad den har været. Jeg mener, i vores sammenhæng.

Stern havde den uvane at udtrykke sig underforstået, så Johan måtte helt ned i knæ for blot at få en krumme ud af det, der burde være underforstået.

De fik karamelrand til dessert, og Stern afslørede sin søde tand og bestilte „Copelia" oveni, en fed flødeis, som han holdt et længere foredrag om. Bagefter fortalte han om østrigsk bagværk, men midt i butterdejen rykkede Johan sin stol hurtigt tilbage, så det rungede i den store, tomme spisesal.

Stern så en smule forlegen ud og trak undskyldende på skuldrene.

– Ved du hvad „Mohito" er, Klinger, spurgte han forsigtigt.

– Si, senor, svarede Johan, – nationaldrikken. En såkaldt Hemingway Special, jeg bryder mig ikke om den, og jeg er ikke specielt interesseret i østrigske flødeskumskager. Jeg sidder hver dag tre timer nede i baren, Victor, og prøver at få tiden til at gå. Jeg kender alle mærkerne, tjeneren vil give en ugeløn for mine badebukser, en dagløn for mine solbriller og en årsløn for mit jakkesæt. Han har tre plomber i overmunden, som forholder sig ligefrem proportionalt til hans tandsæt, eftersom han kun har seks fortænder. Jeg er kort sagt dødtræt af at sidde og glo, så nu spørger jeg dig: Tror du eller tror du ikke de er i Havana?

Stern dukkede hovedet en anelse. Johan havde råbt temmelig højt, og henne ved det russiske bord var samtalen gået helt i stå.

Johan stirrede på ham.

– Jeg tror … een af dem er her, Klinger, sagde Stern smilende. – Jeg tror endda jeg kan gå så vidt som til at sige, at jeg ved, at een af dem er her.

Han lignede nu overlægen, der meget mod sin vilje havde stillet diagnosen og overgivet den til patienten.

Johan nikkede uden at flytte blikket. Han tænkte på den lille, latterlige huskeblok mellem skjorterne i kufferten. Skrevet i en privat kode, der inkluderede yoghurttabletter og fugtighedscreme. Samt de tre navne: Mehmet, Yüce og Ismet. Han kunne dem udenad.

Stern sukkede og rejste sig.

De gik en tur i skumringen; talte om de calypsofarvede biler fra 50ernes USA, der ind imellem spadserede med hornet i bund.

– Det er som at spadsere midt i en dårlig film med Frank Sinatra, lo Stern.

Johan sagde, at han gerne ville høre mere.

Stern bed sig i underlæben.

– Vi er på udebane, Klinger, påmindede han med en pludselig alvor, der muligvis rummede en snert af frygt. – Pludselig har de inddraget vores pas, og vores returbilletter, og så kan ingen, jeg gentager, ingen få os ud.

Han så direkte på Johan, og rystede en lille pille ud i hånden, som han hurtigt slugte. Det slog Johan, at Stern måske led af en eller anden sygdom. Måske var manden ved at dø, måske var det nitroglycerin han åd. Måske lakrids.

– Men du har kontakt?

– Ja, jeg har kontakt.

De satte sig på en bænk. Stern sad med nøglen til sit

15

værelse, nr. 226, i skødet. Muligvis var det et signal om utålmodighed.

Johan, der boede på 222 sagde, at han somme tider hørte lyde fra 224. Det værelse, der burde stå tomt.

Stern så smilende på ham.

– Umuligt, sagde han. – Jeg bookede alle tre værelser.

– Hvorfor?

– Hvorfor? Af sikkerhedshensyn, lad os sige det. Han klappede Johan på benet. Næsten faderligt.

– Det er måske et trick, du kan? Er det noget man lærer på efterretningsskolerne? Husk altid at booke et værelse mellem parterne.

Den gamle lo: – Du har jo humor, Klinger. Jeg elsker folk, der har humor.

Johan vidste ikke, om Stern i grunden sad og var dybt uforskammet. Bagefter gik de ned til vandet. Johan smed en sten op i luften og iagttog Stern stå foran vandkanten med armene ned langs siden. En ejendommelig måde at stå på. Men måske var han ikke vant til så meget hav. I Wien har de vel kun det vand, der kommer ud af hanerne.

På vejen op til baren og den sædvanlige øl, standsede Stern, så hurtigt op på hotellet og trak Johan med sig i et hurtigere tempo.

Pludselig ville han ikke have sin øl alligevel, men bad sig undskyldt, og gik over til elevatorerne.

– Vi finder ud af det, råbte han. – Sov godt, Klinger.

Johan så elevatordøren lukke sig. Og fikserede bartenderen, den muntre neger med de få tænder, der energisk gnubbede på sine glas.

Johan havde også set gløden, glimtet og skyggen på Sterns værelse, da de skulle over vejen. Alligevel valgte han at drikke en øl mere.

Han smilede sløvt til bartenderen.

– Not many guests at this ... hotel?

– Yes sir ...

– I saw a spanish family the other day ...?

– Yes sir. They came tomorrow.

16

Johan nikkede og sukkede.

– Mañana, sagde manden.

– Si si. I understand, we are alone, me and my friend, smilede Johan.

– Yes, sir, all alone, grinede bartenderen og så sultent på hans bukser, – and maybe a senor from Madrid ...

Johan gled ned af stolen.

På vejen hen til sin dør, på den orangefarvede svalegang, overvejede han, om Stern eventuelt kunne ha bestilt en luder? Måske den samme luder han selv havde haft besøg af. I så fald havde pigen haft en nøgle og selv lukket sig ind. Men Johan havde set Stern sidde med sin nøgle nede på stranden, måske lidt demonstrativt. På den anden side ville en mand som Stern næppe overlade sin nøgle, eller en ekstra nøgle, til en prostitueret. Altså havde Victor Stern fået besøg af en person, der til hans overraskelse selv havde lukket sig ind. Måske var manden kommet for tidligt.

Johan lukkede døren til sit værelse.

Foran badeværelset sagde han: – Jo mindre man ved, des bedre. Han tændte for bruseren.

– Yes, sir, mr. Stern, råbte han, – we have a visitor. Is it a friend or an enemy? Or is it just a secret?

Han smilede og hentede sin barbermaskine. Den Stern kaldte en shaver.

Han stak ansigtet helt hen til spejlet.

– I too can some tricks, you know, sagde han, og fjernede adapteren.

Stod med de to små ben på stikket tre cm fra stikket, der ikke var beregnet til netop disse to små ben.

– Jeg kunne jo skrive til Hannah, sagde han til spejlbilledet. – Jeg burde faktisk skrive det hele ned. Han kendte ikke nogen, der skrev. Andet end rapporter. Men han kunne jo skrive dagbog. For sin egen skyld. En samtale med sig selv. Den håndskrevne, veldisponerede løgn. Billede taget med selvudløser. Han havde hende mistænkt for at være dagbogstypen. Det terapeutiske lå til hende. Ikke at hun nogen sinde havde sagt noget om det. I det hele taget, var der mange ting hun aldrig havde sagt noget om. Fortielser var for mildt et udtryk. Løgn. Ganske enkelt. Løgn.

Han så på barbermaskinen. Og nu Stern. Var han også fuld af løgn. Eller var der her tale om fortielser?

Han kunne skrive et brev til hende. „Kære Hannah". Ikke noget med min elskede Hannah. Det skulle være formelt, afmålt, et bevis på afsenderens balance. Det sidste brev. Fra en anden verden.

Han satte stikket i kontakten. Og airconditionanlæg, lys samt musikken, der lå og kværnede i radioen, forsvandt med et suk.

Johan tillod sig et lille smil. Den før så orangefarvede svalegang gik over i natteblå. – Meget mere ægte, mumlede han indædt, og lagde barbermaskinen fra sig.

„En lille hilsen her fra Havana, hvor alting går som det skal. Jeg har nu haft stunder til at gennemgå det forhold vi har haft til hinanden, og kan nu, på fysisk afstand, betragte det nøgternt og med det mål af sympati, som du vel fortjener."

Han gik ud på altanen. Glimrende indledning: tre løgne lige efter hinanden. Det var lige før han selv troede på dem. Med hensyn til efterforskningen, så var de – hvis man overhovedet kunne bruge flertalsformen – ikke nået et skridt videre. Måske var det slet ikke meningen de skulle finde Comos mordere. Evighedsmaskiner er ikke noget ukendt begreb inden for politiet.

Han svang benet ud over kanten og spekulerede på, om de cubanske øller var stærkere end de hjemlige. Under ham lå vejen, stranden og palmelunden mørk hen.

– Jeg er ikke en skid nøgtern, hviskede han og ventede nogle minutter.

Måske var det denne gang lykkedes ham at afbryde strømmen på hele hotellet.

Han kantede sig ud på facaden og gled ind på altanen til det mellemliggende værelse 224.

Måske skulle han gribe det helt anderledes an og nøjes med at skrive de sidste fem ord, der var sande: „Jeg savner dig hvert sekund". Han så på sine hænder og lagde hovedet tilbage og lukkede øjnene og straks tonede billedet af hende frem. „Hvordan fanden kunne du gøre det, Hannah," hviskede han, da døren gik op, akkurat som ventet. Uden airconditionanlægget ville varmen tvinge dem udenfor.

I nogle lange sekunder hørte han kun cikaderne og bølgeslaget, så lød den fremmede stemme. Johan pressede sig ind mod skillevæggen og fulgte den blå røg fra mandens cigar. Han talte engelsk med spansk accent. Uden tvivl en cubaner. De talte løst om de cubanske hoteller.

Han forsøgte at lægge en dæmper på sit åndedræt og så Hannah rejse sig fra sengen, købe ind i supermarkedet, dreje omkring i køkkenet og vinke til Rune. Følte hendes hænder på sine kinder. Oprigtigheden og nærværet.

– I can't give you more money. Sterns stemme.

Pludselig var de så tæt på. Og lige med eet greb angsten ham i struben, angsten, som et resultat af gentagelsen. Da han stod med hende i entreen, med fotografiet inde under skjorten. Løgnen mellem dem. *Hvem er du, Hannah?*

Stern åndede tungt og satte næsten skillevæggen i svingninger.

– I have to be sure that this is his address, you know. You are sure?

– Positively!

Manden lød en smule arrogant. Afslappet og ligeglad.

– How often have you seen him? Stern gjorde sig umage med at agere lige så rolig.

– Twice.

– Only twice? In ten days?

– Twice in four days, korrigerede cubaneren. – Is this genuine Bourbon?

– Yes, it is genuine Bourbon. You can take it, as a gift. Stern lød en smule træt, en smule irritabel.

– Gracias.

Stilhed. Een af dem rodede med noget papir.

– What is Cerro?

– It is the neighbourhood, the district, very easy to find.

Close to the hospital. You know the big Hospital?

– No, I don't.

– You can't miss it. Are you sure this is american whisky?

– Yes. And the road is called Trinidad?

– Yes. Little road, very little. Maybe you know Calzada del Cerro?

– No, I don't. But I have a map. What number? In the road?

– No number. Poor people. No numbers in this part of Havana.

Stern sukkede. Johan mærkede vægten af hans krop mod skillevæggen.

– But how do I find the house if I don't have the number?

– Green house. Old, spanish style. In the front, two big palmtrees, easy to find …

Stern mumlede et eller andet og flyttede sig fra væggen. Lænede sig åbenbart ud over altanen, måske for at fange lidt frisk luft fra havet. Faktisk kunne Johan se en stump af hans venstre albue.

– Does he live … alone?

– Sometimes. Sometimes woman with him.

– Are you sure?

– Yes, I am sure.

I det samme vendte strømmen tilbage, og larmen fra anlæggene. Cubaneren lo. Kort efter var døren atter lukket.

Johan rejste sig og svang benet ud over gelænderet, ind til den mellemliggende altan, og skulle netop til at kante sig videre over til sig selv, da han fik øje på bukserne på sengen. Han gik tættere på ruden i døren. Underlig klam over det hele. Værelse 224 var beboet. Dét de hele tiden havde troet stod tomt. Eller dét Johan havde troet stod tomt.

Victor Stern havde en vane med at placere smørklumpen midt på sit ristede brød, for derpå at dreje brødet i små afmålte stød, mens han fordelte smørret. Denne vane var begyndt at irritere Johan. Ligesom så meget andet. Han havde ligget vågen det meste af natten, for at finde ud af, præcis hvad han burde gøre.

– Hvorfor er jeg egentlig med, Stern, spurgte han dæmpet. – Når jeg bare skal sidde og glo på mit værelse.

– Indtil nu har du stået ... stand by, det er korrekt. Stern snusede til syltetøjet.

– Jeg kunne gøre mere nytte derhjemme sammen med Otto, min gamle makker.

– Det var i sædelighedspolitiet, ikke?

Johan nikkede og sukkede og sænkede hovedet.

– Jeg forstår godt din utålmodighed, Klinger, mumlede Stern, med en stemme, der mere end antydede, at han havde forberedt sig på det spørgsmål. – Man skulle i øvrigt tro de havde alle forudsætninger for at brygge en ordentlig kop kaffe, og så serverer de sådan en gang sjask. Han så venligt på Johan. – Hvor gammel er du egentlig?

– 37.

– Hvad siger konen til, at du pludselig skulle ...

– Jeg har ingen kone.

– Nåhnej. Hør nu her, Klinger. Stern sænkede stemmen.

– Vi bevæger os på meget tynd is. Meget tynd is. Vi er kun os selv, vi kan ikke bare tage telefonen og ringe efter hjælp. Vi er midt i Havana, hvis styre notorisk yder hjælp, i hvert fald husly til den internationale terrorisme. Vi er kun os to. Det er, jeg havde nær sagt, fandens vigtigt, at du forstår det. Tingene tager tid herude. Og spadserer vi rundt, to og to, kunne vi lige så godt gå rundt i uniform. Som det er nu har vi de bedst tænkelige muligheder. Du blir ganske enkelt nødt til at stole på mig.

– Du havde besøg i går.

Stern nikkede uanfægtet.

– Det havde jeg, og du har selvfølgelig krav på at få det at vide. Jeg ville ha fortalt dig det, Klinger. Ja, du ser skeptisk ud, men det ville jeg.

– Hvem var det?

– En kilde, inden for politiet, en gammel bekendt, spanier. Måske kan han hjælpe os. Men også han må gå på listefødder.

– Hvad kan han hjælpe os med?

Sterns stemme skurrede en anelse, da han sagde: – Med at lokalisere Mehmet.

Johan sukkede. Var på nippet til at fortryde sin utålmodighed. Den var ikke professionel.

Stern duppede sig om munden med servietten og gjorde mine til at rejse sig.

– Der bor nogen på værelse 224. Johan så bevidst skødesløs ud, da han sagde det.

Stern tøvede et par sekunder, så sagde han:

– Nej, det gør der ikke. Jeg har personligt booket det værelse. Af sikkerhedsmæssige grunde. Der bor ingen derinde.

– Der ligger ikke desto mindre et par bukser på sengen, Stern. Jeg går ud fra du har en nøgle?

Den gamle tøvede og så på Johan på en ny måde. Ikke uvenligt.

– Ja. Jeg har en nøgle. Men hvor ved du egentlig fra, at …

– Fordi jeg stod på altanen i går aftes i et hæderligt forsøg på at finde ud af, hvad du snakkede med din cubanske ven om.

Stern rystede en anelse på hovedet, smilede og så på sit ur.

– Ja, det anede mig, at det var dig, der stod bag den strømafbrydelse. Du kan gå med derop nu, hvis du vil.

Værelse 224 var som ventet ryddeligt helt ud i det sterile.

Ingen bukser, ingen spor, ikke een eneste fugtplet på bade-
værelset.

Johan gik hurtigt ud igen. Stern låste.

– Man kan vel ikke udelukke, at rengøringspersonalet har
glemt noget derinde, smilede han bagatelliserende.

– Rengøringspersonalet? De gør for fanden da ikke rent i
de tomme værelser.

Stern slog ud med armen: – Jeg blir desværre nødt til at
løbe nu, Klinger. Han så pludselig op. – Har du hjemvé?

– Ja. Jeg har hjemvé. Du tror det er løgn, men jeg er faktisk
begyndt at snakke med mig selv.

De stod på den lange gang med de fuldkommen ens døre,
hvor ingen mennesker kom og gik, og hvor alt stod parat til
det turistboom, der aldrig ville fylde hverken Marazul eller
Cuba.

Stern så alvorligt på Johan og fjernede et lille hår på hans
flip.

– To dage til.

Johan så direkte på ham og konstaterede modvilligt, at han
godt kunne lide manden. Et andet sted, under andre vilkår
ville Victor Stern folde sig ud som et rigtigt menneske, et
klogt og et varmt individ, en god årgang med det rigtige antal
år på etiketten. Der var, hvor absurd det end kunne fore-
komme, noget chevaleresk over ham. Han burde være hævet
over noget så ordinært som terror, mord og politiske intriger.
Men måske gjaldt der andre regler, når den myrdede var
landets udenrigsminister.

Måske var „vor mand i Wien" den eneste, der med et
passende drys sordin, kunne løse så delikat et anliggende.
Og måske var den mere jordnære og frem for alt mindre
raffinerede betjent Klinger udset til at gøre det grove, når
verdensmanden Victor Stern først havde indstillet sigtet.

– To dage til. Så går vi enten i aktion, eller også tager vi
hjem. Er det til at leve med?

Johan nikkede og gemte instinktivt de fem sidste ord til en
senere lejlighed. Samtidig vidste han, at han i løbet af den
næste halve time, ville bryde sit løfte og dermed skubbe sig

23

selv ind på scenen.

Således stod han parat i lobbyen, da Stern lidt senere passerede med sin lille, flade taske, på vej ned til busstoppestedet, præcis som alle de andre morgener. Denne skulle blive anderledes.

Johan så ham tage opstilling ved stoppestedet. Bussen var en smule forsinket. Men lidt efter dukkede den frem af varmeflimmeret, som altid fyldt til bristepunktet. Stern måtte kante sig ind. Ingen skulle af, samtlige passagerer skulle med helt til centrum. Johan begyndte at løbe, da chaufføren gassede op. Hørmen var ubeskrivelig. Og de tre obligatoriske unger på bagklappen jublede og piftede, da den hvide turist sprang op til dem og forpustet lænede sig tilbage.

De var i Havana på fyrre minutter, og som ventet skulle Stern ligesom alle de andre med helt til endestationen.

Johan, der ikke tidligere havde været i centrum, fulgte ham på afstand. De passerede en åben plads med fire store højttalere, hvorfra musikken kværnede ud. Ingen så ud til at høre efter. Ind imellem blev musikken afbrudt af en hidsig speaker. Stern passerede en bred boulevard. Gik som een, der vidste hvor han skulle hen.

Johan noterede sig navnet: Ave De La Independencia. De kom ind i den gamle bydel, hvor de spanske huse lå side om side, pastelblå, falmet røde med gule palmer og grønne skodder. Trafikken blev mindre tung. Overalt sås de spraglede, men velholdte amerikanerbiler fra 50erne, malet i de flammende calypsofarver.

Stern gik roligt og målbevidst, som en mand på vej til et trivielt arbejde. Ved hotel Habana Libre standsede han brat, så på sit ur, sammenlignede det med hotellets og fandt et fladt cigaretetui i jakkelommen. Med tasken mellem fødderne tændte han en smøg og så adspredt ud på trafikken. For Johan var det noget nyt, at Stern røg. Han var så udpræget ikke-ryger. Kort efter trådte han da også på cigaretten og fulgte den gule taxa, der langsomt rullede hen til ham.

En time senere sad Johan på sit værelse på Marazul med mineralvanden og stilheden og sin svedige krop i et stilleben

24

uden mening.

Under bruseren tog han den beslutning, der var modnet det seneste døgn. Med håndklædet svøbt om livet studerede han låsen i altandøren. Den kunne tilsyneladende åbnes med et creditcard. Han havde ikke noget creditcard, men en lille flad metalplade, som Otto havde foræret ham i tidernes morgen.

Fra sin altan kunne han skimte tårnet og livredderen gennem palmernes bladhang. Manden sad med ryggen til. Der var ikke et øje på stranden. Eller på vejen for den sags skyld. Marazul måtte være verdens mest tyste hotel. Han trak i sine bukser og sin sidste rene poloskjorte og svang benet ud over gelænderet, og kom let og ubesværet over til altanen ud for værelse 224, og derfra ind på Sterns altan, hvor der lå en pøl vand på gulvet. Johan gik i knæ og satte pladen i låsen, der straks sprang op.

Værelset var ryddeligt, og sengen var redt. Altså havde pigen været der. På hylden ved sengen stod et vækkeur, til batteri, samt to ekstra batterier. På den modsatte side lå en bog, Jean-Paul Sartre, Les séquestrés d'Altona, og en guide over Cuba, uden kort. Men det havde Stern vel på sig. Et glas, en termokande med vand og et brilleetui. I skuffen under radioen fandt han en æske med sovepiller, og under sengen stod et par bordeauxfarvede slippers.

På badeværelset under spejlet lå en solcreme, faktor 5, samt Sterns barbergrej. På gulvet stod en shampoo mod skæl.

Johan åbnede klædeskabet og trak skjorter og bukser ud, undersøgte lommer og inderlommer, og fandt kun busbilletter og brochurer fra flyet, plus en flad æske tændstikker fra Madrid.

Han stod et par sekunder og så sig om, men lagde sig så fladt ned på maven og stirrede ind under sengen, hvor et eller andet småkravl, en spinder eller en kakerlak, var på vej fra den ene sengestolpe til den anden.

Da der blev taget i døren.

Det gik præcist så hurtigt, at Johan ikke nåede at tænke,

25

men blot rullede sidelæns ind under sengen, hvorfra han kunne studere et sæt fødder, to lyse sandaler samt tyve cm cowboybukser.

Manden stod lidt og flyttede på fødderne. Sålerne klistrede til gulvet. Han trak vejret tungt, og selv om airconditionanlægget larmede, var der blevet meget stille på værelse 226. Pludselig gik han ud på badeværelset, åbnede døren, og tøvede igen. Han kan mærke jeg er her, tænkte Johan. Om tre sekunder bukker han sig ned. Hvad fanden gik jeg også herind for?

Manden kom tilbage til værelset, gik rundt om sengen og standsede igen. Bussen passerede nede på vejen. Ruden vibrerede. Johan lå nu med ryggen til hans fødder, men kunne høre ham lukke altandøren. Måske stod han lige nu og undrede sig over, at den stod åben. Gloede måske på aftrykket på cementen derude. Forhåbentlig var anlægget stadig i uorden, så der stadig stod en del vand på altanen. I det samme blev en skuffe trukket ud. Noget tungt blev lagt ned. Forsigtigt. Skuffen blev lukket igen, hvorefter manden bukkede sig forover og trykkede dynerne ned. Johan kunne se bulerne i madrassen. Fødderne kom ind i hans synsfelt. Skabet blev åbnet, men ikke undersøgt. Blot åbnet. Og lukket igen.

Et øjebliks venten, så gik han i knæ. Bukserne kom til syne, en håndflade på det bare gulv, da der lød stemmer på gangen. Manden rettede sig op med et sæt. Johan holdt vejret. Hvad det så end var for et kryb, der boede under Sterns seng, så havde det fundet vej ind under hans flip.

Gangpigerne stod lige udenfor. Deres stemmer gik tydeligt igennem den riflede dør. Den ene af dem lo. Af en eller anden grund brød den fremmede sig ikke om at blive set på Sterns værelse. Det var tydeligt, at han var i vildrede. Sekundet efter forsvandt pigerne igen. Johan åndede i små korte stød, da lyden af mandens sandaler fortabte sig i gangen, hvor han åbnede døren med et sæt. Imens mærkede Johan smerten i lungerne som en knude bag hjertet. Og da døren endelig var lukket, udåndede han, så det sortnede for hans blik. Imens forsvandt mandens skridt på svalegangen.

Johan rullede hurtigt ud på gulvet og sprang ud på alta-
nen, idet han hele tiden, fra altan til altan, holdt øje med
hotellets indgang. Der var ingen taxaer og ingen privatbiler,
og fem minutter senere var han på vej ned med elevatoren,
helt sikker på, at den fremmede ikke havde forladt Marazul.

På vejen hen til baren overvejede han den mulighed, at det
kunne have været Sterns gæst, den cigarrygende cubaner.
Det var der en slags logik i. På den anden side var det så godt
som utænkeligt, at manden skulle vende tilbage, mens Stern
var i Havana.

Han krængede sig op på den høje barstol og så barten-
deren nærme sig med et optimistisk smil, da han kom i tanke
om Sterns skuffe. Manden havde lagt noget ned i skuffen.
Det var derfor han var kommet. Og det var derfor han havde
ventet med at komme, til gangpigerne havde ordnet værel-
set. Og derfor han var blevet skræmt, da det lød som om de
kom tilbage.

– Yes sir?

Johan så på negeren med viskestykket.

Måske stod Sterns dør åben endnu. Det mest sandsynlige
var, at Stern havde ladet døren stå åben, så at hans gæst
kunne komme og gå som han ville. På den anden side.
Gangpigen havde vel låst den efter sig. Det måtte Stern have
kalkuleret med.

– Something to drink, sir?

Altså havde Stern lagt en nøgle, inden han tog til Havana.
Og på Cuba går man ikke med lyse cowboybukser. Der
havde været noget hjemligt over de bukser. Det var lige før
han sagde, over de tæer. Han gik over mod elevatoren og
hørte ikke bartenderen råbe efter sig. Måske havde Stern en
kollega installeret et eller andet sted. En hemmelig lands-
mand. En tør fornemmelse lagde sig over hans svælg.

Som ventet lå svalegangen tom hen, og han ulejligede sig
ikke med at sikre sig, at han var ubevogtet, da han apatisk
åbnede Sterns dør og trådte ind til sengen, og hen til skuffen,
som han roligt åbnede. Inden da vidste han, hvad der lå i

27

den. Den lå viklet ind i eet af hotellets gule håndklæder.

Johan havde god forstand på skydevåben og genkendte straks fabrikatet. Det var en 7,65 mm Beretta.

– Jaja, Victor, hviskede han for sig selv. – Så blev du altså bevæbnet.

Det var ikke så svært at regne ud, hvorfor. Det der optog ham mest, var hvordan?

Han hentede sin T-Shirt og sine badebukser og gik igen ned i baren, hvor han lagde den lille tøjbylt diskret bag disken. Bartenderen fik et indforstået smil på læben.

– Thank you sir … but how much?

Johan rystede på hovedet.

– You can have it for nothing …

– Nothing, sir?

– Yes, nothing. I just need one piece of information.

– Information, sir?

– Yes, sagde Johan, med stigende irritation. – You tell me … how many guests … here at Marazul?

– Not many, svarede bartenderen, tydeligt skuffet.

Johan nikkede.

– There's me and the old man I dine with, senor Stern …

Bartenderen nikkede.

– Doz Cerveza … frio, grinede han og immiterede Sterns bestilling.

– Yes yes, sagde Johan, – and one more …

– One more, sir?

– Yes, I'm sure. Listen: I give you this … Johan klappede på tøjbylten, – and ten US-dollars … and you give me the roomnumber and the name of the third man.

Bartenderen følte på tøjet. Han så usikkert på Johan:

– Por que, senor?

– Just do it. Okay?

– Okay, senor. Go to your room. I'll find out.

Johan smilede og nikkede og bakkede hen til elevatoren. Klokken var 9.45.

Kl. 10.30 bankede det på hans dør.

Det var een af gangpigerne. Hun sagde ikke noget, smile-

de bare og afleverede en lille lap papir med hotellets stempel.
Skriften var nydelig, bartenderen havde gjort sig umage:

2nd floor: Canadian party, room 10, 12, 14, 16.
3rd floor: Señor Stern and señor Klinger, room 222, 224,
226.
4th floor: Señor Lucas, room 302.

Han gav pigen nogle mønter. Hun smilede og gik hen til
trappen. Bagefter studerede han papiret mere indgående.
Det canadiske selskab var rejst til Trinidad i går, i øvrigt
havde den venlige bartender glemt en spansk familie, der var
rejst sammen med canadierne. Mamma og pappa og deres
lille sortøjede Carmen med den lange fletning.
Han tog telefonen og drejede på 1-tallet.
Der gik næsten et halvt minut.
– Reception, can I help you?
– Room No. 302, please ...
– Just a moment sir ...
Ringetone, men intet svar. Lidt efter var receptionisten
tilbage.
– No one there, sir.
Johan vidste pludselig ikke, hvad han skulle sige.
– Maybe on the beach, sir?
– Si si, thank you. It is mr. Lucas' room, is it not?
– Just a moment, sir ... yes, mr. Lucas from Madrid. May-
be mr. Lucas is on the beach.
– Yes, thank you.
– You are welcome.

Stern var tilbage til sædvanlig tid om aftenen. Efter sit obligatoriske bad, bankede han to gange på Johans dør og fortsatte hen til elevatoren. På vejen ned til restauranten tørrede han sig næsten undskyldende over panden og sagde, at han følte sig meget træt. Johan så efter ham, de de gik ind i det store, tomme lokale. Af en eller anden grund havde solen kun gjort Stern mere grå i hovedet.

Ingen af dem havde meget appetit. De fik svinekød og sorte bønner og karamelrand med rom.

Stern drak det sidste mineralvand og rejste sig fra bordet. I mangel på bedre, har jeg gjort ham til fjenden, tænkte Johan og ilede efter Stern.

– Vi kunne gå en tur, sagde han. Mere stakåndet end tilsigtet.

Stern så overrasket på ham. Den kosmopolitiske, let arrogante silke var blevet en anelse transparent. En træt, måske syg, men frem for alt usikker gammel mand stak ansigtet frem.

– Hvor i al verden skulle vi gå hen?

Johan slog ud med armen.

– Jeg er faktisk dødtræt, Klinger.

– Jeg vil gerne tale med dig, Stern.

Den gamle så indgående på ham. Så nikkede han.

– Udmærket. Det er der vel heller ikke noget at sige til. Jeg henter min jakke. Vent her så længe.

Johan så ham lunte hen til elevatoren. I det samme dørene var smækket i, løb han op ad stentrappen, helt op til fjerde sal, hvor han iagttog lyset over elevatoren standse ved tredje. I lange bløde skridt løb han hen til værelse nr. 302, hvor den usynlige mr. Lucas boede. Der var helt stille. Måske var den mystiske mand ikke hjemme. Måske fungerede hans

30

airconditionanlæg bedre end de andres.

I det samme ringede telefonen. Han fór sammen. Men lagde så øret til døren. Den ringede ialt tre gange, så lød en dyb stemme:

– Si … si, Lucas.

Ikke andet. En kort besked, og røret blev lagt på.

Johan løb hen til trappen og ned på tredje sal, hvor han straks fik øje på Stern, der var i færd med at låse sin dør.

Da Stern trådte ud af elevatoren i lobbyen, stod Johan henne ved udgangen og smilede til den lille skrutryggede mand med fejebakken.

De slentrede langs med vejen, bort fra byen. Stern sagde noget om kvarteret, der var for velhavere, mest militærpersoner. Johan afbrød ham og spurgte til hans familie. Stern svarede afslappet og åbenhjertigt, at han jo boede i Wien, hvor han havde en ældre søster. De gik lidt videre.

– Og en veninde, smilede Stern.

Et stykke væk fandt de en bænk med udsigt over lagunen.

Mørket var faldet på. Stern sagde nogle flere almindeligheder om landet og dets historie.

– Okay, begyndte Johan og så i smug på den gamle, der havde foldet hænderne og spidset munden. Ustresset kryptisk, bedrevidende og faderlig.

– … jeg har besluttet at rejse hjem, Stern.

Sterns øjenbryn hævede sig mens han nikkede med beklagende nedadvendte mundvige.

– Jeg kan sguda ikke blive siddende på det hotelværelse dag ud og dag ind. Hvis du så i det mindste kunne forklare mig … men det står åbenbart ikke i reglerne.

Stern lagde armen på bænkens ryglæn.

– Som jeg tidligere har fortalt dig, så er vi tæt på. Selv cubanerne er utrygge ved deres tilstedeværelse.

– Hvis tilstedeværelse? Du har altså … fundet … dem?

– Lokaliseret dem. Mehmet, Yüce og Ismet. Én af verdens mest frygtede trojkaer. De er uddannet inden for Hellig Krig. Kan du huske bomben i Firenze. 43 mennesker blev dræbt, men Craxi overlevede. Det var Mehmet og hans folk.

– Men har Hardinger haft kontakt med dem?

– Klinger. Vi tilhører diplomatiet inden for korpset.

Johan afbrød ham med en håndbevægelse.

– Inden jeg slipper dig synes jeg du skal fortælle mig, hvem der bor på værelse 302?

Stern bukkede sig og rystede en imaginær sten ud af skoen.

– Burde jeg vide det?

– Ja, faktisk. Eftersom du talte i telefon med ham for mindre end en halv time siden. Og lad nu være med at sige, at det gjorde du ikke, for jeg ved du gjorde det.

Pludselig lagde Stern armen om hans skulder. En fuldstændig absurd gestus.

– Var det Bedrageriafdelingen du kom fra, Klinger?

Johan så på ham med et lille smil. Måske skal vi til at lege, tænkte han. For selvfølgelig ved Stern alt om mig. Han er ikke typen, der tager tingene som de kommer.

– Sædeligheden, sagde Johan, og følte sig en smule ilde berørt over at sidde sådan.

– Du har måske aldrig været i S.P.?

– Nej, jeg har aldrig været i S.P.

Stern nikkede eftertænksomt og klappede ham faderligt på skulderen.

– Godt, godt. Han nikkede. – Godt, godt, Klinger.

– Hvad er det, der er så godt?

Stern så smilende på ham. Johan bemærkede, at ansigtet bag smilet var mere træt, mere alvorligt og frem for alt mere usikkert end det plejede.

– Jeg mener, det er godt det blev dig, der kom med herned. Man kan vel betragte det som en slags forfremmelse.

Johan så væk. Stern fortsatte:

– Et mord er et mord. Men man kan ikke løbe fra, at mordet på Albert Como er en smule mere celebert end så mange andre. Det kræver pli og stor forsigtighed.

– Har vi et signalement af Mehmet? Johan så direkte på Stern.

– Hvis bare vi havde.

– Han kan være ... hvem som helst?

– Faktisk har vi bare hans navn. Strengt taget kan han udmærket vise sig at være en hun. Men Klinger. Stern kom på benene. – Sådan som det går nu, så passer det mig meget fint, at du nøjes med at stå stand by.

De begyndte at gå tilbage til hotellet. Johan fornemmede, at samtalen var slut og gik op på værelset, hvor han lagde sig med hænderne under nakken på den bløde seng. Så igen den lille, tætte Beretta for sig. Var det derfor Stern så så gammel og slidt ud. Fordi han vidste, at tiden var inde for lidt action. Eller fandt han først skyderen nu? Måske var der noget galt? Måske stolede han ikke på sin kollega fra sædeligheden. Måske stolede han ikke på dem, der havde sendt ham til Cuba. Han havde under alle omstændigheder fundet det nødvendigt at visitere Johan, mens han foregav at klappe ham venskabeligt på bryst og skulder.

Han åbnede altandøren og fik et glimt af en rød kjole på den brune sti mellem palmerne på stranden.

– Si si, hviskede han, – vi er her alle sammen. Luderen, bartenderen, inspektøren, stikkeren med adressen samt den mystiske mand på fjerde sal.

Han gik ind og tømte flasken med mineralvand. Der var også den mulighed, at señor Stern var i gang med sit eget spil. En soloplan, på tværs af Mahler og S.P. Det ville for-klare, hvorfor Johan Klinger bare skulle stå stand by.

Han stillede flasken fra sig og gik ud på gangen, hen til trappen og op på fjerde, hvor han lagde øret til døren med cifrene 302. Ikke en lyd. Hvis señor Lucas var hjemme, var han en meget stille mand. Johan tog i håndtaget. Døren var låst. Han bankede på tre gange og ventede. Måske var Lucas slet ikke på Marazul. Måske var han i Havana. Klokken var ikke så mange. 23.20. Han kunne stadig nå at komme hjem.

– Måske vi kunne få en sludder, sagde Johan højt og gik hen til een af de lyseblå flugtstole på den tomme terrasse, hvorfra han kunne overskue hele hotelgangen.

– Tålmodighed er en dyd inden for faget, mumlede han og lukkede øjnene og slog til en myg.

Tre timer senere vågnede han. Nu var der flere myg.

Stiv i lemmerne kom han på benene og vaklede surmulende hen til Lucas' dør, som han stod lidt og gloede på.

Så gik han ned til tredje og satte nøglen i sin egen dør, da han hørte en bildør smække.

– Maybe señor Lucas, mumlede han og løb ind gennem værelset og ud på altanen, hvor han lænede sig ud. En gul taxa rullede netop bort fra Marazuls indgang.

Han satte sig på sengen.

– Mañana, hviskede han træt og lænede sig tilbage, da der lød tunge, slæbende skridt på gangen.

Han satte sig op. Sterns dør blev åbnet. – Du godeste, mumlede han, – den gamle har været i byen. Sikke en energi.

Han gik ud på badeværelset.

– Måske har du været sammen med din ven Lucas, sagde han og fandt tandbørsten. – Måske har I drukket lidt rom sammen. De to store mænd. Måske kan vi snart komme hjem. Det er det, det handler om, råbte han og slog en flad hånd i væggen.

– I er fulde af fup hele bundtet, mumlede han og fandt flasken med billig cubansk rom. Dén havde han tænkt sig at tage med hjem til Otto.

– Vi køber en ny i morgen, Otto, sagde han og satte flasken for munden. – Og sluk så for den larm, råbte han og sparkede til airconditionanlægget. – Skål Otto, gamle ven.

Om ti minutter sover jeg, tænkte han. Helt væk, dybt godnat. Ingen drømme, ingen lyde, ingen myg og ingen Stern. Og slet ingen Hannah. Jeg opsøger hende heller ikke, når jeg kommer hjem. Måske sender jeg et brev. Det er også det hele. Han drak af flasken som var det vand. Rusen kom hurtigt. Han åbnede døren ud til altanen, og slog airconditionanlægget fra. Smed sig på sengen. Loftet sejlede og gulvet gyngede. Han rystede på hovedet. Om lidt går jeg ud og brækker mig, tænkte han og hørte larmen fra en motorcykel nærme sig. – Skru ned, råbte han. – Undskyld, Victor.

34

Faktisk blev lyden fra motoren hængende lige neden for hotellet.

Han kom med besvær på benene, og plaskede ud i vandpytten på altanen. Nede foran hotellets sparsomt oplyste indgang holdt en jadefarvet motorcykel med sidevogn. Motoren gik i tomgang.

Han lænede sig ud og følte det som om altanen gav efter.

– Måske er det señor Lucas, der drøner rundt på sådan et monstrum. Hvad rager det mig, tilføjede han. – Hallo, dernede ...

Han gik ind og hentede flasken og stod lidt og drak og nød vinden der kom op fra stranden.

– Måske er den skideforurenet, mumlede han, da en lyshåret kvinde kom løbende ud fra hotellet. Hun satte sig overskrævs på motorcyklen og trak en gammeldags, brun styrthjelm på hovedet. Gassede maskinen op og fræsede bort under ham, og hørte således ikke, da flasken gled ud af hans hænder, faldt langs husmuren, inden den med et lille smæld traf fliserne.

– Hannah, mumlede han og tørrede sig over munden med bagsiden af hånden.

Han vågnede da en eskadrille jagere flåede himlen op. Klokken var ti.

Han gik ud på badeværelset og lukkede op for bruseren. Måske havde han slet ikke sovet, i hvert fald havde billedet af motorcyklen og den lyshårede pige, der lignede Hannah til forveksling, ikke forladt hans hoved. Han lod vandet ramme ansigtet og drejede på hanen og gjorde strålerne koldere og koldere. Selvfølgelig var det ikke hans Hannah. Hvordan kunne det være det?

Efter badet åbnede han ud til altanen og stod lidt i den friske brise. Santa María var stille den morgen. Som om jagerflyene havde taget lyden med, visket tavlen ren.

Han gik ind og fandt sin tegnebog, hvor der bag kørekortet lå et lille foto. Hun stod foran den grå ejendom sammen med Rune. Hendes blik var på een gang blødt og direkte. Duffelcoat og gummistøvler. Allerhelvedes langt væk fra Cubas tropiske hede.

Bagefter gik han ud på altanen, for at genkalde sig situationen fra i nat. Havde han overhovedet set hendes ansigt? Fem sekunder i profil. Kvinden var løbet fra hovedindgangen, forbi palmen og blomsterkassen med buddleiablomsterne. Ud til motorcyklen. En lys kvinde. Med garanti en lys kvinde; forlader hotel Marazul klokken tre om natten. Et hotel, hvor der praktisk talt ikke bor et øje. Bortset fra mr. Stern, mr. Klinger og señor Lucas. Måske var det receptionistens elskerinde. Og måske var hun fra Moskva.

Han satte sig på hug og gned sig over ansigtet. Var det señor Lucas han havde set? Med paryk? Eller var den mystiske Lucas i grunden en kvinde? Et dobbeltmenneske og et natdyr.

Han klædte sig på, barberede sig og trådte ud på svalegan-

36

gen. Klokken var mange. Stern var for længst taget ind til byen.

Den trinde rengøringskone kom tøffende hen mod ham.

– Buenos dias, señor …

Hun gik forbi ham, ind på værelset, hvor hun straks tændte for radioen. Han smilede til hende, men fik så øje på det røde skilt på Sterns dør. DO NOT DISTURB.

Han gik hen og tog det nærmere i øjesyn. Var det trods alt et menneskeligt træk ved den gamle, at han også kunne lide at sove længe, eller havde det noget at gøre med señor Lucas og kvinden i den grønne motorcykelsidevogn? Måske havde Victor Stern også været på tæerne i den cubanske nat?

Efter kaffen og de små pandekager gik han over til receptionen. Den lille mand bag disken så på ham med et plaget udtryk. Det forpinte måtte høre til arbejdsløsheden.

– Were you here last night?

– Last night? This night, señor? Nono. I came this morning. Stort smil.

Johan nikkede imødekommende.

– Do you know where I can find the man … eh … the nightportier?

– Arh, si si, señor. Hidalgo. Yes yes. He sleeps. I am sorry, but two o'clock you can find him in shop downstairs.

Johan nikkede. Vidste, at der var en souvenirbod i hotellets kælderetage.

Han gik nedenunder, hvor der var et dagens tilbud på dykkerudstyr. Der sad en lille dame bag disken. Kun hovedet stak op.

– I am looking for señor Hidalgo. Johan smilede til hende.

Kvinden rullede med øjnene og viste med en bevægelse, at señor Hidalgo sov.

Johan lagde en dollarseddel på disken. Kvinden ignorerede den og rejste sig tungt, og gik ud i baglokalet. Lidt efter kom hun tilbage og lod med en håndbevægelse Johan vide, at Hidalgo var på vej. Pengesedlen rørte hun ikke.

To minutter efter dukkede Hidalgo op. Han var en yngre mand med uindfattede briller. Måske en student.

– Do you speak English, begyndte Johan og ragede lige-som tilfældigt sine penge til sig.

– Of course, svarede manden afmålt.

Johan fandt billedet af Hannah og lagde det på disken. Manden så kort på det, så trak han på skuldrene og nikkede.

– She was here last night, sagde han roligt.

Johan følte en knude bevæge sig rundt oppe under bryst-benet.

– Are you sure?

– Yes, I am sure.

– Did you talk to here?

– No, not really …

Johan tørrede håndfladerne mod bukserne.

– What do you mean … not really?

– It was rather late … I think she asked for a girl …

– What girl?

– I don't remember, señor.

Johans blik flakkede fra den rolige unge mand, til den lille dame bag disken, der var blevet en smule mere nærværende.

Hannah havde været der. På Marazul. På Cuba. Hun havde været der og spurgt efter nogen. Ikke ham, Johan.

Han nikkede til den unge mand, og begyndte at gå hen mod trappen, men på det første trin standsede han og knugede det smalle gelænder. – De kan rende mig i røven. Hele bundtet. Han hviskede for sig selv, og var sig bevidst, at han hviskede for sig selv.

– Stern, skreg han så, så det rungede i hele kælderplanet og forplantede sig helt op i lobbyen, hvor receptionisten stirrede efter ham, da han sprang op ad trapperne, op til den lange, orangefarvede gang, frem til Sterns dør, som han slog sin knytnæve mod.

– Stern, vågn op, Stern. Der er sket noget. Stern …

Han gentog det nogle gange, men løb så ind på sit eget værelse, hvor han hastigt forcerede den midterste altan, så han kort efter stod på Sterns i færd med at kile sin lille, grå metalplade ind i låsen. Af en eller anden grund var Sterns lås anderledes, mindre samarbejdsvillig. Han rejste sig op for at

38

strække ud og få lidt frisk luft, da han fik øje på to mindre drenge, der gloede op på ham fra vejen. Den ene røg på et skod.

– Hallo ... señor americano ...

Johan vendte ryggen til dem.

– Cigarettes, señor.

De lo og knækkede sammen.

Han havde lyst til at råbe noget til dem, men bukkede sig igen over låsen, der lidt efter sprang op. Straks da vinden tog i det lette gardin foran altandøren, fornemmede han, at noget var galt. En stilhed i rummet, måske. Stern lå på sengen, fuldt påklædt. Hans ansigt vendte ud mod altanen. Lyset ramte ham hårdt og brutalt. Han stirrede på et punkt til venstre for Johan.

– Hallo americano, råbte drengene og lo. – You want dirty girl? Deres latter lød som ituslået glas.

Imens bukkede Johan sig over den gamle politimand og studerede det sorte hul i hans tinding. Så lukkede han altandøren og gik ud på badeværelset, hvor han drak et glas vand. I spejlet konstaterede han, at han lignede sig selv. Han og Otto havde deres regelmæssige gang på Retsmedicinsk. Han havde set masser af lig. Det var imidlertid første gang han stod over for en død kollega.

Første gang han var helt alene om situationen.

Første gang han var på Cuba. Og første gang han følte sig mere end på bar grund. Udtrykket gyngende, slog ikke til.

I nogle lange minutter stod han bare og så på Stern, der lå præcis, som han var blevet lagt. Der var næppe tvivl om, at mordet var begået et andet sted. Sandsynligvis i Havana, i bydelen Cerro, nærmere betegnet vejen, der bar det eksotiske navn, Trinidad. Et sted for fattigfolk og politimordere, hvor husene end ikke bærer numre. Et sted for Mehmet, Albert Comos banemand. Europas terrorist nr. 1.

Medmindre Stern var myrdet på værelse 302. I så fald burde Johan have hørt skuddet. Det var i sig selv barokt at spekulere over mordtidspunktet, når alt andet var eet stort rod. Strengt taget kunne Sterns morder stå hvor som helst og vente. Lige nu. Var det mon det den gamle havde ment? Var det nu Johan Klinger skulle slå til?

Han satte sig ved siden af liget. – Tid, hviskede han. – Jeg har ikke meget tid. Og hvad med Hannah? Hvor fanden er hun blevet af? Hannah, der åbenbart var på Marazul på det tidspunkt, da Stern blev myrdet.

Han lagde sengetæppet over Stern og klatrede over til værelse 224, som han åbnede med sin metalplade. Værelset var som ventet helt tomt, hvorfor han gik ud og åbnede yderdøren. Tilbage på Sterns værelse, slæbte han liget ud på den tomme gang og ind på sengen på værelse 224, som han hastigt forlod, for at vende tilbage til Sterns værelse, hvor han stod et par minutter med hovedet under den kolde hane. Han lukkede for vandet, da der lød skridt ude på gangen. Ikke gangpigens slæbende tøfler, snarere tunge, forsigtige skridt. Han stod som paralyseret og iagttog manden standse foran døren, hvor skyggen faldt ind på gulvet i striber. Johan holdt vejret, da håndtaget blev vippet ned. Han anede ikke, om døren var låst. Det var den. Men nu blev en skulder lagt mod træværket. En, to, tre gange. Og pludselig var manden borte. Hastigt løbende skridt døde hen. Johan stod et øjeblik, så hørte han to gangpiger passere.

Dryppende af sved gik han i gang med at undersøge Sterns skuffer og skabe, lommer og inderlommer og fandt nogle dollarsedler, et kørekort, et vaccinationskort samt en pakke cubanske cigaretter.

Han lagde det hele ned i lommen, hentede sine egne ting, men lod kuffert og toiletgrej blive, og løb ned til receptionen. Der var ingen tvivl nu. Han måtte hjem. Men allerførst have kontaktet dem derhjemme. Forklare hvad der var sket, og høre, hvad de ville foreslå. Måske var det bedst bare at komme ud, inden det cubanske politi fandt liget.

– Yes sir, den lille receptionist var lutter smil.

– I'd like to have my passport, please.

– Just a moment sir.

Manden åbnede en skuffe i disken.

– You are mr. Klinger, are you not?

– Yes, yes I am Klinger.

Manden smilede endnu bredere.

– Then I can't help you. Your friend, mr. Stern is it not ...
yes, he has your passport, sir.

Johan følte et kort øjeblik, hvordan lobbyen tippede.

– But it is impossible ...

– No sir, mr. Stern got the passports yesterday.

Han gik hen til trappen, hvor han stod et langt øjeblik.
Passene havde ikke været i Sterns lommer, heller ikke i
skufferne.

– Tid, hviskede han. – Du må huske på, at det nu er et
spørgsmål om tid, Johan. Og huskede du for resten at tænde
for airconditionanlægget på værelse nr. 224? Ellers vil Stern
begynde at lugte om få timer.

Han begyndte at vakle op ad trappen.

– Mehmet har mit pas, sagde han til sig selv. – Mehmet
har skudt Stern, formentlig med hans egen Beretta 7,65 mm.
Og transporteret liget tilbage til Marazul, hvor føllet Johan
Klinger bor. Det er kun et spørgsmål om tid. For når Mehmet
har Johan Klingers pas, kan Johan Klinger ikke forlade Cuba.
Det effektive og meget lidet venlige cubanske politi og efter-
retningsvæsen vil være over føllet i løbet af et døgn.

Det er selvfølgelig ikke noget problem at „nakke" en mand
i Havana. Byen er som skabt til det. Det er straks værre, hvis
det skal gøres på det nye hotel Marazul. Cuba vil gerne være
et pænt land, et sted hvor turister trygt kan komme. Det
fremmer ikke turismen, hvis hotellerne flyder med lig. Den
der skyder en turist kommer i klemme hos politiet. Så Meh-
met og hans venner bliver i Havana. Sidder lige nu og venter.

Han låste sig ind på værelset, og følte hvordan Marazul
kontraherede, hvordan etagerne rykkede sammen, hvordan
ilten svandt. Kom kun til Havana, kalder Mehmet. Kom til
Trinidad, til huset med de to palmer. Så skyder vi dig og
pakker dig ind, og kyler dig i havnen, hvor du kan rådne op,
ligesom den store detektiv, señor Stern.

Han trak i sin sidste rene skjorte, og proppede vaccina-
tionskort, penge og Sterns cigaretter i lommen, da han blev

opmærksom på musikken.

Det var den typisk cubanske; den der væltede ud af radioen lige så snart man drejede på knappen. Men af en eller anden grund hørte gæsterne på Marazul kun sjældent radio. Måske fordi de var så få. Måske fordi de var der af andre grunde. I hvert fald var hotellet normalt tyst som en ruin. Blot ikke nu, hvor han satte nøglen i låsen. Hvorfor lige nu? Han klappede sig på lommerne, for at checke at det hele var på plads, og gik hen til trappen og glanede op på fjerde sal, hvorfra lyden kom. Den eneste radio på Cuba. Samba.

Allerede på trappen vidste han, hvor den kom fra, og da han stod foran døren til værelse 302, sagde han til sig selv, at han for alt i verden skulle droppe det. – Gå ned til elevatoren, Klinger, hviskede stemmen. – Forsvind fra Marazul. Señor Lucas er over alle bjerge, om han nogen sinde har eksisteret. Eller også …

Med en spids pegefinger skubbede han til døren, der langsomt gled op. Musikken slog ud på gangen og reflekterede hårdt på fliserne. Der blev spillet unødvendig højt. Han så ind i entreen, og kantede sig ind med ryggen mod væggen. Kom ind i selve værelset, der lignede hans eget. Fikserede den brede seng, der ikke tydede på, at nogen havde ligget i den for nylig. Til gengæld stod der et par spidse, sorte herresko på gulvet. De så sydlandske ud. Han åbnede skabet, hvor der hang to jakker og tre nøjagtig ens hvide skjorter. Jakkerne var diskret ternede, lette i stoffet. I lommerne fandt han to busbilletter og en æske tændstikker fra Madrid. Señor Lucas var en realitet.

Han gik hen og lukkede for radioen og åbnede skuffen, hvor der lå et Time Magazine og en kikkert. Bagefter flåede han sengetæppet af sengen og smed puden på gulvet. Mellem madrassen og sengegærdet fandt han en rulle film, som han vendte mellem fingrene, inden han lagde den i lommen. Det dryppede fra badeværelset. – Det drypper fra badeværelset, Klinger, hviskede stemmen.

Han nikkede og åbnede magasinet. Der lå et pas i midten. Et spansk pas. Tilhørende Ramon Lucas, 186 cm høj, fra

42

Madrid. Stemplerne i passet vidnede om, at señor Lucas var en vidt berejst herre. Men langt de fleste stempler stammede fra Østrig.

Hvor Victor Stern havde boet det meste af sit liv.

Lucas var 57 år gammel. Lidt yngre end Stern.

Johan undersøgte gulvet under sengen, men fandt intet, bortset fra en pakke kondomer, som han lod ligge.

– Det drypper fortsat fra badeværelset, Klinger, sagde stemmen. Det lød som om dråberne faldt på is. Hvis dråber synger højere på is. Han gik ud og så på døren, der var lukket. Dryp, dryp, dryp, dryp. Så sin hånd på håndtaget, der vippede ned. Døren var låst. Han slap håndtaget som om han havde brændt sig. Nogen havde låst døren; det plejede at betyde, at der var nogen bag den. Han gik uvilkårligt et skridt baglæns, lænede sig op ad væggen og sparkede døren ind. Den traf med et smæld flisevæggen, så han næsten fik den i hovedet igen.

Han fikserede håndvasken og spejlet og hotellets lille stykke sæbe, men allermest forhænget, som han fjernede med et ryk. Hun sad under bruseren, helt nøgen, med et udtryk og en hudfarve der ikke levnede nogen tvivl. Nogen havde kvalt hende for ikke så længe siden.

– Så går vi, Klinger, hviskede han til sig selv. Formentlig ville Lucas vende tilbage. Om ikke andet så for at få sit pas. Måske havde han observeret, hvordan Mehmet og hans folk havde ordnet stakkels Stern. Han så efter pigens tøj, der lå i en bylt bag døren. Skoene var de samme, ligesom den røde kjole hun havde haft på den aften, da der lød sambamusik på stranden.

Han gik ind og tændte for radioen, og overvejede et kort øjeblik at lægge alle Lucas' ejendele på plads. Men droppede det efter en pludselig indskydelse.

Fem minutter senere tog han bussen foran hotellet og var i Havana klokken 15.30. Spadserede det forholdsvis korte stykke fra bussens holdeplads til hotel Habana Libre, hvor han et øjeblik stod og så sig om, inden han tændte een af

Sterns cigaretter, som han røg halvdelen af, inden han trådte på den.

Minutter efter rullede en gul taxa op foran ham.

Johan satte sig ind.

– Trinidad, sagde han.

– I know, sagde chaufføren og rullede ud i eftermiddags-trafikken.

1

Blomsterne var fra Feo. De stod på det lille bord og lyste blåt og rødt og var forunderligt til stede i den nøgne hvide lejlighed med de tomme lyde.

Han lå på ryggen med hænderne under hovedet, pakket ind i dyne og tæpper, fordi alle vinduerne havde stået åbne, så malerlugten kunne komme ud.

– Hvordan kan påskeliljer lyse blåt og rødt, mumlede han og trak i gardinsnoren.

Ude i køkkenet fandt han den lille, italienske zinkkaffekande og begyndte at rode med vand og kopper. Overfor, i lejlighederne på den modsatte side var der allerede hektisk aktivitet.

Han lukkede vinduet og så på den lille huskeseddel på køkkenbordet: Pensler, terpentin og sandpapir.

Det ringede på dørtelefonen. Han fór sammen og spildte kaffe på undertrøjen. Havde endnu ikke vænnet sig til den tørre, påtrængende lyd. Faktisk var det første gang han talte i telefonen.

– Øh hallo …

– Det er mig, Otto.

Johan så på sit ur. Klokken var et kvarter over syv.

– Otto?

– Ja, luk nu op, mand.

Han åbnede døren og hørte den tykke kollega buldre op ad trapperne.

– Er du klar over, hvad klokken er?

Otto mosede forbi ham ind i lejligheden, idet han hastigt gloede op og ned ad væggene.

– Hvad var det du sagde den kostede?

45

– 570.000 …

Vennen stirrede vantro på ham.

– Man kan fanme også købe guld for dyrt. Åbn for radioen.

Johan lukkede døren og fulgte vennen ud i køkkenet.

– Der er stuk i lofterne og kvarteret …

– Hvad fanden skal en strømer i Latinerkvarteret efter? Åbn for radioen.

– Otto, jeg har ikke pakket ud endnu.

Den tykke så på ham. Blikket var stift. Han trak vejret i stød. Det kunne skyldes trapperne. Ottos form var ikke noget at prale af.

– Troede du, du skulle male i dag og sætte lamper op?

Johan skænkede op i kopperne. Otto tændte sin pibe. Det ville i det mindste tage den grimme lugt af maling.

– Gider du ikke fortælle mig, hvad det er, der er så vigtigt.

– Hvad fanden er det for nogle latterlige lerkrus? Har du ikke en rigtig kop?

– Otto!

– Okay, sæt dig ned. Den tykke lænede sig ind over bordet og kneb øjnene en smule sammen. – For to en halv time siden fandt et avisbud en død mand ude i Vestskoven. Han lå og fløstrøm ude ved vejkanten. Nydelig mand, dyrt sæt tøj. Men med et hul i nakken. Babubabu, stort ståhej. Pis og papir. Alle kvajhovederne, inklusive de politiske blir hevet ud af fjerene.

– Hvem var det?

– Kan du ikke finde din radio?

– Hold nu op, Otto.

– Det var sgu Como, gamle dreng.

Johan satte koppen fra sig.

– Udenrigsminister Como?

– Kender du andre, der hedder Como?

Johan rejste sig. Gik ind og rodede i en flyttekasse og fandt sin gamle transistorradio.

– Hvor ved du det fra?

– Man har jo sine kilder.

– Hold nu op.

– Jeg skulle ud og fiske med Willy nede fra drabsafdelingen. Jeg ringer til ham for at bede ham ta et ekstra hjul med. Han fortalte mig det. De var på vej derud, hele bundtet. Duer din telefon? Godt, så bare vent. Om en halv time ligger vi alle sammen med røven i vejret.

Johan satte stikket i og drejede på radioen, hvor der blev spillet klassisk musik, på samtlige programmer.

– Det er jo forfærdeligt, mumlede han.

Otto skænkede mere kaffe.

– Ja, stønnede han. – Helt ad helvede til. Måske han skulle ha holdt sin kæft om de terrorister.

Johan gik ind i stuen, der kun var halvvejs færdigmalet. Otto kom ind til ham. Stod og hang op ad dørkarmen. Johan håbede den var tør.

– Alt det kan du godt droppe, sagde Otto. – Hvor meget var det du havde til gode?

– To uger, mumlede Johan og følte på væggen. – Ved du noget om, hvem der skal lede eftersøgningen?

– Det kan kun blive Mahler, sagde Otto. – Måske kan vi få en tjans i lufthavnen. Stå og glo i folks tasker hele dagen. Hvem har tegnet de tegninger?

Otto løftede fire papirark op med tegninger af nogle rockstjerner.

– Feo, mumlede Johan.

I det samme ringede telefonen.

Det var Wagner, en ældre kollega fra drabsafdelingen.

– Så starter det, stønnede Otto og bankede piben ud.

Johan modtog en kort besked og lagde røret på.

– Hvor skal vi hen?

– Retsmedicinsk.

– Retsmedicinsk? Jamen er det Comomordet?

Johan gik ind i soveværelset.

– Knap så eksklusivt, gamle dreng.

Wagner var cirka halvtreds år og vellidt. Johan havde arbejdet sammen med ham en periode inden han kom over i sædeligheden.

– Vi troede vi skulle identificere Como, råbte Otto på afstand.

Wagner morede sig ikke.

– Livet skal jo gå videre, mumlede han og så kort på Johan, der tænkte, at det godtnok var en besynderlig udtalelse på dét sted.

– Måske er det een I kender. Wagner åbnede en metaldør. To yngre læger, begge kvinder, hilste kort på dem.

Otto forklarede Wagner, at Johan havde købt ejerlejlighed.

– Inde hos bøsserne, i Latinerkvarteret. Tror du ikke de blir glade for at få en strømer som nabo, Wagner?

En af lægerne forklarede, at skikkelsen under lagnet var fundet i havnen.

– Du kunne ha fået et rækkehus for de penge. Ude blandt almindelige mennesker, der ikke behøver drikke italiensk kaffe hele dagen.

– Kig godt på hende, sagde Wagner.

Johan så indgående på kvinden, der var slemt medtaget. Alligevel tog det ham under ti sekunder at identificere hende.

– Hun er ikke meldt savnet, tilføjede Wagner.

– Nej, det tror fanden, råbte Otto og gik hen til døren. – Der er sgu ingen, der græder ved hendes kiste.

De så på ham.

– Mercedes Benz. Otto hev op i bukserne.

– Kan man hedde det, spurgte den ene læge.

– Eller Rose Valentin, tilføjede Johan og gik tættere på liget.

Otto sagde, at hun sikkert hed noget helt tredje, men at Valentin alle dage havde været hendes kunstnernavn. Han fnøs.

– Hun var medejer af et etablissement ved navn „Masken". Ligger nede i Kineserkvarteret. Jeg vil tro hun er omkring de halvtreds. Tabet er til at overse.

De gik udenfor. Wagner spurgte, hvad „Masken" var for noget? Otto så indgående på de to kvindelige læger og trak veloplagt piben op af lommen.

48

– Det er et perverst bordel, råbte han og undertrykte en bøvs. – Et sted hvor du kan få pisk i røven eller bolle med en gravhund eller blot sidde i Tyrolerbukser og glo på mindreårige piger.

Wagner så på Johan, der trak på skuldrene og nikkede.

– Det raffinerede ved „Masken", fortsatte Otto fornøjet, – er imidlertid, at du kan komme og gå, fuldstændig anonym. Det er skide fikst indrettet.

– I har været der?

Otto smilede og lagde hovedet på skrå.

– Johan er stamgæst. Man kommer ind i en smal gyde, der også leder ind til hr. Wuhans uhumske kineserrestaurant med det overraskende navn Shanghai. I den lille gård er der en beskeden rødmalet dør med et lille kighul. Bag denne dør gemmer sig mutter Valentins etablissement, som består af en lang, smal gang, en stue med perverse magasiner og syv, otte små kabiner, hvor folk kan muntre sig med personalet.

– Det lyder som et bordel, indskød den ene af lægerne.

– Det er sgu et bordel, stønnede Otto med påtaget patos. – Officielt kaldes det en klub, men uofficielt er det et perverst bordel, hvor gæsterne, inden de træder ind i de hellige haller påfører sig en halvmaske, der sikrer dem fuldkommen anonymitet. Jeg ved ikke, om I kan forestille jer Klinger her, med sådan en halvmaske.

Wagner var gået hen til en automat, hvor han havde trukket et bæger med pulverkaffe.

– Hvorfor har I ikke lukket det sted for længst, spurgte han.

– Ved du hvad, råbte Otto. – De åbner det sgu igen. Der er alt for mange sorte kroner i sådan noget til, at du kan lukke det for altid.

Bagefter gik de op i hospitalets kantine, hvor Wagner gav rigtig kaffe, som han sagde. Otto spurgte, hvordan det gik med Comosagen.

– Aner det ikke. De har nedsat en gruppe. Med Mahler i spidsen.

– Og så kan vi andre bare lave det beskidte arbejde imens,

nikkede Otto.

Wagner tog sin lille bog frem.

– Jeg går ud fra der er en masse ludere og alfonser, der kunne ha lyst og motiv til at skyde den gamle bordelmutter ned?

Otto svarede, at der efter hans skøn var mellem hundrede og to hundrede. Det var bare at begynde fra en ende, medmindre man ville henlægge sagen under renovation.

Wagner så på Johan.

– Jeg vil gerne ha jer med derud, sagde han. – Faktisk har jeg fået lov til at bruge jer to kvikke fyre på denne her.

Otto og Johan så på hinanden.

– Det hele er brudt om, svarede Wagner beklagende. – Mahler har taget dem han skulle bruge. Korpsets dygtigste.

– Hvad fanden laver vi så her? Otto slog ud med armene.

En halv time senere stod de foran den rødmalede dør. Wagner bankede på. Otto sagde, at han troede „Masken" var lukket. Dels åbnede de først hen på aftenen, dels var der jo det med chefens pludselige dødsfald.

– Det ville sgu være meget rart at komme ind og glo lidt. Wagner så på Otto, der sukkede og lagde sine 110 kilo mod døren, der sprang op med et brag.

De gik fra den lille korridor ind i selve etablissementet, der var forbløffende ryddeligt. Med en næsten mistænkelig lugt af rengøringsmidler.

– Jeg tror sgu Blå Kors har overtaget lokalerne, råbte Otto. – Først skyder vi kællingen, så hælder vi hende i karret og så gør vi rent.

Wagner gik hen til ham.

– Du tror hun blev skudt ned her?

– Yes sir, jeg tror Rose blev nakket i disse hellige haller.

Wagner gik ud til bilen for at tilkalde teknikerne.

Otto så på Johan, der stod og skrabede lidt i gulvet med foden.

– Fortryder du, at du har købt den lortelejlighed?

50

Johan rystede på hovedet.

– Jeg gider bare ikke ligge vandret i tre uger, for at finde en lille grim trækkerdreng, der for tyve smøger har knaldet den gamle møgkælling.

Otto fniste.

– Det kalder jeg sgu korpsånd.

Lidt efter var Wagner tilbage.

– Okay, sagde han. – Jeg har lige talt med chefen. I begynder at snuse rundt i miljøet, så tager jeg mig af teknikerne. Jeg er glad for I er med. I kender det hele ...

Otto nikkede og klappede ham på ryggen.

– Stol på os, Wagner, sagde han. – Man finder en fordrukken luder i havnen, og bingo, straks står de to stjerneopdagere Rollo & Lassie på pletten. Jeg ku godt drikke en bajer nu.

De gik ud til bilen, hvor Wagner bad dem møde på Gården inden de tog hjem.

– Så summerer vi op, som han sagde.

Otto så op i luften.

– Gid fanden havde hele lortet.

Otto begyndte at gå ned mod det store kryds, hvor Kineserkvarteret begyndte.

– Ved du hvad jeg gjorde i går, Otto?, sagde Johan. – Jeg sprøjtemalede mine radiatorer. Med min støvsuger. De blev rigtig pæne.

– Er det ikke det jeg altid har sagt, mumlede Otto, – du er sgu for begavet til det her.

Johan nikkede: – Nu skal jeg bare spare sammen til en ny støvsuger, sagde han.

2

Kriminaloverbetjent Wagner fra drabsafdelingen, sad side om side med Johan og Otto i den alt for lille sofa i det støvede kontor, tilhørende lille, tynde Helmuth Schatt, som var Wagners chef, og som indledte mødet med at ordne bunken af rapporter, inden han med et dybt suk tog endnu en slurk af sin halvkolde kaffe.

– Det er ... for at sige det ligeud ikke overdrevet meget du har fået ud af fire ugers arbejde.

Han så kun på Wagner i et vellykket forsøg på at ignorere Johan og Ottos tilstedeværelse.

Udenfor var sommeren eksploderet. Lyset der faldt ind på skrivebordet stod som fire gullige laserstråler i et rum, der ikke var bygget til så megen sol. Standerlampens 60 watts pære brændte ufortrødent, ligesom arkitektlampen over skrivebordet.

Det så flovt ud.

I tavsheden fandt Otto en æske tændstikker, og gav sig til at stange tænder.

– Du har identificeret kvinden, fået afdækket hvem hun var og hvad hun lavede og dermed slut.

– Vi er næsten sikre på, at hun blev skudt i „Masken", mumlede Wagner.

Schatt så bittert på ham.

– Og i benet, fniste Otto.

Kommissæren gik bag om skrivebordet, fikserede sin stol og satte sig op i vindueskarmen med lyset i ryggen.

– I har afhørt atten prostituerede, ti beboere i ejendommen, tre taxachauffører og to tjenere i restaurant Shanghai. Ikke een af dem har hørt noget skyderi. Som der står, „den prostituerede nægter at udtale sig". Kommer det fuldstændig bag på jer?

Wagner så på Otto, der trak på skuldrene.

– Vi ved, at „Masken" var i fuld gang den nat, sagde Wagner. – Og at lokalet var totalt ryddet, da vi kom op ad formiddagen. En eller anden har gjort sig de hæderligste anstrengelser, for at vaske pletterne af gulvet. Vi har haft teknikerne derude. Ingenting.

– Hvem ejer … „Masken"? Kommissæren vrængede navnet ud.

Wagner rømmede sig og fandt sin lille notesbog frem.

– Den er solgt. Til hr. Wuhan. På tvangsauktion. Han overtog lokalerne for nylig. De er ved at blive istandsat. Han skal vist udvide Shanghai, så han kan få indgang fra gaden.

– Så må de sguda også flytte køkkenet, indskød Otto. – Ellers bliver der da alt for langt at gå for tjenerne.

– Ja, de placerer nok køkkenet i midten, nikkede Wagner.

– Måske vi sku la hr. Wuhans køkken være i fred, sagde Schatt.

Wagner så skyldbetynget på ham og forklarede, at inden mordet havde Rose Valentin stået som ejer af „Masken". I hvert fald formelt.

– Hvordan skal det forstås? Formelt?

Wagner rømmede sig og så kort på Otto og Johan.

– Vores kolleger fra sædeligheden her … de mener, at det eventuelt kan ha noget med Raymond Lewis at gøre.

Schatt så fladt på dem.

– Hvorfor ikke, smilede han ondt. – Det er vel altid et gratis bud.

– Mercedes Benz var en af Lewis' gamle piger, sagde Otto. – Han etablerede hende, var hendes første alfons. Hun stod under hans beskyttelse i mange år.

Schatt så ud ad vinduet, hvor solens stråler blev reflekteret i de tre etager, der nu helt og holdent var beskæftiget med opklaringen af Comomordet. Efter sigende forfulgte man tre hovedspor og talrige mindre. Rygterne svirrede, men i pressen skrev man fortsat om terror udefra. Og imens blev det besluttet at hovedstadens største og mest eksklusive boulevard ændrede navn til Albert Comos Boulevard. Og i Centralparken havde kommunen udpeget det sted, hvor hans buste skulle stå. Alverdens statsmænd havde deltaget i den officielle begravelse og tændt fire fakler, der til evig tid skulle brænde ved hans mindetavle.

Schatt sagde, at han snart ikke vidste hvad han skulle sige, og så med slet skjult længsel over på huset med den eksklusive mordsag.

– Det er i sandhed en jungle, mumlede Wagner. – Som at finde en død myre og begynde at rode i tuen for at finde dén, der har gjort det.

Otto og Johan så på hinanden. Sådan havde de aldrig set på det før. Otto nikkede anerkendende og slog Wagner på knæet.

– Meget smukt formuleret, sagde Schatt sarkastisk, – men det hjælper jo fedt. Fire uger har I haft. Og hvad er I kommet op med? Nul og nix. En halvkvædet vise. Han gik rundt om skrivebordet og lænede sig fremad. Man siger, at han stilede efter en karriere i det politiske liv. – Det er direkte demoraliserende for miljøet dernede, hvis vi blot henlægger sådan en sag. Og det er direkte fattigt endnu en gang at resignere ved at pege på Kong Lewis, hr. Volmar!

Otto kom med besvær på benene og gik hen til vinduet. Pegede på bygningen overfor, hvor rigets fremmeste opdagere arbejdede i døgndrift.

– Dem derovre, hr. kommissær. Hvor mange er de? 500 mand, 1000? Jeg spørger, er de nået et skridt længere? Okay, de har identificeret liget! Men hvor langt er de nået? Er det overhovedet rimeligt, at forlange mere af os?

– Nej, det er det tilsyneladende ikke, Otto Volmar, sagde Schatt dæmpet. Han så på sit ur: – Hvis I tror Lewis er indblandet, hvorfor gør I så ikke noget ved det? Har I talt med ham?

Otto rystede på hovedet. Hans erfaringer med Kong Lewis var brogede.

– Jamen så foreslår jeg, at I starter dér! Nu, i dag. Mere var der ikke. Wagner, hvis du vil blive lidt endnu.

Otto og Johan vadede ned ad trapperne, ned i gården og

54

ud på gaden, hvor deres bil stod parkeret.

Johan så på bøgetræerne, der i løbet af natten var blevet lysegrønne. Han tænkte på den lange eftermiddag, når han skulle i Zoo med Feo. At hun gik derhjemme og glædede sig. Men allermest tænkte han på episoden dagen før. På deres stambistro. De var kørt derhen efter den sidste afhøring af den sidste luder og hendes alfons. Otto havde nærmest tævet stodderen. Mens Johan holdt på pigens schæferhund. De havde været oppe hos hende. I den beklumrede lejlighed, der ligefrem lugtede af hendes erhverv. De havde valgt at ignorere hendes ar på armene, og det faktum, at hendes fyr var velkendt hos narkopolitiet.

– Vi ved, at du arbejdede hos Mercedes, i „Masken", sagde Otto og pegede på luderen.

– Gu gjorde hun ej, råbte fyren. En lang, mager, cirka 25-årig fyr med en usund kulør.

Det tog nøjagtig en halv time. Så indrømmede pigen, at hun havde været der. Men at hun havde været stangberuset, som hun udtrykte det. Faktisk kunne hun dårligt nok huske, om Mercedes havde været der.

– Hvad med kunderne? Kan du huske noget til dem?

– Nul.

– Og lad os så gå, råbte alfonsen.

– Du holder bare din kæft, sagde Otto roligt. – Hvornår lukkede I biksen?

– Klokken 1 eller 2. Jeg kan ikke huske det, mand.

– Hvem af de andre piger var der?

– Det kan jeg ikke huske.

Otto tog fat i hende. Hunden gøede og snappede efter Johan. Et eller andet gult flød fra dens ene øje.

– Udmærket, så tager vi dig med, sagde Otto og trak pigen hen mod døren.

– Du holder bare kaje, Suzan, advarede alfonsen henne fra vinduet.

Otto slap pigen og gik hen og slog fyren hårdt i mellemgulvet. Han knækkede forover med et støn.

– Var det nødvendigt, skreg pigen.

Johan så på Otto.

I de næste to timer kørte de rundt med luderen Suzan, der græd og svor, at hun havde været meget meget fuld. Til sidst kørte de hende hjem.

Hun steg snøftende ud. Otto rullede ruden ned.

– Vi ses, Suzan, sagde han.

– Du er da et svin, Otto, spyttede hun og gik hjulbenet hen mod sin opgang.

Johan åbnede døren og løb efter hende.

– Suzan ...

Hun vendte sig om.

– Hvad er der nu?

Han trak hende ind i opgangen.

– Jeg er lidt ked af den behandling vi har givet dig i dag.

– Nå, er du det ... der kan man se.

– Jamen det er jeg. Men prøv engang at se det fra vores side. Hvis det nu var dig, der var blevet skudt i den bule.

– Ja, så var jeg jo nok ligeglad, ikke.

– Du er god nok, Suzan, sagde han.

– Ja, det mener du jo alligevel ikke.

– Jeg mener det. Ellers ville jeg ikke sige det.

Hun stillede sig med siden til ham.

– Jeg vil bare ikke ha noget vrøvl, mumlede hun, og lænede sig snøftende ind til ham. Johan slog armen om hende og klappede hende på hovedet.

– Du sku finde dig noget andet at lave.

Hun så op på ham. – Ja, go'moren. Tror du jeg får lov til det. Ja, om ti år, men så er det sgu også lige meget.

– Vi lader dig være nu, Suzan. Her, tag mit lommetørklæde. Hun tog lommetørklædet, så direkte på ham og smilede lidt. Johan smilede også.

– Tror du jeg er dum, sagde han. – Jeg ved sguda godt, at Lewis var der den nat, men jeg forstår også godt hvorfor du ikke kan sige det til os.

Hun så væk.

– Suzan ... jeg forstår det godt. Helt fint, du. Der er bare een ting.

56

– Jeg ved ingenting, råbte hun.

– Hvorfor skød han hende?

– Hvem?

– Lewis.

– Han har sgu ikke skudt nogen.

– Men han var der?

– Gu var han ej.

– Du blir nødt til at fortælle mig det, Suzan.

– Hvem siger det?

– Det gør jeg. Ellers fortæller jeg Lewis, at du har sagt, det var ham, der skød Mercedes.

Hun gik et skridt tilbage.

– Du er kraftedermame ti gange værre end ham den tykke derude.

– Var han der, Suzan, eller var han der ikke? Nu er det alvor!

– Er du klar over, hvad der sker med mig, hvis jeg fortæller dig noget? Hendes hage sitrede.

Johan nikkede.

– Jeg garanterer dig ... jeg garanterer dig, han får det aldrig at vide.

– Og du vil kun ha at vide, om han var der?

– Ja.

– Okay ... de andre sagde, han var der.

– Hvem?

– Nu stopper du.

– Okay. Johan trak en seddel op af lommen. – Her, køb noget til din hund.

– Til min hund?

– Ja, den har noget med sit ene øje. Det løber i vand. Du kan få det på apoteket. Hej, du ...

Raymond Lewis havde sit kontor i et af den indre bys fashionable kvarterer. Formelt var han grossist. Men hans virksomheder var mangelunde. Således ejede han en stribe restauranter, en hel del pornoklubber og drev også sit eget lille filmselskab, hvor han producerede videofilm til kræsne kunder, fortrinsvis i udlandet. Han satte også penge i såkaldte lødige film, og havde aktier i et utal af selskaber. Han var flere gange blevet sigtet for rufferi, smugling, skattesvig og narkohandel, men hver gang gået fri.

En enkelt gang havde det offentlige endog måttet give ham erstatning. Adskillige politifolk, hvis specialer var økonomisk kriminalitet, slikkede endnu sårene efter mødet med Kong Lewis, som han yndede at kalde sig.

– Spørgsmålet er, om han overhovedet gider tale med os, mumlede Johan.

– Det skal han jo, før eller senere, svarede Otto.

De var på vej op med elevatoren. Otto spurgte, om Johan ville med hjem og have en sval bajer og et parti crocket i haven?

– Jeg skal i Zoologisk Have med Feo.

En ung, meget køn, pige rejste sig fra sit lille røde skrivebord, da de trådte ind. Hun stod i en slags reception med blomster i blomsterkasser og fotostater af Lewis' nye hotel, Stjernen, som lå oppe nordpå. Johan vidste Lewis havde søgt om tilladelse til at drive en roulette, og at kommunen havde bevilliget en midlertidig godkendelse.

– Mit navn er Volmar, smilede Otto sleskt. – Og det dér er hr. Klinger. Vi har en aftale med hr. Lewis.

– I dag?

– Ja, faktisk, sagde Otto venligt, – det er sådan set derfor vi kommer i dag. Han så kort på Johan, der gik hen og så ud ad vinduet. Sekretæren sagde, at det var umuligt, da hr. Lewis slet ikke var på sit kontor.

Johan tænkte, at kvadratmeterprisen herinde nok var ti gange højere end inde i Latinerkvarteret.

– Hvor kan vi så finde ham, spurgte den smilende Otto.

– Det ved jeg ærlig talt ikke. Er der en besked?

Otto så hen på Johan, der nikkede til ham.

– Måske, hvis jeg lige måtte spørge Dem om noget frøken. Otto trak pigen hen til et fotografi af en kolossal rutsjebane a la dem man kan se i et tivoli. Under billedet stod der Clacton Pier august 87. Johan vidste at Lewis havde en forkærlighed for monumentale rekvisitter til alskens gøgl og forlystelser. Han bladede sekretærens kalender igennem, og så på sit ur. Klokken var 13.15. På kalenderen stod der frokost/Atelier.

I det samme ringede telefonen på skrivebordet.

Pigen forlod Otto og tog røret.

– Firmaet Lewis, sagde hun. – Et øjeblik. Hun trykkede på en knap på det lille omstillingsbord.

Otto gik hen til døren: – Vi løber igen ...

Pigen nikkede, måske en smule afmålt. Imens lagde Johan hånden fladt på sit hoved.

– Jeg er pludselig blevet nervøs, hvis vi har taget fejl af stedet, sagde han. – Vi skulle nemlig spise frokost med hr. Lewis.

– Jamen, jeg sagde jo ...

– Inde på atelieret. Men det er måske ikke her?

– Nej, det er på Esters Allé.

Otto så på Johan.

– Selvfølgelig, sagde han. – Esters Allé. Tænk, at vi kunne være så dumme, Johan. Hvad nummer er det?

Pigen så mistænksomt på dem.

– Nummer 18, sagde hun, og tog brillerne af. – Hvor var det De sagde, De kom fra?

– Hollywood, svarede Otto og lukkede døren.

Tyve minuttere senere rullede Johan vognen ind gennem porten til nr. 18 på Esters Allé. De parkerede i den grå, fabriksagtige gård, hvor vinduerne i stueetagerne havde udvendigt gitter.

Otto åbnede en tung metaldør, og de kom ind i en lille gang med et skilt, der viste, at Kochs Atelier lå på fjerde etage og at huset også indeholdt et lager, et forlag og en tegnestue.

– Hvem fanden er Koch, mumlede Johan.

– Det er vel et af de andre møgsvin, sagde Otto.

En ung mand bumlede ned ad trappen med to, meget tunge, aluminiumskufferter.

– Hej du, sagde Otto, – er Lewis deroppe endnu?

– Ja, det tror jeg nok. Men vi er færdige.

– Tak.

De mosede op på anden. Der lød flere trin oppefra. To piger kom ned. Begge tysktalende. Begge meget kønne på en udfordrende måde. De ignorerede totalt Otto og Johan. Bag dem kom en lille tyk mand med hornbriller. Han så på Otto og Johan.

– Hvis det er forlaget, så er det i stuen.

Stemmen var direkte uvenlig.

– Vi skal tale med Raymond Lewis, svarede Johan høfligt.

– Om hvad?

– Jeg tror ikke jeg fik fat i dit navn, sagde Otto.

Manden så på ham, som om han ikke havde hørt, hvad der blev sagt.

– Jeg ejer denne bygning. De befinder Dem på privat område.

– De er måske hr. Koch?

– Præcis, ja.

Johan tog sit politiskilt frem. Otto smilede til den nu skulende direktør.

De fortsatte op til døren med skiltet Kochs Atelier A/S. Indenfor stod to mænd og en ældre, meget velklædt kvinde og talte med en midaldrende mand i en sort lædersofa. Manden var Raymond Lewis. De så alle sammen på Johan og Otto, der med forsigtige skridt nærmede sig gruppen.

Atelieret var større end ventet og bestod af mange små rum, adskilt ved tynde vægge. I loftet hang adskillige projektører og mindre spots. Det hele så meget professionelt ud.

Johan smilede til de to mænd og syntes han kendte den ene.

– Jeg hedder Klinger, sagde han. – Vi er fra politiet. Har De fem minutter, hr. Lewis?

Lewis trak på skuldrene, men smilede så til sine folk. Som for at sige, „der kan I se, hvad man byder mig". Han var lille og trimmet, solbrændt med et velholdt fipskæg. En forretningsmand i sin bedste alder. Velklædt uden at være lapset. Retfærdig uden at være hellig.

De andre forlod lokalet og gik ned til et nærliggende køkken.

– Hvad drejer det sig om? Lewis trak en cerut ud af et etui.

– For en måned siden, begyndte Otto, – blev liget af en Rosa Valentin fisket op i Sydhavnen. En forhenværende prostitueret. Med tre skudhuller i kroppen.

– Ja, det ved jeg.

– Det ved De?

– Ja, jeg læser aviser, ligesom alle andre.

– Selvfølgelig gør De det, smilede Otto. – Vi har lige siden forsøgt at finde ud af hvem der gjorde denne grimme ting. Otto lo bagatelliserende: – Men sandt at sige, har det ikke været særlig let.

Lewis lagde det ene ben over det andet og så op.

Otto satte sig uopfordret i sofaen og tændte en af sine egne cigaretter, idet han flabet imiterede Lewis' måde at sidde på.

– Denne dame blev skudt i et etablissement kaldet „Masken". Kender De det, hr. Lewis?

– Sig mig, hvad kommer det egentlig mig ved, alt det der? Hver gang der sker noget nede i det kvarter, kommer I rendende ind til mig. Lewis slog koket ud med hånden, som om han slog efter en flue.

– Ja, det er egentlig pudsigt, mumlede Otto, og efterlignede talentfuldt den elegante håndbevægelse.

– Jeg spurgte om noget!

Johan brød ind.

– En ung dame, en prostitueret, vi ku kalde hende Sofia, arbejdede i „Masken" den nat Mercedes Benz blev myrdet.

– Og hva så?

– Hun fortæller os, at De også var der. På mordnatten.

Lewis stillede skarpt på Johan. Det gjorde Otto også.

– At jeg var der … den nat?

– Præcis ja, sagde Otto. – I Rosas bordel. Og nu er det vi gerne vil ha at vide, om De var der for at tælle Deres penge, eller for at hygge Dem med maske på. Eller hvad fanden De lavede?

– Jeg foreslår at De skynder Dem at komme ud herfra, sagde Lewis uden at hæve stemmen.

– De vil måske hellere med på stationen, fortsatte Otto.

– Lad nu være med at skabe dig, sagde Lewis uanfægtet, og rejste sig op.

– Hr. Lewis! Johan smilede venligt til den et hoved mindre mand: – Var De eller var De ikke i „Masken" den nat Rose Valentin blev myrdet?

– Jeg var der ikke. Jeg var hjemme. Hjemme hos mig selv.

– Det kan De huske?

– Ja, det kan jeg huske, for da jeg et par dage senere læste om hendes død i avisen, regnede jeg med, at der nok ville komme to forhenværende buschauffører op til mig. Jeg er klar over, at intelligensen inden for politiet for tiden er optaget af andre ting, alligevel forekommer det direkte utrygt, at resten af byens borgere er overladt til folk, der egentlig burde dirigere trafikken i provinsen.

Otto så på Johan.

– Men De kendte hende, sagde Johan.

Lewis slukkede sin cerut.

– Jeg kendte hende for mange år siden.

– Og De kan selvfølgelig bevise, at De var hjemme hele natten? Johan så ned i gulvet.

– Naturligvis. Lewis gik helt hen til ham. Jeg sover nemlig sjældent alene! Og det er der faktisk hele to vidner på, fra den nat. De finder selv ud.

– Så må vi bare håbe at begge hundene har lært at tale, råbte Otto fra døren.

Lewis så på ham uden det mindste tegn på ophidselse.

– Jeg tror ikke jeg fik fat i dit navn, sagde han.

– Det skal nok komme, Lewis, råbte Otto inden Johan puffede ham ud ad døren.

De kørte ud af byen, ud mod Ottos lille hus i et af de vestlige forstadskvarterer. Johan så på ham.

– Måske var det en ide, Otto, hvis du … differentierede din opførsel lidt mere, sagde han stille. – Når vi taler med folk …

Otto stirrede på ham.

– At jeg gør hvad?

– At du henvender dig til dem ... mere nuanceret.

– Jamen, hvad var det for et ord du brugte?

– Differentieret?

– Differentieret, javelja. Det var sgu flot, Johan. Hvor længe er det egentlig du har boet inde hos de bøsser?

Johan rullede vognen ind til siden. Otto spurgte, om han ikke ville med ind og have en kold bajer?

– Zoologisk Have, som du husker. Jeg har udsat det og udsat det.

Otto slog ham på skulderen.

– Du er sgu god nok, Johan, sagde han. – Det har jeg altid sagt. Hvad var det for et ord du brugte? Differentieret. Fanme flot, du.

Otto steg ud.

– Vi ses. Johan rullede vinduet ned. – For resten Otto: Oppe hos Lewis. Kan du huske sidste år, da vi lavede de der razziaer, angående de små piger i pornomagasinerne? Kan du huske ham fotografen.

– Hvad er der med ham?

– Han var oppe hos Lewis.

– Han fik jo en dom, mand. Hvad var det han hed?

– Richard. Jeg er sikker på, det var ham.

– Hils Feo.

Otto gik ind. Johan kunne høre hans hund gø.

Måske skulle de grille på terrassen. Ham og konen. Uden at skænke Lewis så meget som een eneste tanke.

3

Han sad på en klam bænk med et plastickrus fyldt med fadøl og så skiftevis på den indolente løve og på Feo, der stod ved Safari-Pølsevognen, i færd med at fortære to røde pølser. Og han tænkte på Koch og Lewis, på deres manerer og på den klassiske selvfølgelighed, der omgav dem. Et usynligt skjold af immunitet, stik modsat lille tykke Feo med de glade øjne og den glubende appetit.

Han missede hen mod rovdyrburet, hvor solen forsvandt bag tagryggen.

Hun kom hen til ham. Stillede sig foran ham og havde både ketchup og sennep i mundvigene. Han tog en serviet og bad hende tørre det af.

– Jeg kan godt spise mere.

– Du får ikke flere.

Hun gik hen til pølsevognen og spiste det sidste pølse-brød, der blev dyppet i gul sennep.

– Jeg har tabt mig, råbte hun.

Han smilede og nikkede og så væk.

– Jamen det har jeg, Johan. Se her!

Hun trak op i blusen og vindjakken og viste ham sin bare mave.

Han nikkede og gik hen til hende.

– Meget flot, Feo, tag bare blusen ned igen.

Da de spadserede ud af haven, hånd i hånd, mindede hun ham om filmen „Den Vilde Bande", som hun i lang tid havde plaget om at komme ind og se.

– Den er meget uhyggelig, du vil ikke kunne li den.

– Er den forbudt?

– Ja, over seksten.

– Jeg er snart 34.

I bussen spurgte han, hvordan det gik på værkstedet, og

tænkte, at han nok blev nødt til at snakke med moderen angående Feos vægt.

Hun sad og kiggede på sit nye ur.

Imens kiggede folk på hende. Ikke meget, bare lidt.

Johan havde været vant til det hele livet.

Hun lagde armene om hans hals.

– Jeg *vil* se „Den Vilde Bande".

– Du ved, hvordan det går, Feo ...

– Ikke i dag. Jeg lover det. Ikke i dag.

Han så ud ad vinduet og fik atter billedet af Raymond Lewis ind på skærmen. Og han så Feo stå foran utallige biografer; film hun absolut måtte se; og så i sidste øjeblik. Foran larmen, de mange mennesker, lydene fra spilleautomaterne. Angsten og usikkerheden. En enkelt gang havde han slæbt hende med ind, vel vidende, at hun ville blive glad, når de først sad inde i mørket, hånd i hånd, og filmen var i gang. Og med hensyn til „Den Vilde Bande", så var den tilpas kulørt og tilpas plat til hendes smag. Otto havde set den. Feo og han havde stort set samme smag.

Han smilede og trak hende ind til sig.

Hun hviskede: – Er vi stadig væk kærester?

Han nikkede alvorligt.

De lo ned gennem Latinerkvarteret til hans opgang. Men jo tættere de kom hans nye bopæl, jo mere stille og foroverbøjet blev hun. Hun var eet stort trækpapir.

– Hvorfor er opgangen låst? Er der tyve?

– Njahh. Jeg tror det er fordi der er så mange værtshuse. Folk tisser i opgangene, hvis vi ikke låser af.

Hun brød sammen af grin. Johan grinede også. Ingen i hele verden kunne få ham til at le så totalt ubegrundet og hæmningsløst som hun.

Hun snakkede om, at hun havde gravet lidt i haven sammen med far og mor. Og Johan sagde, at det var godt hun kunne hjælpe til, nu hvor forældrene kom op i årene.

Han låste sig ind og åbnede døren.

– Er det din lejlighed?

– Ja, smilede han, – det er min lejlighed, men kom nu ind,

Feo.

– Hvad er det her lugter af?

– Det ved jeg ikke. Måske mad. Kom nu ind. Jeg har købt sodavand.

Hun sugede entreen og køkkenet til sig og gik ind i soveværelset.

Imens så han Svenne løbe i slowmotion nede ved vandet. Hørte Otto råbe bagude. Måske havde det ikke været nødvendigt. Måske hvis jeg ikke havde været så skide bange, tænkte han.

Og han så Lewis lukke døren efter dem. Og Feo ved sengen.

– Jeg kan kende din gamle seng.

Han gik ud i køkkenet og trak en rød sodavand op, og samlede de små plasticdyr hun havde købt i Zoologisk Have i en pose.

– Nå, frøken, kan du li min nye lejlighed, eller hvad?

– Hvorfor har du ikke noget på væggene, ligesom derhjemme?

– Det kommer. Han rakte hende sodavanden. – Men jeg venter selvfølgelig på, at du skal lave nogle flotte tegninger til mig.

– Jeg kan lave een nu, hvis du vil ha det?

Han nikkede og fandt papir og kuglepenne frem.

Hun stod foran sofaen.

– Skal du ikke ha din vand? Jeg har også købt vingummi …

– Jeg er på slankekur.

– Nå …

Han satte sig foran hende. Spurgte, om der var noget galt?

– Jeg kan ikke li at være her, sagde hun stille. Som om naboerne ikke måtte høre det.

Han rejste sig og trak hende ind til sig.

Af en eller anden grund, vidste han ikke, hvad han skulle sige. Det var jo ærlig snak. Hun kunne ikke lide at være der. Og selv om Feo jo trods alt bare var Feo, så gjorde det straks lejligheden mindre attraktiv. Det burde stå på skødet.

Hun så op på ham.

– Skal du ud at rejse?

– Rejse? Hvor i al verden skulle jeg rejse hen?

– Jamen, skal du?

– Nej, det ved gud jeg ikke skal. Han så uforstående på hende.

– Sværg, du ikke skal ud at rejse!

– Jeg sværger.

I det samme ringede telefonen. Det gav et sæt i dem begge to. Det var anden gang den ringede, i den tid han havde boet der. Første gang var fra kommunen. Han tog røret, der i det samme blev lagt på i den anden ende. Hun så på ham. Og han så Svenne og Lewis og Suzan og liget af Rose Valentin.

– Var det telefonfis?

Hendes øjne skinnede.

– Ja, mumlede han, – jeg tror sgu det var telefonfis.

Hun holdt sig for munden og fniste.

– Vi laver også telefonfis. Nogle gange nede på værkstedet.

– Det gør I vel ikke, mumlede han adspredt og gik hen til vinduet og så ned på gaden. Af en eller anden årsag kunne han ikke holde tanken ud, at blive i lejligheden resten af aftenen sammen med hende. Hun ville ikke engang tage jakken af.

– Satans til rastløshed, mumlede han og stillede resten af hendes sodavand i køleskabet.

En time senere stod de i den proppede biograffoyer og råbte til hinanden for overhovedet at kunne høre noget.

– Du kan se på billederne, imens jeg køber billetter, sagde han.

Fra køen holdt han øje med hende.

Bagefter gik han hen til slikbutikken, da hun kom over til ham.

– Jeg vil hjem, Johan.

Han så op i loftet.

– Nu holder du op, Feo. Se her, jeg har lige købt billetter.

Hun gik hastigt hen mod udgangen. Han løb efter hende og tog fat i hende. De var så småt begyndt at vække opsigt.

– Feo …

– Jeg vil hjem.

De kom udenfor på gaden, hvor han trak hende hen til husmuren, da hun lod sig falde, kraftesløs og grædende. Irriteret trak han hende på benene, da han et kort øjeblik fik øjenkontakt med et forundret, måske forskrækket blik. Han slap Feos hånd og så efter pigens ryg. Hun havde armen om en drengs skulder. Formentlig hendes søn, og da de gik ind i biografen genkendte han hende fra Elis Bistro. Hun sad der somme tider med en avis og en kop kaffe. Elis kone kaldte hende Hannah.

Han trak Feo på benene og børstede hendes bukser.

– Okay, sagde han, – din lille møgunge.

Hun sagde, han selv kunne være en møgunge, og Johan smilede, men blev hurtigt alvorlig. Pokkers også. Hvorfor skulle hun også komme forbi lige nu?

– Jeg går tilbage og får mine penge igen, sagde han.

– Jeg vil med. Du skal holde mig i hånden.

De gik tilbage til foyeren, hvor det så småt var ved at tynde ud.

Han kunne ikke undgå at få øje på pigen, der sad på en bænk sammen med sin dreng, der spiste en is. Hun så op, da Johan trak Feo med hen til billethullet. Nu kan hun i ro og mag sidde og studere os, tænkte han. Fanme dejligt.

– Kan vi få pengene tilbage, spurgte Feo ængsteligt.

– Ja, sagde han og trykkede hende på næsen.

Hun sagde han blev nødt til at hjælpe med lynlåsen i vindjakken. Johan bukkede sig ned og så pigen og drengen komme på benene.

– Værsgo, her er Deres penge …

Han ordnede Feos halstørklæde. Imens forsvandt drengen ind i biografens mørke. Men pigen stod lidt, i færd med at slukke sin cigaret. Johan kunne ikke lade være med at kigge på hende.

Inden hun fulgte efter sin søn, så hun op og smilede. Han så hurtigt ned i gulvet, da Feo trak i ham.

– Er det en du kender?

Resten af aftenen sad de oppe hos forældrene og spillede Ludo. Nu var Feo i sit es. Og moderen lavede the og serverede hjemmebag, og faderen var i et godt lune.

Han tabte tre spil i træk, og Feo sagde han havde held i kærlighed, og to timer senere sad han atter i bilen og tænkte gid fanden havde det hele, men at det havde været en dejlig tur i Zoologisk Have.

Der stod to dåseøl i køleskabet.

– De var til fridagen, sagde han og drak dem begge to.

Inde ved siden af havde naboen fået en ny rockplade.

– Her er liv og glade dage, sagde han og så ned på gaden, og tænkte på elefanten, der for længst var holdt op med at tænke på noget som helst.

Han tænkte også på pigen, der hed Hannah og hendes mutte dreng. Af en eller anden grund havde hun haft gummistøvler på. På en majdag. Gummistøvler og duffelcoat.

Det kunne han godt lide.

4

Han stod i Vagtstuen på Centralhospitalet, nærmere be-
tegnet Afdeling E7, Intensivafdeling og så hen på afdelings-
sygeplejersken, der uden blusel stirrede vantro på ham.
Wagner var i den anden ende af røret og Johan havde netop
sagt, „ja, det drejer sig om luderen Suzan, ja hende fra
bordellet".

Wagner forklarede, at han og Schatt netop havde lukket
Raymond Lewis ud ad døren, og han havde i øvrigt udtrykt
tilfredshed med at slippe for folk af Johan og Ottos kaliber.

Som en sten i vandet, tænkte Johan og så sygeplejersken
læne sig en smule forover. Man smider en sten i vandet, og
den forsvinder for stedse uden en krusning, bare et plump.
Fuldstændig ligegyldigt. Ned til de andre sten. Og hvad så?
Problemet var, at denne sten havde et navn, ja indtil flere.
Men dens rygte gjorde, at man dårligt nok gad fiske den op
igen. Hvis det ikke var for en herre ved navn Lewis.

– Hør nu her, Klinger, sagde Wagner. – Der er gået over ti
dage nu. Vi har haft manden inde, I har talt med ham to
gange, vi har afhørt hver en luder, hver en alfons, kioskejer,
biografejer, massagepige, alle! Wuhan har endda genåbnet
„Masken" som spisested for sin sursøde sovs.

– Det er stadig et link til Lewis.

– Lewis er droppet! Jeg håber den er feset ind, Klinger. Vi
har ingenting på manden. Hvor er Otto?

– Inde i Sydhavnen, hos Suzans alfons, Svenne.

Johan så på afdelingssygeplejersken, der rykkede en halv
meter tilbage.

– Hvornår fik de hende ind?

– I nat. Hun ligger på Intensiv. Sødt ikke, Wagner?

– Hvad mener du med det?

– Ikke noget. Der er bare megen ulejlighed, hvis det hele

ikke betyder noget som helst. Medmindre Svenne skød bordelmutter.

Sygeplejersken rejste sig med et sæt. Hun stirrede anklagende på ham. Johan ringede af.

Bagefter gik de hen på enestuen, hvor den myndige dame fjernede den hvide skærm, så Johan kunne tage Suzan i nærmere øjesyn. Hun lå bevidstløs efter operationen med slanger og rør i næse og mund og med en stor bandage om hovedet og ned over det højre øje. Hun var kort sagt ukendelig.

Afdelingssygeplejersken læste op af journalen.

– Der er læsioner i hovedet, brud på kæben, fire brækkede ribben, en brækket næse og blodansamlinger på arme og ben. Tandsættet er næsten ødelagt.

Johan så på hende.

– Hvad med ryggen?

– Med ryggen?

– Ja, fejler ryggen ikke noget. Skrammer, blødninger ...?

– Det står der ikke noget om.

– Men De siger det skyldes et fald fra en brandtrappe.

– Jeg læser op fra rapporten, hr. Klinger.

Han nikkede og slog ud med armene.

– Hvornår kan man komme til at tale med hende?

– Det må overlægen afgøre, han er her til stuegang. Men det blir næppe i dag.

– Hvad er der med hendes øje? Johan gik tættere på sengen.

– Højre øje er desværre så læderet, at det måske skal fjernes. Desuden er hun gravid i tredje måned.

Han så op. Luderen Suzan var gravid i tredje måned.

– Hvem bragte hende ind?

– Redningskorpset.

– Men hvem ringede til Redningskorpset?

– Det må De spørge om i Vagten.

I det samme stak en portør hovedet ind.

– Er du Klinger fra politiet? Der er telefon. Henne på vagtstuen. Jeg tror det haster.

Opkaldet var fra Gården. Otto Volmar havde ringet, stærkt oprevet. Der var to patruljevogne på vej ud til ham, men Volmar ville kun have Klinger. Svenne var gået amok med et oversavet haglgevær og lå og skød fra forskellige steder i ejendommen.

– Er der … problemer, spurgte sygeplejersken med antydningen af et smil.

Johan bakkede hastigt ned ad gangen.

– Det er manden, der hjalp Suzan ned ad trappen, råbte han.

Han var hos Otto nøjagtig otte minutter senere. Ikke uventet var den tykke godt arrig.

– Fortæl mig, hvad der er sket?

– Ja, den er sguda helt gal. Idioten lå og skød på mig fra køkkentrappen.

– Var du kommet ind i lejligheden?

– Døren stod åben. Otto tændte en cigaret. – Køteren var selvfølgelig derinde. Der så ud ad helvede til, og det fløde med hundelort.

I det fjerne kunne de høre sirenerne.

– Nu kommer alle de idioter, stønnede Otto. – Men vi tager det møgsvin inden.

– Hvad skete der oppe i lejligheden?

Johan satte sig ind i bilen.

– Ja, ham stodderen gik helt amok og skød vildt omkring sig. Og hunden skabte sig.

De kørte ned mod havnen, ud på den lange havnevej, bag om de gamle pakhuse, forbi den store containerplads.

– Hvad gjorde du?

– Jeg skød sguda den lortehund og løb efter stodderen.

Johan så kort på Otto, da en gammel havnearbejder standsede dem. Otto rullede ruden ned og smed sit skod ud.

– Er I fra politiet, spurgte den gamle.

– Ja, vi er fra politiet, har du set noget, råbte Johan.

– Han er ude på Oliedokken, sagde den gamle, og gik tilbage til et mindre sjak, der skubbede skuldrene i vejret og vendte ryggen til.

Johan satte vognen i gear. Otto spurgte om han havde sin tjenestepistol med?

De fik øje på ham næsten med det samme. Han var i færd med at kravle ind i et gammelt fiskekutterskrog, der lå halvvejs på siden.

– Svenne, skreg Otto og sprang ud af vognen.

Alfonsen så op og sprang de tre meter ned og begyndte straks at spæne ned ad en smal gyde. Otto spurtede efter ham. Imens kaldte Johan på forstærkning over radioen.

Der lød to skud. Johan smed telefonen og benede efter Otto, der lå mellem nogle væltede olietønder. Han gennede Johan ind til siden. I det samme dukkede Svenne op og sendte en byge hagl ned mod Otto, der straks rejste sig og skød tre gange. Svenne sprang ind langs træbarakken og skød igen. Den sidste salve sendte Otto ned med et brøl. Hans ene lår var flået op.

– For helvede Johan, råbte han. – Mit ben, mand …

Johan sprang frem og trak ham ind i barakken.

– Tag det roligt, Otto, det ser ikke så slemt ud.

– Ikke så slemt ud? Han ku ha ramt mig i nosserne. Nu tager du ham, Johan! Du slipper ham ikke. Otto havde fat i Johans vindjakke.

Johan løb langs med træhusene og standsede op for at lytte. Der lød skridt inde fra noget, der lignede en nedlagt tømrerhandel. Måske et depot. Luften var tør og stram. Han gik langs en række paller, da en salve hagl flåede trævæggen op, en halv meter over hans hoved.

Johan gik i knæ og mærkede sveden på ryggen og under næsen.

– Svenne, skreg han. – For helvede Svenne, smid det gevær, inden det blir alvorligt for dig.

– Kom og tag mig, skreg manden.

Han var næsten lige så desperat som Otto.

Johan krøb frem, for at lokalisere ham.

– Kom og tag mig, snotdumme strømer! I tror sgu I er så

kloge. Svenne lo. – Men I blir klogere. Meget klogere!

Det lød næsten som om Svenne vidste, hvad han talte om.

– Vi ... vi kan lave en aftale, Svenne, råbte Johan og mærkede hvordan angsten fik tag i svælget.

Denne gang kom der ikke noget svar. Johan rejste sig op. Snurrede rundt, sigtede højt og lavt.

Bagefter styrtede han ud af barakken, og rundede et hjørne. Svenne stod underlig rådvild nede ved havnebassinet. Næsten som om han ventede.

Johan vurderede afstanden og kaldte på ham.

Svenne lo og skød fra hoften. Johan sigtede med begge hænder. Sigtede og skød. I det samme sprang Svenne fladt forover. Og var død endnu inden han ramte jorden.

Halvanden time senere sad Johan sammen med Schatt og Wagner på Kysthospitalet, hvor Otto var ved at blive behandlet. De hørte ham råbe og skrige inde fra skadestuen. Han havde atten hagl i låret. Alle sammen overfladiske skrammer.

Schatt gik frem og tilbage. Han var på vej til at gå, til trods for, at han lige var kommet. Af en eller anden grund så han ikke rigtig gal ud. Måske prøvede han at skjule, at han var meget godt tilfreds med, at Otto lå ned, og at Johan formentlig ville blive fritaget fra tjeneste en rum tid.

– Men nu får vi i det mindste æren af også at få lidt presse, sagde han. – Hidtil har I kunnet arbejde i stilhed, sådan som alt politiarbejde burde foregå. Så kan aviserne da få noget andet at skrive om, et par dage. Som om der ikke er kritik nok. Jaja, Klinger. Jaja.

Wagner så på sine fødder. Johan så på Otto, der humpede ud ad døren. De havde givet ham en stok.

– Atten styks, råbte han og holdt hånden frem.

Wagner spurgte hvordan det gik? Otto svarede, at det gik ad helvede til.

Schatt spurgte Johan, om han vidste, hvad han skulle svare journalisterne?

Johan så tøvende på ham.

74

– Hvad jeg skal svare?

– Ja, de vil jo spørge, om det var absolut nødvendigt, at ramme manden i hovedet?

– Jamen han sprang jo, indvendte Johan stille.

– Ja, det siger du jo. Men de vil hæfte sig ved sammenhængen mellem din træfsikkerhed og det faktum, at din makker lå henne i gyden med atten hagl i låret. Jeg siger det bare til dig, Klinger. Jeg kender pressen. Og du skal holde kæft.

Otto krabbede sig hen til Schatt.

– Jeg er endnu påvirket af bedøvelsen, sagde han, – så jeg er muligvis ikke helt mig selv, hr. kommissær, men det kan egentlig godt ærgre mig, at vi ikke havde dig med, da vi mødte goe gamle Svenne for et par timer siden.

Schatt så på sit ur.

– ... jeg går ud fra, at du havde taget førergreb på den formastelige, jeg går ud fra, at du ...

– Det slår til, Otto, sagde Wagner.

– Det er bedøvelsen, sagde Schatt. – Nu kan I begge ta fri to dage, og så vil jeg gerne se jer oppe hos mig. Tak for i dag.

Wagner så efter Schatt, og foldede dagens avis ud. Otto spurgte, hvad fanden der foregik?

På forsiden af avisen stod der, at politiet nu forfulgte et hovedspor i Comosagen. Johan læste, at det drejede sig om en international selvmordergruppe.

Wagner sagde, at de skulle tage det helt roligt. Om Johan havde det godt?

– Jeg har det som jeg plejer, svarede Johan.

De gik ud til bilerne.

Otto spurgte hvad Schatt ville tale med dem om?

Wagner trak sig eftertænksomt i underlæben:

– Jeg tror I får tjenestefrihed på ubestemt tid, sagde han. – I hvert fald Klinger.

– Jamen er det ikke bare skide dejligt, råbte Otto, så folk på gaden vendte sig om. – Jeg kan huske en stodder ved navn John Walther, kan du huske ham, Wagner? Nej, det kan du ikke, men måske hvis jeg siger Johnny Walker ... ja, så lysner det ikke? Kan du huske, da han for syv år siden smed en kælling ud fra en vareelevator? Han fik sgu også tjenestefrihed. Kællingen havde lige dræbt sine to små børn, og Johnny Walker forsøgte at få hendes sidste barn fra hende, en lille unge på en måned. Af en eller anden grund skvatter konen ud, og Johnnydrengen står tilbage med den lille. Han fik sgu også tjenestefrihed, og tre måneder senere holdt han op med at barbere sig, og der gik bajere og whisky i det, og nøjagtig et halvt år senere røg han ud af korpset på grund af druk. Hvad skal vi kalde dig, Johan?

– Det er alt sammen helt i orden, mumlede Johan, der i stigende grad bevægede sig rundt i en døs.

Wagner rystede på hovedet og klappede ham på skulderen. Så kørte han. Bagefter trak Otto Johan med ind på det nærmeste værtshus, hvor de drak hver en bajer, inden de trillede hjem til Otto, hvor Johan blev præsenteret for Ottos nye alarmsystem, samt den noget makabre dressur han havde udsat sin dobermann for. I tilfælde af indbrud.

– Een ting vil jeg sige dig, Johan, sagde Otto og smed sig på ryggen i sin lædersofa. – Det er muligt, vi ku ha fået noget ud af Svenne, men det mest sandsynlige er, at idioten ikke vidste en skid. Du gjorde det helt rigtige, makker. Det helt rigtige. Jeg er stolt af dig. Den slags er ikke mord. Det er renovation.

– Jeg skød efter hans ben, Otto. Men han sprang.

– Du gjorde det helt rigtige. Jamen hold nu kæft, mand. De er jo sindssyge hele bundtet. Otto tog dagens avis. – Se her: De ligger i specielle træningslejre, og bliver uddannet i terror. Og hvem instruerer dem? Det gør præster fra Iran. Og dem har vi lukket ind i tusindvis, mand. I tusindvis. Jeg har sagt det til dig i årevis. Vi kommer til at betale for dét dér. Og nu ligger han der! Como!

– Jeg tror stadig ikke det var dem. Men bortset fra det; var det Svenne der havde banket Suzan?

Otto hældte snaps i kaffen.

– Jeg talte med hendes nabo. En gammel stodder. Han har en kiosk derude og passer sig selv. Flink gammel stodder, forstår ikke en skid af det hele. Fuldstændig fremmed i sin egen tid. Tænk dig, manden havde haft enogtyve pølsevogne.

– Hvad sagde han?

– Han sagde Suzan havde været bortrejst et stykke tid.

– Sammen med Svenne?

– Alene! Svenne fes rundt og ledte efter hende. Hvorfor tror du hun var bortrejst?

Johan nikkede.

– Men da hun omsider kommer hjem, sidder goe gamle Svenne og venter på hende. Otto kom med besvær på benene.

Johan fortalte ham, at man på hospitalet havde sagt, at hun var snublet på trappen.

– Jeg går ud fra, du blir og spiser, Django?

Johan afslog. Han måtte hjem og finde ud af, hvorfor alting var så fjernt.

Da han stod ude ved bilen, sagde Otto:

– Jeg har sagt det hele tiden, det stinker langt væk af Lewis. Og ved du hvad, han er skide ligeglad, om det stinker. Hvad med at ta ud og sludre lidt med ham i morgen?

Johan satte sig ind på førersædet.

– Vi har fri i morgen, Otto. Og i overmorgen.

– Vi er sguda ikke sat af sagen.

Nede i bunden af vejen kom Litten. Med to indkøbsnet. Otto vinkede heroisk til hende med stokken.

– Nu får far rødvin og steg. Er du sikker på, du ikke ombestemmer dig?

Johan nikkede og smilede til Litten, der spurgte, hvad der dog var sket med Ottos ben?

– Ikke det fjerneste, råbte den tykke og så op i luften.

– Rullestolen kommer i morgen. De har sgu perforeret fars lår, Litten. Med hagl.

– Det er ikke rigtigt.

– De ligger inde i frugtskålen, alle sammen.

– Jamen, det er da for galt. Litten satte indkøbsnettene fra sig. Hun var næsten lige så høj som Otto og næsten lige så svær.

Litten satte sig ind i bilen.

– En psykopat ved navn Svenne, sagde Otto.

Litten sagde, at den slags mennesker burde spærres inde, og Otto råbte, at i Svennes tilfælde, var der nok allerede lagt låg på, eftersom det fredsommelige monster inde i patruljevognen havde boret tre nydelige huller i ham. Litten stirrede vantro på Johan, der smilede sygt.

– Kom dog med ind og få en øl, Johan, sagde hun, – du ser så bleg ud. Får du noget ordentligt at spise derinde i byen?

– Orkja, skreg Otto. – I går åd han tre blegselleri og to gulerødder samt et fed hvidløg.

Johan så kort på Otto, så startede han vognen. Inde bag gitteret ved siden af huset, var dobermannen ved at gå helt amok ved synet af sin madmor. Litten gik hen til den. Imens stak Otto hele hovedet ind i vognen.

– Sådan som jeg ser det, sagde han dæmpet, – så risikerer vi at blive koblet af sagen i overmorgen, og så kan vi sgu kigge i vejviseren efter Kong Lewis. Lad os knalde den stodder i morgen. Jeg vil sgu også gerne se de to duller han siger han lå og bollede med, da hans trækkerdrenge skød Mercedes.

Johan sukkede og så tomt ud ad frontruden. Som sædvanlig var der altid et stænk raison, i det Otto sagde. Inde bag hegnet gav hans hund hals. Han havde engang læst om en domptør, der hele livet havde haft med dressur af løver at gøre. Han havde talt om en vis distance. Angående Otto, så var Johan ikke helt klar over, for hvis skyld og i hvis ærinde han egentlig arbejdede. Specielt nu, hvor han lo og pjattede med sit sårede ben. Havde Johan ikke skudt Svenne, havde Otto revet lårene af ham. Lige så snart han kunne komme til det. På den anden side, så havde Otto nok ret. Schatt var ikke begejstret for dem mere.

– Okay, Otto. I morgen holder vi fri og taler med Lewis. Stille og roligt. Ingen ballade. Vi kan ta hen på hans kontor klokken ni. Otto rystede på hovedet.

– Gu gør vi ej. Vi rusker svinet op klokken halv syv,

hjemme hos ham selv.

– Med hvilken begrundelse?

– Nysgerrighed. Checke hans alibi.

– Det har Wagner og Schatt jo gjort.

– De talte ikke med tøserne. Vi ses i morgen gamle dreng. Du kan slå på hornet kl. 6. Eller kom en halv time før, så gi'r Litten en krydder.

– Kl. 6, Otto.

Johan rullede vognen ud fra kantstenen.

– Nåja, råbte Otto hånligt. – Du skal vel ud at løbe …

Han købte ind på vejen. Vandrede søvndrukkent rundt i supermarkedet og lagde mælk, ost og køkkenruller samt en lillebitte ske ned i kurven. Han vidste ikke, hvad man bruger sådan en miniske til, men var til gengæld helt sikker på, at den ville falde i Feos smag. Hun havde en forkærlighed for den slags. Og da han stod i køen ved kassen, gjorde han en undtagelse og investerede i en flaske bulgarsk rødvin. Det plejede han ikke, eftersom han hadede at drikke alene, og i øvrigt ikke havde penge til vin.

På vejen hjem købte han en prøvekuvert og sendte skeen til Feo. Da han slap den lille brune pakke og hørte den falde ned i den tomme postkasse, fik han et sug i maven, et kortvarigt klip i hovedet, af tomhed og længsel.

Der lå to breve i entreen, et stort og et lille, og som et resultat af en slags telepati var det ene fra hende. Det andet var fra tandlægen. Hun havde tegnet alle dyrene i Zoologisk Have, og i midten af tegningen stod hun og Johan, som en slags Adam og Eva. Hun havde tegnet dem som popstjerner.

Han lagde den store tegning midt på gulvtæppet og trak vinen op. Telefonen ringede. Han tog en slurk af vinen og trak stikket ud. Der var nogle ualmindelig fine pingviner på den tegning, og Feo havde husket at tegne Johans sokker, der havde været forskellige.

Han satte sig i sofaen og lukkede øjnene. Så Svenne løbe mellem tomme olietønder, så ham snurre rundt, hørte skuddet, fulgte projektilet, ind i Svennes hjerneskal. Svenne springer, hullerne i brystet eksploderer.

Tårerne kom samtidig med rystelserne, og først da flasken var tømt, fik han det bedre.

Og da det omsider mørknede, og han lå i sin seng, spekulerede han på om Svenne nogen sinde havde været i Zoologisk Have. Om han nogen sinde havde holdt et lille barn i hånden. Om Svenne nogen sinde havde været et lille barn. Lidt efter stod han op, gik ind i stuen, stirrede på væggene, og vandrede ud i køkkenet, hvor han åbnede vinduet ud til gården med det smukke rønnebærtræ. Det var en klar, lun, stjernebestrøet sommernat. Fuld af søde dufte. Man kunne næsten se de sværmeriske syrener. Et sted overfor stod en ung mand og vaskede op. Bag ham, i stuen, brændte tre levende lys.

Johan gik ind i sit lille, endnu ikke malede, arbejdsværelse, og tog telefonen, men den var død. Han huskede han havde trukket stikket ud og satte det i og drejede Centralsygehusets nummer. Han forklarede hvem han var og fik hurtigt fat i afdelingen. En natsygeplejerske fortalte ham, at luderen Suzan havde det bedre. Men at hun vist trængte til et meget langt ophold, meget langt væk. Johan spurgte til hendes øje. Desværre havde det ikke været til at redde.

Han lagde røret på og drak et glas mælk.

Husene på Vindø var næsten alle sammen af nyere dato. Grundene var berømte, dels for deres beliggenhed, dels for deres pris.

Der lå en tynd varmedis over vandet. Dagen var ikke pakket ud endnu, og papiret var gult. Bagude var byens lys endnu ikke slukket, der var stille alle vegne.

Raymond Lewis' hus lå helt ned til vandet med bådebro og motorbåd, men knap så prangende, knap så blasert som Johan havde forestillet sig. To kasser bygget i et forskudt plan. Sandblæst, rustikt og i overensstemmelse med naturen.

I forhaven stod en BMW og en Golf GT.

Otto så på dem, trak op i bukserne og rystede på hovedet.

Imens satte Johan en finger på dørklokken.

Pigen, der åbnede, var højst tyve år, solbrun på en naturlig måde, slank og smidig, uden at virke billig. Talte med en charmerende accent, der lød fransk.

Johan forklarede, at de kom fra politiet og gerne ville tale et par ord med hr. Lewis.

Pigen smilede og forsvandt. Der var et strejf af klasse over hende. En sikkerhed, der kun kommer via arv.

– Var det noget for dig, spurgte Otto og nikkede hen mod pigen.

Johan smilede og gik ned i stuen, der var møbleret i lave, afslappede møbler. Alt sammen meget smagfuldt meget diskret og meget lidt brugt.

– Man sku ha slået sig på rufferi, mumlede Otto og trak op i bukserne og så på pigen, der kom tilbage og forsvandt ud i køkkenet gennem en svingdør.

– Raymond er der om to sekunder, smilede hun.

Johan gik hen til Otto.

– Nu tager vi det helt roligt, sagde han. – Du får intet ud af ham ved at mase på.

Otto så op i loftet.

– Nåja, sagde han. – Hvad var det nu for et ord, du brugte forleden dag?

I det samme dukkede Lewis op. Fuldt påklædt, nybarberet og yderst frisk. Da han genkendte Otto og Johan, standsede han op, satte hænderne i hofterne og rystede smilende på hovedet.

– Nejnejnej, sukkede han. – Hvad skal jeg dog stille op med jer to?

De gloede på ham.

– ... men jeg må vel byde på en kop kaffe?

Otto svarede ikke, Johan sagde ja tak.

I det samme kom pigen ind med en bakke med kopper og kande. Lewis så fra Otto til pigen og fra pigen til Johan. Han syntes at more sig over et eller andet. Måske deres slet skjulte misundelse.

– Dét her er Mari, sagde han og tog hende faderligt i

hånden. – Mari er fra Basel, som er en by i Schweiz. Schweiz er et land tusind kilometer borte med bjerge og dyre biler, chokolade, kukure og … smukke piger.

Pigen smilede og spurgte om de var sultne?

Johan svarede, at det var fint med kaffe. Mari nikkede og gav Lewis' hånd et klem og forsvandt igen.

Otto løftede sin kop.

– Jeg går ud fra, at det, han nikkede mod køkkendøren – er en af de to piger, som De … omtalte …

Lewis så træt på ham. Måske var den lede, han så på Otto med, hans specielle måde at vise sin afsky. Måske var den spontan.

Johan stirrede indgående på ham, og gættede på det sidste.

– Mari har en tvillingesøster, forklarede Lewis. – Hun hedder Linette. Hun sover endnu. I øvrigt, Lewis så op med et demonstrativt åbent udtryk: – Jeg tænkte på, om det eventuelt skulle ha været een af jer, der var blandet ind i … skal vi sige, uheldet i går. Nede ved dokkerne?

– Uheld, brummede Otto.

Lewis så på Johan.

– Jeg forstår, der var noget skyderi.

Johan svarede, at det var dem.

– Var det virkelig? Javelja. Lewis så fra den ene til den anden.

– Er det for meget at spørge, hvem af jer, der …

– Det var mig, svarede Johan.

Lewis så på ham med et nyt udtryk.

– Ja, det må være pokkers ubehageligt.

– Renovation, sagde Otto og så fladt på Lewis.

Lewis flyttede ikke blikket fra Johan, der satte koppen fra sig.

– Manden hed Svenne, sagde Johan. – Hans pige, Suzan, ligger lige nu på Centralsygehuset …

– Gennembanket, indskød Otto.

– Har mistet synet på det ene øje, fortsatte Johan.

Lewis satte koppen fra sig.

– Er det derfor I er her?

– Vi tænkte, at De måske kendte Svenne, sagde Johan.

– Faktisk er vi lidt usikre angående hans ansættelsesforhold, fortsatte Otto.

Lewis sagde han ikke kunne se problemet.

– Vil De påstå De aldrig har haft noget med denne Svenne at gøre, spurgte Otto.

– Jeg er sikker på, at han en overgang arbejdede for mig, sagde Lewis roligt. – Det er der jo så mange, der gør.

– Men det gør han satme ikke mere, sagde Otto. – Vores held, Lewis, er, at Suzan, Svennes pige, stadig kan tale …

Lewis satte koppen fra sig.

– Er det nu meningen, at jeg skal føle mig truet? Skal jeg nu spekulere på, hvad Suzan mon kan finde på at sige, som kan skade mit omdømme? Er det sådan det skal forstås?

– Næ, egentlig ikke, sagde Johan.

Otto rejste sig op: – Det drejer sig nemlig slet ikke om dig Lewis, sagde han i en anden tone, – men om dine to, små sengevarmere, eller hva faen man kalder den slags nu om stunder.

Johan så på ham.

Otto fortsatte.

– Nogle vil jo nok kalde det prostitution, men eftersom jeg selv har en kone gående derhjemme, der efterhånden har den samme holdning til motionen i sengen, så skal jeg nok afholde mig fra at komme med den slags nedsættende bemærkninger.

Otto smilede selvtilfreds. Lewis så på ham med glat afsky. Uden at flytte blikket kaldte han på Mari.

Hun dukkede op med et viskestykke i hånden.

– Mari, sukkede han træt, – d'herrer er fra politiet, de vil gerne tale med dig.

Lewis rejste sig og kastede servietten fra sig, som om han var blevet træt af legen. Han trak stolen ud for pigen, der satte sig med et lille smil.

– Jeg går op og ser til din søster. Han kyssede hende på håret. Det så meget rørende ud.

Da han var gået trak Johan sin notesbog frem og gav Mari datoen, da Rose Valentin blev myrdet. Af forståelige grunde kunne hun ikke huske den nat specielt.

Otto lænede sig ind over bordet.

– Har du nogen sinde hørt om noget, der hedder „Masken"?

– „Masken"? Nej, det tror jeg ikke …

– En kvinde ved navn Valentin blev myrdet på det sted, forklarede Johan. – Det er et bordel.

Pigen nikkede langsomt.

– Vi tror, fortsatte Otto, – at Raymond var medejer af „Masken".

Mari så frem for sig. Stadig uforstående.

– Vi tror også, at han kan ha haft noget med mordet på Rose Valentin at gøre. Otto sænkede stemmen. – Ikke så lidt endda. Det er derfor vi er her, Mari. Det er derfor vi har ulejliget os herud en tidlig morgen. Vi vil slet ikke snakke med Lewis, men med dig og din søster. Og vi bryder os ikke om, hvis I lyver for os. Det kan blive meget dyrt for jer, hvis I ikke fortæller os alt, hvad I ved. Hvor længe har I boet her i landet?

– Tre måneder? Men vi har været her mange gange tidligere.

Hun lød nu en smule skræmt.

– Men I har schweizisk statsborgerskab?

– Ja.

– Bor I fast sammen med Lewis?

– Ja, vi arbejder jo for Raymond.

Otto nikkede.

– Arbejder, med hvad?

– Vi passer hus og tager telefon og er med som værtinder på rejser og den slags.

– Hvad for nogle rejser?

– Raymond har jo det der store Pariserhjul. Så vi rejser rundt i verden med ham. Hamburg, Amsterdam, England …

– Sover I sammen, spurgte Otto ligeud.

84

– Nej, ja, vi …

– Er der aldrig nætter, hvor Lewis er til møde eller ude at rejse, alene …

– Een af os er faktisk altid med.

Otto sagde, at det tænkte han nok.

– Hvor tror du Raymond har tjent alle sine penge, spurgte Johan venligt.

– Jeg tror … på restauranter og på Pariserhjul …

– Hent den anden dulle, råbte Otto henne fra vinduet. Mari så på ham. Johan nikkede til hende. Lidt efter var hun væk.

Otto kom hen til bordet.

– Vi får ikke en skid ud af de kællinger, surmulede han.

– Enten er de evnesvage eller også er vi det. Stodderen har fanme præpareret dem godt.

I det samme kom Linette ned til dem. Mari gik ud i køkkenet. Linette var i en stribet pyjamas. Hun var mørkere end Mari og bar briller med gennemsigtigt stel. Hun så mere sikker ud, mere afslappet og mere moden.

– De vil tale med mig?

Otto lagde albuerne på bordet.

– Jeg går ud fra at Lewis har fortalt dig, at vi er fra politiet og at vi forsøger at opklare et mord begået på et bordel, kaldet „Masken", som Lewis var medejer af. Mordet blev begået for nogen tid siden, desværre, en kvinde ved navn Rose Valentin blev skudt. Det vi forsøger nu, er at undersøge folks alibi.

– Folks?

– Ja, folks. Folk, der kan ha haft noget med mordet at gøre. Pigen så på ham.

– Har du nogen sinde været i „Masken"?

– Aldrig. Jeg har heller aldrig hørt om det.

Otto nikkede og så på Johan, der tøvede lidt, men rejste sig, idet han smilede til pigen.

– Kender du en pige, der hedder Suzan, spurgte han..

– Suzan?

– Ja, Suzan. Forstår du, Suzan havde en ven, som hed

Svenne. Og Svenne var også ansat af Raymond.

Linette sagde, at hun aldrig havde hørt om nogen af dem.

– Efter mordet på Valentin, fortsatte Johan dæmpet, – blev Suzan gennembanket af denne Svenne. Hun har mistet synet på det ene øje og ligger lige nu på hospitalet. Svenne er imidlertid død.

Et eller andet, måske ren og skær væmmelse, trak hendes mundvige nedad.

– Tror I Raymond skød denne … Svenne?

– Overhovedet ikke, svarede Johan. – For det gjorde jeg.

Hun stirrede op på ham.

Otto lagde en flad hånd på bordet.

– Det er alvor det her, sagde han dystert. – Og hvis du sidder og lyver os lige op i fjæset, så finder vi ud af det, og så ryger din opholdstilladelse medmindre vi finder på endnu flere julelege, og så ryger du ind og spjælde sammen med din smukke søster. Jeg håber du har forstået det!

I det samme kom Lewis tilbage. Måske havde han stået et sted og overhørt hele samtalen.

– Jeg tror vi skal bede vores gæster om at gå nu, sagde han.

– Vi kommer igen, råbte Otto. – Og igen … og igen …

Lewis gik hen til ham.

– Jeg synes I skal finde den, der myrdede Rose Valentin, sagde han, – og lade være med at belemre mig i tide og i utide. Nu siger jeg det pænt og høfligt. Han åbnede døren. – Næste gang vil jeg måske ikke være så venlig.

– Det lød næsten som en trussel, sagde Otto.

– Det afgør du selv, svarede Lewis.

Johan gik hen til dem. Otto var allerede ude.

– Hr. Lewis, spurgte han stille. – Var det Svenne, der skød Rose, og så hjalp De med at få renset gulvet og væggen og få gravet projektilerne ud af væggen. Var det sådan det foregik? Og skød Svenne Rose, fordi hun ikke ville ha den afdankede Suzan i sit bordel? Og hjalp De Svenne, hr. Lewis, fordi De på den måde, på livstid, ville ha en villig hjælper, en mand der til sin dødsdag ville stå i gæld til Dem?

Lewis holdt en hånd i vejret. Som en forstående rektor, der

vil fortælle sin ihærdige elev, at han har mistet tålmodigheden. Han var nu helt rolig, ja faktisk udstrålede han så megen ligegyldighed, at Johan sagde til sig selv, at Lewis endnu en gang var uden for deres rækkevidde.

– Var det Klinger, du hed? Han så Johan direkte i øjnene. Johan sukkede og nikkede.

– Udmærket, betjent Klinger. Hør så her: Du er sikkert udmærket til dit arbejde, det betvivler jeg slet ikke. Men du er langt, langt ude, når du gætter. Meget længere ude end du kan forestille dig. Og ved du hvad? Det er måske, når alt kommer til alt, bedst sådan. For alle parter. Farvel, hr. Klinger. Jeg tror ikke vi behøver sige på gensyn ...

Da de kørte tilbage over den lange bro, var byen så småt vågnet. Disen var borte og temperaturen nær de tyve grader. Det ville blive en varm dag. Otto sagde, at han blev idiot af at snakke med Lewis. Johan svarede, at det var en af grundene til at holde op.

– Jamen vi ved jo manden er indblandet, sagde Otto.

– Enten bluffer han, eller også, ja så ved han noget. Selvfølgelig tilbageholder han noget. Han var der jo. Og han leger med os. Men han har ikke slået nogen ihjel. Det er han for smart til. Måske er det derfor han går og griner. Det er ufatteligt så meget en fyr som Lewis kan komme af sted med, uden at pressen tager fat på ham. Enten har han betalte venner dér også, eller også gider de ikke beskæftige sig med ham, nu hvor det hele brænder på med Como. Stod der for resten noget i din avis angående Svenne?

– Der stod, at han var skudt i forbindelse med en større skudveksling. Langt inde i avisen.

Johan parkerede foran stambistroen og fulgte efter Otto ind til bordet ved disken, hvor de fik en fadøl. Otto sagde, at han gav fanden i det hele. Var nu i dét lune. Lad dem bare skyde hinanden. Knalder du Lewis, så kommer der en ny. I øvrigt skulle han på landet med Litten, der var ved at lave en madkurv. Otto remsede op, hvad der skulle i.

– Sidste år blev der myrdet 58 mennesker i dette land,

sagde han. – Det er cirka een om ugen. Så er det sguda også klart, at vi ikke kan bruge vort kostbare liv på at finde den idiot, der skød en spatso ved navn Mercedes Benz.

Johan så på sit ur. Klokken var 8.15.

Lidt efter var Otto væk. Som sædvanlig var det lykkedes ham at løbe fra regningen.

Jeg går hjem og glemmer det hele, tænkte Johan. Tager et bad, giver mig god tid og læser avisen. Bagefter spadserer jeg over i anlægget og lægger mig i solen.

Han kom på benene, og gik hen for at betale, da han fik øje på hende udenfor. Hun passerede netop de røde bogstaver på den røde rude, der forkyndte at her lå Elis Bistro. Et kort blik ind i butikken, et kort møde mellem fire øjne, og hun var væk.

– Nå, er det fridag i dag, Johan? Elis radmagre kone smilede træt til ham.

– Ja, for en gangs skyld.

– Hvordan har din søster det?

– Feo har det godt. Han så op. – Ja, hun har det faktisk helt godt.

Han åbnede døren og trådte ud på gaden. Hun stod henne ved bilen. Selv om den ikke var malet som en patruljebil, behøvede man ikke være specielt skarpsindig for at se hvor den hørte til.

Da han nærmede sig, blev hun stående. Han havde håbet hun stod derude, når han kom, men anede pludselig ikke, hvordan han skulle tackle situationen. Specielt ikke efter episoden i biografen.

De så på hinanden. Hun var noget mindre end han huskede. Og mere rynket, men med klarere farver. Et rigtigt menneske, tænkte han.

– Vi mødtes ... inde i biografen, sagde hun og smilede lidt. – Ku I li filmen?

Han stak hænderne i lommerne.

– Øhh, vi så den ikke. Hun ville ikke. Han trak på skuldrene.

Hun nikkede og så ned ad gaden. Som om hun forstod det

hele.

– Du er ... politimand. Hun smilede bredt. – En rigtig
væmmelig strømer.

Han følte et eller andet vippe. Som om solen ramte gaden i
en ny vinkel, så farverne oppede sig. Så lydene faldt i hak i
harmoni, i orden. Han blev med eet bevidst om det hele og
glemte alt om Suzan, Lewis, Otto og Feo.

– Jeg er arbejdsløs, sagde hun og lavede en hurtig grimas-
se, som for at sige „pokkers også" og samtidig „skidt med
det". – For tiden, altså. Imens vikarierer jeg. På skolerne.
Der er alt for mange lærere, så ... må man jo ... køre lidt ...
rundt.

Johan nikkede.

Af en eller anden grund tænkte han på tørretumbleren
nede i kælderen hjemme i ejendommen. Hans tanker lå og
skrumlede rundt inde i sådan en. Måske krøb de også.

– Jeg kører også rundt, for det meste, vrøvlede han.
– Sammen med min makker, Otto. Han er fuld af pjat. Johan
forsøgte at grine, men tænkte at det nok så fåret ud. Et kort
øjeblik overvejede han, om han havde børstet sine tænder
ordentligt til morgen. Måske havde han kaffe i mundvigene.
Han rettede på sin frisure. Det var længe siden moderen
havde klippet ham. Hvad fanden var det også for noget?
Hvorfor gik han ikke til en rigtig herrefrisør.

Han blev klar over, at det måske var meningen han skulle
sige noget, og så hende vende ryggen til, som om hun lige
skulle have frisk luft, eller tid til at tage sig sammen, eller
måske lejlighed til at grine færdig. Hun vendte sig lynhurtigt
om igen.

– Men det er så ... jeres bil?

– Ja. Den er gammel. Johan talte hurtigt nu. – Men det er jo
sparetider. Vi kører længere på dækkene end godt er. Det
betyder noget for sikkerheden. Vi ville gerne ha haft en ny
her i foråret, men det blev det altså ikke til. Du ved, een af
dem med firhjulstræk. Otto har tunet denne her. Det må vi
normalt ikke, men ellers ka vi knap nok overhale en ligvogn.
(Ottos udtryk). Så Otto tunede den. For at den ... skulle

køre ...

– Hvad betyder det?

– Det betyder at den blir lidt hurtigere i optrækket. Men det slider jo trods alt på vognen, i længden.

– Også i bredden?

Han stirrede på hende. Så smilede han.

– Ja, det slider også lidt på den i bredden.

– At tune den?

– Ja.

Hun nikkede og sukkede og stak hænderne dybt i den store, sikkert alt for varme duffelcoat. Måske var det hendes mands. Måske var manden død. Måske sad han derhjemme. Måske var han ude at rejse. Hun sagde, at hun måtte se at komme videre. – Jeg har lige afleveret Rune, min søn, på Hovedbanegården. De skulle på lejrskole. Bare tre dage. Men det er svært alligevel. At skulle undvære ham. Han var heller ikke særlig stolt af det. Men de har nok godt af det. At komme lidt væk fra deres pylremor.

– Det tror jeg ikke.

Hun så hurtigt op på ham.

Johan slog ud med armen: – Hvorfor skulle man ha godt af det? Jeg mener, hvis man hellere vil være derhjemme. Hos sin ... mor.

Nu så hun indgående på ham. Han spekulerede på, om han havde sagt noget forkert. Han havde en uvane med at sige ting, der af årsager han aldrig lærte at regne ud, var gået af mode.

– ... det er vel derfor man har en mor, sagde han og så ned i jorden og tænkte, at det stort set var det mest idiotiske vrøvl han nogen sinde havde sagt.

– Ja. Ja, bestemt, sagde hun uden at flytte blikket fra ham og uden at smile.

Han nikkede og tænkte, at folk nikker ligesom biler tøffer, når de løber tør for benzin.

– Ja. Jeg må videre. Hun smilede og nikkede ind mod bistroen, – vi ses jo nok en anden dag.

Han fulgte hende hen til fodgængerovergangen, hvor hun

90

vendte sig om, som efter en pludselig indskydelse. Johan gav sig til at hoste. Hun smilede og vinkede til ham og løb over vejen.

Lidt efter sad han i vognen og studerede sine tænder i bakspejlet. Der var sådan set ikke noget i vejen med hans tænder. Hvorfor kører jeg ikke, mumlede han og tænkte på lille Linda tilbage i folkeskolen – præcis hvilken klasse kunne han ikke huske, måske ottende. Han sad og faldt i staver i timerne, når hun gjorde et bestemt sving med håret, og duften fløj om til ham. Som en elskovssyg kat strejfede han om i hendes nabolag hver aften. Linda vidste det godt, for hun sendte ham somme tider små, intetsigende, men opmuntrende breve. Det forblev en kærlighed på afstand, ganske enkelt fordi han vidste, at skulle de nogen sinde blive alene, ville hun løbe skrigende bort i samme øjeblik han sagde noget. Det gælder om aldrig at blive afsløret, mumlede han og drejede på startnøglen. Et stykke væk så han hende komme ud af en butik, med favnen fuld af grøntsager. – Hun lever nok sundt, sagde han og drejede igen på nøglen. Vognen hostede. Hun kom nærmere, så ikke på ham.

– Kør nu for helvede, rasede han og drejede på nøglen og gav bilen choker, gas og kobling på een gang.

Han ventede lidt og prøvede igen. Nu stod hun med siden til lige foran køleren.

– Bare sid stille, sagde han til sig selv, – bare sid stille, Johan. Om lidt er hun gået igen, så kan du liste ud og få servicefolkene til at hente liget.

Hun bankede på ruden.

– Kan den ikke starte?

Han åbnede døren og sagde, at den somme tider gjorde sådan.

Hun så ned i alle grøntsagerne.

– Jeg spiser altid så sundt, når Rune ikke er hjemme. Han er utrolig kræsen. Kender du den lille café, der ligger ovre i Parken ved det gamle Kastel?

Hun sagde det hele meget hurtigt, som om det hang sammen. Sønnens kræsenhed og cafeen i Parken.

Og Johan, der aldrig havde hørt om den lille café ovre i Parken ved det gamle Kastel sagde, at han havde været der en enkelt gang.

Hun nikkede og fik et sagligt vurderende udtryk.

– Vi ku måske mødes derovre og spise frokost, sagde hun. Han nikkede, også meget sagligt. Et eller andet anmassende var begyndt at flyde rundt inde i ham. Han konstaterede resigneret, at det nok var blod.

– Landet ligger sådan, begyndte han og irriteredes over, at han ikke kunne sige noget spontant uden at han straks skulle tænke over og ærgre sig over hvert ord, – … landet ligger sådan, at jeg har fri resten af dagen. I slowmotion så han Svenne løbe og falde, rejse sig op og løbe videre og falde igen.

Han gik rundt om bilen hen til hende. Hun lo og så ned ad sig.

– Er det dem her du kigger på?

Han så ned ad hende. Hun havde et par røde baseballstøvler på.

– Det er Runes. Det er fordi jeg allerede savner ham. Man blir så urimelig knyttet …

Hun så væk og rystede på hovedet.

– Jeg hedder Johan, smilede Johan og rakte hånden ud. Hun tog den. Hendes hånd var lille og kølig.

– Det ved jeg godt, sagde hun. – Din højtråbende makker, råber det altid inde hos Eli. Hej, Johan, hent lige en kaffe mer'! Jeg hedder Hannah.

– Okay, sagde han og bakkede hen til bilen.

Hun vinkede: – Så ses vi om nogle timer. Hun lo igen. – I høj hat og laksko.

Han satte sig ind i bilen, der startede øjeblikkelig.

5

Straks da han satte fødderne i den klæbrige, smattede masse på gulvet, vidste han hvad det var. Han tændte lyset og så fra brevsprækken, hvorfra det dryppede ned på gulvet, hvor blodet havde spredt sig til køkkendøren.

Bagefter da han med køkkenruller og gulvklude forsøgte, at gøre skaden god igen, var det med en sær følelse af vemod. Det var så skide fattigt bare at købe nogle liter svineblod og hælde dem ind i folks entre. Men selvfølgelig havde Svenne haft en vennekreds. Måske kunne man ligefrem tale om faglig stolthed. Han vaskede sine sko og stavlede tæppet ud på køkkentrappen.

En halv time senere stod han under bruseren og gentog hendes navn og råbte det til sidst ud, så det sang i rørene.

– Til helvede med jeres svineblod, mumlede han og børstede tænder.

– Det må være lidt af et job, at ha sådan en stor søn, sagde han til spejlet.

– Er det ikke meget arbejde, når man er mor til sådan en krabat?

– Der er vel nok at se til, når man har sådan en knægt at passe på. Men du deler ham måske med faderen?

– Hvor fanden er din mand henne?

Telefonen ringede.

– Er du gift, Hannah, smilede han og løftede røret af gaflen.

– Er det dig, Klinger?

– Ja, det er mig.

– Har du stadig Svennes blod i entreen?

– Hvem taler jeg med?

– Du er et svin, Klinger. Og du har kvajet dig. Men nu skal du få et godt råd: Hold dig væk. Langt væk. Du står øverst på listen skal jeg sige dig, og vi har ikke så meget tålmodighed efter det med Svenne.

Da han havde lagt røret på, sagde han til sig selv, at det var, hvad man kunne forvente. Han havde før fået små, dumme opringninger. Otto havde ligefrem fået trusselsbreve. Alligevel sad han i sofaen i ti minutter og mærkede angsten formulere sig som ensomhed. – Det var immervæk mig, der skød ham, mumlede han. – Mig, der på brøkdelen af et sekund trak Svenne ud af dette liv. Ikke Otto, ikke resten af korpset. Kun mig. Hvorfor fanden havde han ikke ventet?

Da han en time senere gik ind i Parken, spekulerede han på, om de holdt øje med ham? Parken ville være et ideelt sted.

Han så på uret og begyndte at løbe, da han fik øje på hende. Hun gik på stien tyve meter længere fremme. Stille og roligt. Uden de store gummisko. Men ellers den samme. Lidt længere fremme kunne han skimte træerne og ruinen: „Det gamle Kastel", og parasollerne. Han kunne godt lide den måde hun gik på. Hun bevægede sig som en, der er i god form. Et sundt menneske.

Det var ikke noget problem at finde et bord, og Hannah var nem at snakke med. Hun snakkede mest om Rune. Johan forklarede, at han havde en lillesøster, der var mongol. Det optog hende meget.

– Det må ellers være lidt af et job, at ha sådan en stor søn, sagde han.

De spiste en skaldyrsanretning og drak rhinskvin til.

Hun lo og fortalte om hvor vanskelig Rune var. Og om sit arbejde.

– Gud, hvad har du fået på skoene?

Johan stirrede på sine ruskindssko, der havde en masse mørke pletter. Han havde ellers renset dem.

– De var der ikke for tre timer siden, lo hun og tilføjede, at hun var typen der lagde mærke til den slags.

– Det er maling, mumlede Johan. Hele entreen flød, da jeg kom hjem. En eller anden idiot må ha smidt det ind gennem

94

brevkassen. Han smilede bagatelliserende.

– Jamen hvorfor?

– Ja, hvorfor? Sådan er det. Nogle gange.

Hun lagde hovedet en anelse på skrå.

– Er der ... problemer?

– Nøh. Jah, du ved, det var bare i går. Otto og jeg ... vi var inde i Kineserkvarteret, vi skulle ha fat i en pige, som havde fået tæsk af sin ven. Svenne hed han. Ja tæsk, og tæsk, hun har faktisk mistet synet på det ene øje.

Hannah tændte en cigaret.

– Vi skulle så foretage en anholdelse af fyren, men ... der gik desværre kludder i det. Han gik amok og skød på os ... med et haglgevær. Han ramte Otto i benet ... desværre så ramte jeg også Svenne.

Der blev en anelse mere stille i den lille café.

– Var det i går, spurgte hun forsigtigt.

Johan nikkede og så væk.

– Jamen ... døde han?

– Ja, gu gjorde han. Det er heller ikke maling jeg har på skoene.

Hun lagde hånden på hans håndled.

– Sådan går det, sagde han og så direkte på hende.

Senere gik de en tur. Johan forklarede lidt mere angående Svenne, og var glad for at tale med hende om det. Han forklarede også om Lewis' eventuelle engagement. Hannah sagde hun kendte Lewis fra aviserne, og spurgte om Johan slet ikke havde med Comomordet at gøre.

– Ikke det fjerneste.

– Jeg troede alle politifolkene i landet arbejdede på det, smilede hun.

Da de forlod Parken var myldretiden begyndt. Hun rakte hånden frem.

– Hvis du spørger om vi skal ses igen en anden dag, så er jeg til at overtale, sagde hun.

– Det lå lige på tungen, sagde han og greb om tunge-spidsen. – Vil du ikke ha et lift. Jeg har fået vognen til at køre.

– Jeg skal den anden vej, ellers tak. Jeg skal til samtale. Fast arbejde, du ved. Men ...

Hun fandt et stykke papir frem og skrev sit telefonnummer ned.

– Sådan, så har du også bare at ringe. Hun lo og gav ham et kys på kinden.

Johan så på hende, fra hagen til munden, over næsen op til øjnene.

– Øhh, du får også lige mit, hvis du ...

– Jamen, det har jeg da.

Han stirrede på hende.

– Du har mit telefonnummer?

– Ja. Jeg slog dig op. Der er kun een Johan Klinger i byen. Pærelet.

– Hvor kender du mit efternavn fra?

– Jaja, smilede hun og gik et skridt væk. – Det kan du jo spekulere lidt på. Hej ... ring til mig i aften. Så skal jeg spille en plade for dig.

Han vinkede og tænkte, at det var helt forrykt, eftersom han faktisk skulle samme vej som hende.

Nu stod hun ovre på den anden side.

– Kan du li opera, råbte hun.

Han nikkede ivrigt.

I det samme passerede en bus. Og han syntes hun sad i samtlige vinduer.

6

De stod på parkeringspladsen foran politigården, Johan og Otto. Den tykke hang ind over sin vogn, begge arme lå på taget. Johan snakkede om sin søsters fødselsdag. Om sine forældre, og om Feos liv.

– Jeg ved fanme ikke, hvad der skal blive af hende, hvis der sker een af de gamle noget, mumlede han.

Otto så på ham.

– Hvad var det du sagde, du cyklede rundt med i skoven? Johan vendte ryggen til.

– Lad nu være Otto.

– En walkman? Een af de der små musikkværnere ... hvor længe har du kendt hende? En måned! Er du klar over, at du i den tid er blevet reduceret med firs procent.

– Tværtimod ...

– Det var som syv satan. Du får to måneders tjenestefrihed og jeg ryger om bag skrivebordet, og med hensyn til Rose Valentin, så blir sagen henlagt. Og hvad gør du? Sidder og griner dumt. Forelskelse er ikke, som nogle folk tror, en sygdom ...

– Det er selve livet, Otto.

– Det er inkubationstiden, Johan. Det er, hvad det er. Sygdommen kommer først bagefter, og den er kronisk og hedder ægteskabet. Og hvad fanden kender du til opera? Men det er vel alt det salat I æder. Knepper I bedre, når I æder som kaniner?

– Skal vi køre?

– Jeg går ud fra, at du også skal forsørge hende og ungen? Johan satte sig ind i vognen.

– Hannah forsørger sig selv, hun er læreruddannet og taler flydende fransk og spansk og kan leve af at oversætte, hvis det var det hun ville. Rent bortset fra, at jeg ikke havde spor imod at forsørge hende.

De begyndte at køre. Otto foreslog de kørte ud til molen, hvor de før havde siddet og drukket en øl.

– Gu er det da rart for dig, at du har fundet en, mumlede Otto, – det er sguda ikke det, Johan.

Johan nikkede og smilede og gloede på Flyvebåden:

– Det er fordi jeg ikke hidser mig op over Schatt.

– Det er fordi de tager røven på os alle sammen. Alle de fine folk sidder kraftstejleme på spring for at komme over og pudse ambitionerne hos Mahler, så kan vi andre rende og hønse, og med hensyn til Rose Valentin og Suzan og dumme, grimme Svenne ... for slet ikke at tale om Lewis og Koch, så er det hele pisse lige meget. Det er dét jeg er sur over. Skal du ikke ha en øl?

Johan sukkede og nikkede. Otto hentede fire guldøl.

– Jeg drikker kun den ene, sagde Johan.

– Jamen du får fanme da også kun den ene, råbte Otto arrigt. – Den idiot kunne lige så godt ha skudt nosserne af mig. Hvordan går det med hendes søn?

Johan havde fortalt Otto, at det ikke altid var så nemt med Rune. At de gjorde sig meget umage med at gå forsigtigt frem.

– Det går bedre, sagde han og tilføjede, – men jeg forstår ham sgu ikke. Nogle gange blir han væk til langt ud på natten, så vi må drøne rundt og lede efter ham.

– Han driller jer ...

– Andre gange viser han mig, hvad han har stjålet i supermarkedet og spørger, hvad jeg som strømer vil gøre ved det?

Johan tog en slurk af sin øl.

– Har du taget alt det nede i supermarkedet, spørger han Rune. Efter de har kendt hinanden i fjorten dage. Hannah står ude i køkkenet.

Rune ser på ham med sammenknebne, brændende øjne.

– Det er bare så lortenemt, mand. Og du kan ikke gøre en skid ved det.

Johan reagerer prompte. Slår en klo i drengen og slæber ham ned til bestyreren. De står i en kølerterminal, hvor det flyder med mælkekartoner og rådne grøntsager: Johan, Ru-ne, en fortvivlet Hannah og en lige så rådvild bestyrer, der foreslår at Rune slipper med en advarsel.

På vejen ud giver Hannah Rune et kys på håret.

– Så glemmer vi alt om det, Rune.

Johan siger ikke noget.

Om natten ligger de tæt sammen, og han tænker at han aldrig har været lykkeligere. – Du må prøve at vinde Runes tillid, siger hun. – Prøv at glemme at du er politimand, Jo-han.

Han forstår det ikke. – Enhver far ville da ha …

– Jamen, du er ikke hans far, Johan. Det er det.

– Hvad så? Skal jeg … skal vi bare stå og se på, at han …

– Åh, det er jo en tid han skal igennem.

To dage senere, går Johan ind på Runes værelse, og finder ham siddende med en 30 cm lang bajonet.

– Hvad bruger du sådan en til?

– Du skrubber bare ud.

Johan lukker døren bag sig og ser koldt på drengen.

– Hør her, Rune. Jeg kan faktisk mægtig godt li din mor. Og jeg vil fantastisk gerne ha at vi …

– Er du døv?

– Giv mig den bajonet.

– Du fucker bare af, mand. Det er min. Og jeg vil skide dig en hatfuld.

– Hvis det stod til mig, fik du dit livs røvfuld, hører Johan sig selv sige.

– Hvorfor gør du ikke det, mand?

Senere om aftenen sidder han hjemme hos sine forældre og ser på Feo, der tegner rockstjerner på et linieret stykke papir. Og han sniger sig ud i entreen og ringer til Hannah, der slår det hele hen. – Nu er han så sød, Johan, sidder og griner ad en tegnefilm i fjernsynet.

Han ser ind på Feo i forældrenes proppede mausoleum af en stue, hvor hun fortsat lyser som en sol. Lille, glade Feo.

– Jeg elsker dig, Hannah, hvisker han i telefonen.

Han så på Otto, der tømte sin anden guldøl.

– Han er et problem, sagde han.

– Knægten?

– Mm. Nu hvor jeg har fået ... tjenestefrihed besluttede vi at rejse væk sammen. En uge, du ved, charterferie. De er billige nu. Bare til den spanske østkyst. Hannah taler sproget. Jeg glemmer aldrig, da jeg fortalte Feo, at hun skulle med.

– Skulle I ha hende med?

– Ja, hvorfor ikke?

Otto trak på skuldrene.

– Hun græd og lo på een gang.

– Men så var der det med ham prins Valiant? Otto lo sammenbidt.

De står alle tre derhjemme: Hannah, Rune og Johan. Det er eftermiddag, solen skinner og de har lige drukket the.

– Vi har købt en ferie, Rune, siger Hannah. – Vi skal bo på et hotel lige ned til vandet.

– Jeg skal ikke med. I kan ikke tvinge mig.

– Jo, det kan vi Rune, du er kun tolv år og ... ja, Johan og jeg vi glæder os sådan. Lad nu være med at være så tvær.

– Drop det. Hvad fanden skal jeg lave dernede?

– Min lillesøster skal også med, indskyder Johan.

Rune snurrer rundt og stirrer på ham.

– Den har I rigtig siddet og bagt på, hva? Så skulle jeg fise rundt sammen med den øgle, men det blir eddermame en gammel løgn, gør det. Skulle jeg være barnepige?

– Hun er 35 år, siger Johan.

Rune stirrer på ham.

– Og hun er mongol, siger Johan og sætter sig ned.

Stilhed. De kan høre trafikken nede på gaden og naboens radio.

– Du kender da godt ... mongoler, Rune, siger Hannah og tager af bordet. – Vi ser dem somme tider henne i svømmehallen.

– De åndssvage? Han siger det med et åbent udtryk.

– Nej, de er ikke åndssvage, siger Hannah roligt. – De er mongoler.

100

– De er eddermame åndssvage. Hvad fanden er meningen? Han skriger nu så højt, at han kommer til at græde. Lidt efter smækker hans værelsesdør, så det synger i hele lejligheden.

Og kort efter kan de høre ham kaste bajonetten mod sin dør. Johan ser op i loftet.

– Lad ham nu lige vænne sig til tanken, siger Hannah.

– Han ødelægger døren, mumler Johan.

Hannah går ud i entreen: – Rune, hold op med det, du ødelægger din dør, dreng.

Hun går ind og tænder en cigaret.

– Han skal bare afreagere.

Hun lægger armene om ham.

– Hvis han var min søn, siger Johan …

– Så havde du stukket ham en røvfuld, nikker hun.

– Noget i den retning.

Hun slipper ham.

– Måske er det det han trænger til, Hannah. Måske er det det han beder om?

– Kender du nogen, der beder om at få røvfuld?

– Nej. Men jeg kender mange mennesker, der beder om at få at vide, hvad de må og hvad de ikke må.

– Det ved Rune udmærket. Men han er i en alder, hvor han gerne selv vil bestemme.

Johan tager fat i hendes arm.

– Der er nogle, der aldrig lærer det Hannah. De opfinder deres egne love. Jeg kender det.

– Er du sød at gi slip.

– Undskyld …

– Rune er ikke kriminel, hvis det er det du prøver at antyde.

– Folk blir ikke født kriminelle, Hannah. Der er noget der gør dem til det.

Hun så fladt på ham. Med tårer i øjnene.

– Præcis ja, betjent Klinger. Der er noget der holder folk fast i deres kriminalitet. Men det har ikke noget med det her at gøre. Det er politik, Johan. Lige nu er hele landet ved at gå

101

amok over mordet på Como. Aviserne og fjernsynet. De taler ikke om andet. Hver gang man åbner for kassen, får man hans selvtilfredse fjæs i hovedet. Og lige nedenunder ligger den og lurer.

– Hvad for een?

– At det nok er en udlænding, der har gjort det. Faktisk har dine kolleger allerede anholdt en masse fremmedarbejdere og flygtninge. Men hvad med hende kvinden du talte så meget om for et stykke tid siden? Hende bordeldamen.

– Du vil måske også ha rejst en statue af hende i parken?

Hun tager fat om ham.

– Johan. Hvorfor er hans liv mere værd end hendes?

– Hold nu op, Hannah. Det er pladder, det der.

– Har det slet ikke slået dig, hvorfor der kommer al den terror netop nu? Hvorfor folk gør oprør?

Han gør sig fri.

– Folk gør ikke oprør. Der er nogle fanatikere, der gør oprør.

– De gør det sguda ikke for sjov, Johan.

– Hvorfor tager du ikke den bajonet fra ham?

– Jamen, hvorfor ikke vise ham den tillid?

Johan ser op i loftet og slår ud med armene.

– Hannah. Drenge skal sgu ha respekt for noget!

Hun tager en ny cigaret.

– Og så er det lige meget med hvad? Er det det du siger? Bare de har respekt. Hør her, Johan. Jeg kender den lille fyr. Og der er kun een vej.

– Hvilken, kloge? Han smiler og lægger armen om hende.

– Blive ved med at fortælle ham, at man elsker ham. Okay, han er meget ilter. Hans far er også meget ilter.

Johan læner sig tilbage. Emnet „Runes far" er ikke tidligere berørt. Bortset fra, at Hannah har nævnt, at de var gift meget kort tid.

– Hvad laver han? Runes far?

– Han underviser. Noget af tiden.

– Hvad mere?

– Åh, jeg ved det såmænd knap nok. Han har altid været

102

lidt af en huleboer. Han maler og musicerer. Han er meget kreativ. Og meget musikalsk. Og lidt skør. Ligesom Rune. Og meget moralsk.

– Er Rune meget moralsk?

– Ja, det er han faktisk. Han ved godt, hvad der er rigtigt og forkert.

Og Johan tænker: Men han gør det forkerte, fordi han synes det er sjovt, fordi han i bund og grund er psykopat.

– Hvorfor blev I skilt?

Hun så skælmsk på ham. Som for at sige: Jeg vidste den kom.

– Fordi vi ikke elskede hinanden. Det er selvfølgelig så avanceret en grund, og der var da også flere, det er der vel altid, men det er snart ti år siden. Han skulle aldrig ha været gift.

– Holdt han af Rune?

– Han elskede ham. Han elsker børn, ud over alle grænser. De er noget helligt for ham.

– Ser du ham stadig?

– Vi taler sammen. I telefonen.

– Hvad med Rune?

– Rune besøger ham ind imellem. Men det er sjældent. Her på det sidste har han selvfølgelig spurgt en del til ham. Som en demonstration. Er det her et forhør?

– Det er præcis, hvad det er!

7

Kommissær Schatt fikserede de tolv mænd, der sad og stod i hans alt andet end ryddelige kontor på femte sal i den bygning, hvor flere og flere lokaler blev ryddet til endnu flere rapporter om mordet på Albert Como.

– Det drejer sig om en stribe razziaer og det handler om heroin. Hvor har du været henne Klinger?

De andre gloede dovent på Johan, der svarede, at han havde været i Spanien.

– Har du råd til det, spurgte en.

– Flidspræmie fra korpset, fniste Otto.

Schatt så ondt på ham, og fortsatte instruksen:

– Adskillige kilo, endnu ikke distribueret. Vi slår til samtidig, så de ikke når at snakke sammen, og det drejer sig om følgende lokaler …

Navne og steder blev omdelt.

– Jeg håber ikke det blir nødvendigt at repetere, at vi havde over 160 narkodødsfald i denne by sidste år. Altså tres kilo. Det ligger derude.

– Hvem siger det ikke er spredt, spurgte Otto.

– Vi ved det ikke er solgt videre, svarede Schatt. – Men det er muligvis delt op i mindre portioner. Og med din næse Otto er det vel en bagatel at finde det. Lige for tiden er markedet mættet med kokain og amfetamin, så man venter på, at tiderne skal blive bedre. Er der nogen spørgsmål? Udmærket. Klokken er nu 17.30. Natten er jeres, adjø d'herrer …

Johan der havde set frem til at komme hjem til Hannah, spurgte Schatt, hvorfor man ikke havde adviseret dem noget før. I går for eksempel.

– Fordi en razzias succes udelukkende beror på overraskelsesmomentet, Klinger.

Otto trak Johan ud på gangen.

– Sødt ikke, sagde han. – De stoler sgu ikke engang på os. Johan ringede til Hannah, der sagde at gratinen stod i ovnen.

– Jeg er ked af det, sagde han.

– Kan du ikke pjække, spurgte hun.

– Den går vist ikke, sagde han og så på Otto, der lod som ingenting.

Bagefter trillede de ned til Elis Bistro, hvor Otto bestilte Dagens Ret.

Johan spiste to halve med ost.

– Gik det ad helvede til på ferien?

– Nej det gik fint. Når man ser bort fra Rune.

Johan så på sedlen som de havde fået stukket ud af Schatt.

– Vi finder aldrig det lort, smaskede Otto. – Medmindre vi niver en eller anden i røven.

Johan nikkede og så adspredt på Elis kone, der stangede tænder. Han tænkte på Feo i svømmebassinet, iført sine nye lyserøde svømmevinger, som hun møjsommeligt pustede op hver morgen, og som Rune skar i tusind stykker med sin dolk den sidste dag. Billedet af lille, tykke Feo ved den tomme pøl, og den ranglede leende Rune med dolken et par meter væk. Ulven og grisen.

– Leo, sagde Otto. – Vi starter hos Leo. Er du der, Johan?

– Ja, mumlede Johan. – Jeg er her. Vi starter hos Leo.

– Men vi venter, fortsatte Otto. – Jeg foreslår vi venter mindst fem timer.

– Så kan jeg jo godt køre hjem til Hannah …

– Nej, det kan du ikke. Otto var blank om munden, – det ku se kønt ud, så ku jeg hente dig, den halvberusede sporhund, smaskbedøvet af hvidløg, rødvin og gratin med et par øjenlåg der osede langt væk af sovekammer. Vi er to om det her, Klinger. Og med hensyn til Leo, så kan man komme ud for hvad som helst dernede.

Johan rystede svagt på hovedet.

– Jeg fatter egentlig ikke, hvorfor Comogruppen altid har undgået dig, Otto.

Otto sagde, at det også var lidt af en gåde. Måske ønskede de ikke, at få sagen opklaret.

– Nu har de foreløbig fyldt fængslerne med samtlige mandspersoner syd for Alperne mellem 14 og 85 år, og jo mere pressen og politikerne presser på, jo mere desperate blir de. Fanme morsomt den dag en eller anden gammel kælling kommer og melder sig. Alt det fis med terrorisme giver jeg ikke fem flade øre for. Det hele stinker. Nu går vi en tur, lægger en taktik, og så ser vi den der perverse film med sygeplejerskerne fra ni til elleve, og så ruller vi over til Leo. Ræk mig lige senneppen, Johan.

Kort før midnat kørte de ned til Studio 69, som var en lille, fedtet biograf, nogenlunde mage til de tyve andre, der havde specialiseret sig i bar med topløs betjening og en biograf, der stort set blot var en stor fjernsynsskærm, samt små lumre kabiner, hvor man kan sidde i enrum og studere videofilm. Indehaveren Leo Maggath var en god ven af Otto, eftersom Maggath i sine unge dage havde puslet med et varieret varesortiment, som Otto med mellemrum havde set igennem fingre med; mod visse oplysninger.

– Leo og jeg, sagde Otto, – står på hver vores side af stregen.

– Faktisk utrolig lidt, der skiller jer, bemærkede Johan tørt.

– Kun stregen, svarede Otto og fniste.

Kineserbyen var nu tændt. Der var folk på gaden. Johan gned øjnene og tænkte for første gang, at hans liv bestod af forsømmelser. Blandt andet havde han forsømt at få et barn. Et barn han kunne passe på, og som aldrig skulle sætte sine små fødder i kvarterer som dette. – Uskylden, mumlede han og så Otto vade hen til skranken, hvor en af Maggaths tidligere piger var i gang med at spise et bæger yoghurt.

– Sagde du noget, Johan? Otto så på ham. Pigen så på Otto. Johan smilede og rystede på hovedet.

– Kan jeg hjælpe jer med noget? Pigen så på dem.

– Ja, vi tænkte, at vi lige ville slå vejen om og se en af jeres populære film, brummede Otto og fjernede forhænget til det dunkle lokale, der var domineret af en bar i rummets midte,

106

hvor en pige i netstrømper, shorts og butterfly betjente kundekredsen.

Otto smilede til Johan. Nu kom Maggath til, formentlig hidkaldt af pigen ved skranken. Han var en cirka 50-årig noget undersætsig, blegfed mand med et livstræt udtryk.

– Davs Maggi, sukkede Otto og kom med besvær op på en af de høje barstole.

Maggath sendte ham et træt blik. Egentlig så han oprigtig ked ud af det. En lille, lidt trist Peter Lorre.

– Næste gang jeg laver selvangivelse, vil jeg tænke på dig Otto, sagde han uden at smile. – Du må fanme være fradragsberettiget.

Otto trak beskedent på skuldrene og gloede ugenert på pigen i baren.

– Vi er her bare helt privat, sagde han.

Maggath gjorde et sigende kast med hovedet. Otto spurgte, om de stadig viste de der film, hvor folk fik røvfuld?

– Ja, det er vel lige noget for dig, Volmar, sagde pigen i baren.

Otto smilede til Johan.

– De er fulde af humor, sagde han. Maggath henvendte sig til Johan med dæmpet stemme, idet han tændte en ny cigaret.

– Kan vi ikke få det overstået? Hvad vil I?

Otto fnøs og lod sig glide ned af stolen, og gik ind i biografen, hvor et ukendt antal herrer sad i mørket og gloede på en mørklødet mand, der var i gang med at binde to piger til en himmelseng.

Imens gik Johan ud til skranken, hvor han et øjeblik stod og så på udbudet af videofilm. Maggath så efter ham. Modsat Otto var Johan og Maggath knap nok på talefod. – Der findes to slags kriminelle i Kineserkvarteret, sagde Johan til Otto, en dag de havde besøgt Studio 69. – Der er de hæderlige kriminelle og de uhæderlige. Maggath hører til de sidste.

Og en anden dag betroede Maggath sig til Otto, idet han sagde der var to slags strømere. De fornuftige, ligesom Otto, der bare var på arbejde, og som kunne lade folk være i fred, og de frelste a la Johan Klinger.

Han drejede rundt og fikserede et håndtag bag skranken. En dør i panelet.

– Venter du på nogen, spurgte pigen.

Johan gik om bag skranken og tog i håndtaget.

Hun greb fat i ham.

– Jaja, slap lige af makker, det er privat det der.

– Hvad mener du, spurgte han.

– Jeg mener det er privat, skal jeg stave det for dig?

Han sukkede og skubbede hende til side og stirrede på den lange, smalle trappe op til første sal.

– Hvad fanden bilder du dig ind, stodder, råbte pigen.

Han kom op i et firkantet rum i stil med et venteværelse. Langs den ene væg stod en reol med pornomagasiner og videobånd. Overfor stod to stole mellem tre døre. Han behøvede ikke lægge øret til for at gætte, hvad de foretog sig derinde.

Pigen kom op til ham.

– Er du døv? Jeg sagde det var privat.

Han bladede i et par af de kulørte hæfter.

– Jeg er fra ... politiet, mumlede han.

– Og hvad så?

– Så vil jeg gerne vide, hvad I egentlig laver heroppe, spurgte han uden at se på hende.

– Vi har et solarium, sagde pigen.

Han så kort på hende og nikkede.

– Hvad er så det her?

Hun så ned i magasinet, men flyttede hurtigt blikket.

– Du kan vel se, hvad det er, sagde hun.

– Ja, det er børn, sagde han.

I det samme kom Maggath og Otto til syne på trappen.

– Sig mig, hvad helvede laver han heroppe, råbte Maggath og så bebrejdende på pigen. Bagefter så han på Otto, med det samme blik.

– Ja, hvad faen laver du egentlig heroppe, Johan, spurgte Otto. – Nu havde vi lige aftalt vi skulle ud og more os og se en film, hvor folk får pisk.

Lydene inde bag dørene døde ligesom hen.

– Jeg vidste ikke du havde et helsestudie heroppe, sagde Johan til Maggath, der bare stirrede på ham.

Ottos blik åbnede sig som en vifte.

Maggath spurgte, om de ikke kunne gå ned igen?

Johan rakte ham et af hæfterne med små piger.

– Hvad skal jeg med det?

– Se på det.

Otto så også på det. Ikke uden faglig interesse.

– Og hvad så, sagde Maggath. – Jeg ved sgu ikke, hvor de kommer fra.

Johan stak en halv arm ind bag videofilmene på hylden og væltede hele striben på gulvet.

Maggath stirrede på ham.

– Vil du bilde mig ind, at dine solariekunder har haft alle dem der med?

– Jeg siger bare jeg ikke ved, hvor de stammer fra, skreg Maggath og så appellerende på Otto. – Hvad fanden skal det her forestille?

– Er der børn på de film, spurgte Otto stille, idet han lagde hånden på Maggaths skulder.

– Jeg aner det ikke, Otto, sagde Maggath, – jeg har andet at lave end at glo på det lort folk slæber med.

Johan så op i loftet.

– Det er ikke godt med de film, sukkede Otto.

Maggath slog ud med armen.

– Helt ærligt: Hvorfor går I ikke ned og knalder nogen, der går over for gult?

– Leo, sagde Otto. – Det er ikke godt.

– Hva mener du med det?

– Vi blir nødt til at lukke bulen, Leo, sagde Otto brødebetynget.

– Arh, stop nu lige lidt, hva? Jeg har sguda ikke gjort noget ulovligt, mand. Vi sidder og ser lidt film og får en bajer. Jeg har bevillingen i orden, her er rent og pænt, du kan sguda ikke lukke mig på grund af et par skide videofilm, Otto.

– Leo, sagde Otto og plantede begge hænder på Maggaths

skuldre. – Lad os nu ikke spilde hinandens tid. Det er livet sgu for kort til. De ligger og knepper som kaniner heroppe. Det er et skide bordel. Lad nu være med at brokke dig. Du ved det og kunderne ved det og jeg ved det. Vi behøver bare åbne en af dørene. Det er muligt stodderen har fået bukserne på igen, men han tager i hvert fald ikke solbad. Og med hensyn til de her videofilm, så er de faktisk brandvarme. Jeg er ked af det, Leo, men vi blir nødt til at lukke biksen.

Maggath gik foran ned ad trappen, ned i baren, hvor rygtet havde nået de fleste af gæsterne.

Maggath stod ved baren og lod fingrene køre gennem sin sparsomme hårpragt. Imens forsvandt de sidste fra biografen. Pigen i baren havde taget en T-shirt på og musikken var pillet af grammofonen.

– Du ved det er fuldstændig omsonst, det du laver, sagde Maggath.

Otto spurgte, om de eventuelt kunne gå om i baglokalet.

Maggath nikkede og gik ned i bunden af biografen, hvor han åbnede ind til noget, der lignede et spisekøkken, hvor der sad en ung pige og gav et lille barn flaske.

– Nå, for søren, udbrød Otto.

– Det er mit barnebarn, vrissede Maggath. – Vi prøver på at skabe en tilværelse, Otto.

Johan lukkede døren efter sig og så i smug på det lille barn, der lå med lukkede øjne og sugede til sig. Pigen ignorerede dem.

– Hvis jeg lige må låne din telefon, sagde Otto afmålt.

– Er det nødvendigt, spurgte Maggath.

Otto sukkede og slog ud med armen, idet han med vilde fagter illuderede en desperat mand, der forsøger at tale en anden desperados til fornuft. Til sidst, da ordene udeblev spurgte han, om pigen eventuelt kunne give barnet mad et andet sted.

Maggath lodsede dem ud.

Johan lukkede døren og så Otto tage fat i Maggath bagfra, idet han lynhurtigt snurrede ham rundt og klaskede ham op mod væggen. Den lille tykke mand stirrede forbløffet på ham.

– To minutter Leo, hvæsede Otto, – ikke et sekund mere, og jeg skal personligt sørge for, at denneher horebule aldrig kommer op at stå igen.

– Jamen, for fanden mand ...

– Det drejer sig om tres kilo heroin. Jeg ved du ved det, og du ved, at jeg ved, at du ved det. Kort sagt, hvor er det? Kom nu, Leo.

Otto vred hans skjorte rundt, så der faldt en knap på gulvet.

– Er du blevet fuldstændig blød mand?

– Tag telefonen, Johan, råbte Otto.

Udenfor blev der banket på døren. Pigen kaldte på Maggath.

– Far ...

– Det er i orden, Jytte, gispede Maggath.

Imens løftede Johan røret af gaflen.

– Vi tager dig med ind, og vi har begge en livlig fantasi, sagde Otto. – Jeg tror fame du ryger ind, Leo. Var der ikke noget med en betinget på et års tid sidste efterår?

– Jeg ved ikke noget, og hvis jeg gjorde, sagde jeg det sguda aldrig, råbte Maggath. – Tror du jeg er idiot?

– Ring efter en vogn til ham her, sagde Otto.

Johan begyndte at dreje stationens nummer.

– Stop for helvede, og giv så slip, mand, sagde Maggath. Otto flyttede sig.

– Okay, jeg ved ikke noget om den sending. Jeg ved det ikke. Han vendte siden til og tændte en cigaret. – Men jeg ved, hvem der laver de der film.

– Ved du hvad, Leo, sagde Otto, – det der er en fornærmelse mod min intelligens.

– Nå, er det det, råbte Maggath, og pegede på Otto med cigaretten. Hånden rystede. – Men så kan jeg fortælle dig, at der er mange flere kugler i det lort, end al jeres lorteheroin til sammen.

Otto så kort på Johan, der lagde røret tilbage.

– Udmærket, Leo, sagde han. – Johan og jeg er flinke folk,

som du ved. Men hvis du tager røven på os, så bliver vi altså uvenner. Der er grænser, selv for tyndskid.

Maggath sagde, at han aldrig nogen sinde havde taget røven på een eneste af sine venner, og Johan vendte ryggen til og tænkte på de utallige såkaldte venner Maggath havde stukket gennem tiderne.

Otto spurgte hvem der lavede de sorte film?

– Richard, stønnede Maggath.

De gloede på ham.

– I kender Richard Delmont, ikke?

Johan nikkede automatisk. Richard, der godtnok var en smule sort i kanten, var kendt for at handle en smule med kokain og blød porno. Og rygtet ville vide, at han faktisk var en god fotograf. En falleret kunstner på sit felt.

– Jeg tror du stikker os en and, sagde Otto.

– Jamen han sælger filmene alle vegne, også til udlandet, det er stor business, sagde Maggath. – Men husk, I ved det ikke fra mig, Otto. Husk det, for fanden.

Otto slog en klo i ham.

– Vil du bilde mig ind, at det er hvad du har til mig, Leo? Lille, pæne Richard? En uskadelig bøssekarl, der kan li at sniffe lidt i ny og næ. Vil du bilde os ind, at han, helt alene, sidder og producerer alle de lede film og sælger dem til udlandet, uden om told og hele møllen. Du er jo fuld af løgn, Maggi.

– Jamen så undersøg det, mand, sagde Maggath. – Undersøg det.

– Det er muligt Richard har filmet, men nogen andre må ha skudt penge i det, sagde Johan.

Otto nikkede.

– Du kan godt se pointen, ikke, Maggi, sagde han.

Maggath sagde, at han allerede havde sagt for meget.

– Hvem er du bange for, spurgte Otto sleskt.

– Hvem har sagt jeg er bange, råbte Maggath.

– Du er skidebange, sagde Otto.

– Okay, jeg er skidebange, og hvad så? Det ville du fanme også være. Det garanterer jeg. Men luk mig bare. Hvad rager

112

det mig.

Ti minutter senere sad de atter ude i bilen og så lysene blive tændt i Studio 69.

– Maggi er tilbage på banen, stønnede Otto. – Jeg foreslår vi triller ud til Richard.

Johan rystede på hovedet og sagde, at det som bekendt ikke havde noget med heroinen at gøre.

– Muligvis ikke, smilede Otto, – men hvem tror du lille Leo var så skide ræd for?

Johan nikkede og kaldte ind over radioen, hvor han fik at vide, at operationen var afblæst.

På stationen fik de yderligere at vide, at heroinen var sendt ud af landet.

Johan gik ned ad trapperne.

Udenfor var det begyndt at regne. Otto indhentede ham på parkeringspladsen.

– Kør lige over til telefonboksen, sagde Johan.

– Hvad nu?

– Bare gør det. Jeg glemte det deroppe, desuden ku jeg ikke holde Schatt ud mere.

Otto standsede foran boksen og tændte sin pibe. Imens slog Johan op i fagbogen. Richard var registreret som rigtig fotograf.

Richard Delmonts Atelier: Portræt, Mode & Reklame.

8

Ejendommen var nyrestaureret og bar tydeligt præg af at være udstykket til ejerlejligheder. De øverste lå med udsigt til sundet.

– Det var sådan en, du skulle ha købt, som Otto sagde, da de stod foran Richards dør.

En ung mand i slåbrok åbnede døren på vid gab. Han havde farvet hår, meget kort og meget rødt, og lagde ikke skjul på sin homoseksualitet, snarere tværtimod. Han virkede påtaget feminin, på grænsen til det skabagtige.

– Har I to bestilt tid, spurgte han koket.

– Vi er fra politiet, sagde Johan og kvalte en gaben.

Richard var 45 år, klejn af bygning med et lille, træt ansigt i en alt for stor og porøs hud, der vidnede om hyppig solbadning og kraftig, hurtigvirkende slankekur, eller gulsot og kræft. Han var fuldt påklædt og lettere forvirret over deres besøg. Den blanke skjorte og de sorte bukser tydede også på, at han for nylig havde været meget større.

De kom ind i atelieret, der var stort og frem for alt meget lyst. Johan indrettede det automatisk med sine egne møbler. Richard præsenterede den unge mand, som en designerven. Johan så indgående på fotografen og konstaterede, at han kunne lide ham. Der var noget ærligt og pålideligt ved hans trætte ro, og den verdensfjerne måde at tale på. Måske var han bare på stoffer. Med sit kendskab til Ottos følelser over for homoseksuelle, måtte han være på vagt. Den unge mand med det røde hår sagde, at han blev nødt til at løbe.

– Ciao Richard, vi ses.

– Ciao, sagde Otto og lavede himmelvendte øjne.

Bagefter smed han et par magasiner og videokassetten foran Richard.

– Hvad er det for noget, spurgte han.

– Det er tilsyneladende nogle pornoblade og en videokassette, svarede Richard tørt, men venligt.

– Ja, det kan jeg fanme godt se, råbte Otto, – spørgsmålet er, hvem der laver den slags svineri?

Richard så ufravigeligt på ham og lagde det ene ben over det andet. Otto rejste sig og gik hen til en bænk med hjul, hvorpå der stod et lyseblåt tv og en flad videomaskine. Han lagde kassetten i.

De så tre minutter af filmen, der både var triviel og kvalmende.

Otto spurgte, hvem der havde optaget filmen, hvem der havde produceret, hvem der medvirkede og hvem der distribuerede?

Richard sagde, ikke uventet, at han overhovedet ikke kendte det produkt.

Johan bemærkede, at Richard havde problemer med at focusere.

– Vi har, ikke desto mindre, sagde Otto dæmpet, – adskillige pålidelige vidner, der vil aflægge ed på, at det er dig, der har optaget denne film.

– Det er jo trist, sagde den klejne mand og rejste sig op. Et eller andet i hans holdning tydede på, at han var komplet ligeglad med den video, eller blot havde ventet på, at de skulle komme og stille ham det trivielle spørgsmål.

– Hvor får I pigerne fra, spurgte Johan, og så indgående på filmkassettens omslag, hvor en asiatisk udseende pige, højst ti år, var afbildet i færd med at stikke en erigeret penis i munden.

Richard svarede ikke. Otto rejste sig og slog sig på lårene.

– Så kører vi, sagde han. – Pak dine ting, makker. Det kan godt blive af længere varighed.

Richard stillede det meningsløse, men ikke usædvanlige spørgsmål, om det nu også var nødvendigt? Han havde det nemlig ikke så godt. Johan så på ham. Han så faktisk sløj ud, for ikke at sige fjern.

– Har du taget piller?

– Ikke noget af betydning, svarede han.

Otto vendte ham brutalt om.

– Du er godt klar over, at vi mener det alvorligt, ikke?

Richard så på ham, eller prøvede på det. Når det lykkedes, kunne man se, at han var inderligt led ved at skulle belemres med folk af Ottos standard. Johan foreslog at de satte sig ned et øjeblik. Richard så taknemmeligt på ham og stavrede ud i køkkenet efter et glas mælk.

– Ja, du er virkelig ved at få krammet på de bøsser, sagde Otto, mens fotografen var væk. Og Johan tænkte, at der ingen steder stod skrevet, at man absolut skal køre med den samme makker år ud og år ind. Minuttet efter stod Richard i døråbningen og så afventende og indgående på dem. Så styrede han hen bag døren, hvor han havde en grammofon og satte en plade på skiven. En klassisk plade med tusind strygere. Johan skævede til Otto.

– Der er sådan et smukt lys ude over vandet, sagde Richard. – I kender vel ikke … det stykke musik?

– Pachelbel, kanon i D-dur, sagde Johan. Hannah havde pladen. Otto stirrede på ham. Richard nikkede bare og satte sig hen ved siden af Johan.

– Det er … mig, der har … lavet den film … og taget de der … fotos.

Johan nikkede og så ham gå tilbage til vinduet hvor han stillede sig med ryggen til dem.

– Hvem finansierer det, spurgte Otto.

Richard svarede ikke. Otto gik hen til ham.

– Hvem betaler dig for svineriet, gentog Otto. – Vi skal ha det hele at vide. Hvordan I får fat i pigerne, hvem der stryger fortjenesten, hvem I arbejder sammen med i udlandet. Så du kan lige så godt få tungen på gled, lille bøssefar.

Johan rejste sig op.

– … det er mig, der står for … det … hele, sagde Richard tonløst.

Otto bakkede hen til en hvid instruktørstol og satte sig bevidst målløs i den.

– Hvornår gik det egentlig galt for dig, spurgte Johan.

– I '78, kom svaret. Som om han ved en tilfældighed havde

siddet og tænkt præcis det samme.

– Du nåede at lave én spillefilm.

– To. Den anden hørte man bare aldrig om, men den var den bedste.

På sine ture i Zoo sammen med Feo, havde Johan ofte stået og stirret ind i øjnene på en lille, feminin silkeabe med talende hænder og et livstræt, desillusioneret blik. Richard lignede den abe, som han sad der og stirrede ud over vandet.

– Man slider og man slæber, og pludselig er årene gået og man har ikke nået en skid. Og en morgen står man ude på badeværelset og ser sig i spejlet og spørger, hvordan gik det egentlig til?

– De piller du spiser …?

– Betyder ikke noget. Peanuts.

– Forklar mig, hvordan det gik skævt.

Fotografen sendte ham et skævt smil. Et kort klip med de opadskruede øjenbryn. En gestus der udstrålede ligegyldighed og indsigt i Johans forhørsmetode. Han gik langsomt hen til en fønixpalme foran en hvid skærm. Han havde mælkeglasset mellem hænderne foran maven. Som ville han recitere eller synge.

– JEG ER NARKOMAN, råbte han teatralsk, og så ud som om han var ved at segne, blot fordi han råbte.

Otto trådte hen til Johan.

– Nu giver du mig lige fem minutter med den stjernepsykopat, sagde han dæmpet.

– Jeg foreslår du går ned i vognen, sagde Johan.

Otto stirrede på ham.

– Jeg tror fanme du er ved at forkludre det her, kammerat, sagde han. – Jeg tror sgu du har taget skade af at bo derinde i byen hos alle de aber. Og så oveni alt det med ham ungen. Hvad fanden går der af dig, Johan?

Johan afbrød ham med en håndbevægelse og gik over til Richard, der havde sat sig på en lille, romersk bænk. På hver sin side af bænken stod to fauner i færd med at forgribe sig på en kødfuld jomfru. Faktisk udgjorde de fire bukkefødder bænkens ben. Johan så på Richard, hvis ansigt var vædet af tårer.

– På et eller andet tidspunkt, er det hele for sent, hviskede han.

Otto stillede sig bag Johan.

– Kys ham, Johan. Skynd dig.

Richard så ned i gulvet og tørrede kinderne.

– Jeg tror såmænd ikke, jeg er så meget værre end så mange andre, sagde han.

Slaget fra Otto kom som et lyn fra en klar himmel, og det ramte fotografen så rent på kinden, at han bogstaveligt talt slog en saltomortale.

– Så er det fanme godt, skreg Otto. – Nu har jeg hørt længe nok på den selvmedlidende, naragtige bøsse. Se her! Her er fotografierne, kammerat. De lyver ikke. Værsgo, se på alle de små piger. Hvad fanden er det de laver, Richard? Og nu vil du ha, vi skal ha ondt af dig.

Johan bøjede sig over fotografen, der var ved at komme til hægterne.

I det samme ringede telefonen. Richard lod ikke til at ænse den, men Otto var der på sekundet.

– Hallo, sagde han med en let skabet stemme. Og fortsatte: – Nej, Richard er her ikke lige nu. Han er vist gået ud. Men han kommer snart igen. Er der en besked, jeg kan gi? Otto så hen på Johan, der havde fået Richard op at sidde. Det blødte fra hans mundvig. – Udmærket, sagde Otto, – så siger vi det. Undskyld, hvad sagde De? Jo, jeg hedder Bunny, ja nemlig, B u n n y. Nej, jeg tror ikke vi har truffet hinanden. Okay, farvel, hej du.

Otto lagde røret på.

– Okay, Richard, råbte han. – Hvad hed den lille viftemås, der skred, da vi kom?

Richard tørrede sig om munden.

– Han hed Tony. Han har ikke noget med det her at gøre.

– Han har fanme haft travlt, hva? Og ved du hva? Det har du også.

– Øjeblik, Otto. Johan stak armen ud.

Otto ignorerede ham.

118

– For det var hr. Koch, der ringede. Han ville gerne tale med dig. For det er jo hans studie I bruger, ikke?

Richard rystede svagt på hovedet.

– Jeg vil gerne med på stationen, og jeg vil gerne tale med min advokat, sagde han mekanisk. – Men allerførst vil jeg gerne ha et glas mælk.

Han så op på Johan, der gik ud i køkkenet, hvor der var meget ryddeligt. Han skænkede et glas mælk op. I det samme lød der et hult støn og derpå et brag, så væggen rystede. Johan lod mælken stå og løb tilbage til atelieret, hvor Richard lå på gulvet i færd med at værge for sig. Otto samlede ham op.

Johan lagde sig hastigt imellem.

– Du ryger ud af korpset, sagde han. – Tænk dig om, Otto.

– Er du ikke klar over, at vi kan knalde Lewis på det her!

Johan puffede ham væk. Otto rystede på hovedet og rettede på sit tøj. Bagefter satte han Richard op ad væggen. Otto stod nu med ryggen til. Johan trak vejret dybt for at få hold på det hele, da Otto pludselig snurrede rundt og sprang ind på Richard, som han i een lang bevægelse samlede op og kylede fra sig. Johan ramte ham kun een gang. Til gengæld helt rent. Det gjorde ondt helt op i skulderen. Til gengæld faldt Otto sidelæns ned på gulvet, hvor han ravede to meter til siden, i et forsøg på at komme på benene. Han så sløret på Johan.

– Gå ud til din sødmælk, Klinger, sagde han.

– Gå ned i bilen, Otto, svarede Johan.

– Jeg slipper ikke ham her.

– Han er syg. Kan du ikke se det?

Otto følte efter, om læben var intakt.

– Jo, jeg kan kraftstejlme godt se, at han er syg. Det behøvede jeg ikke komme herop for at konstatere. Se på hans fotos. Se på hans perverse film. Du har fuldkommen ret. Han er meget syg. Og så vidt jeg kan se, så er hele samfundet ved at blive lige så sygt. Måske er det noget, der smitter, Johan. Lortet breder sig.

Otto kværnede videre. Imens hjalp Johan fotografen på benene, men det kneb, for han lod til at være faldet i søvn.

Otto havde tændt en cigaret og sad nu i vindueskarmen, der vendte ned til vejen.

Johan gik ind ved siden af, hvor der var et soveværelse i orientalsk stil, og længere inde, et mørkekammer.

Den lille, asiatisk udseende pige hang i plakatstørrelse over en zinkvask. Han gennemgik nogle ligegyldige negativer, da Otto kaldte på ham. – Skynd dig, Johan, nu brænder lokummet.

Johan gik tilbage til atelieret, og så ned på vejen, hvor en hvid BMW var ved at parkere foran huset. Ud ad bagdøren kom en ung mand, ca. tredive år, nydelig, sagførertype, og ad fordøren krabbede direktør Koch sig ud.

Otto slæbte Richard ind i soveværelset.

– Nu overlader du det bare til mig, sagde han dæmpet.

– Det kunne jeg aldrig drømme om, svarede Johan.

Der lød skridt på trappen. Lidt efter blev der ringet på den melodiske dørklokke. Otto åbnede på vid gab og nød synet af Kochs måbende ansigt.

– Velkommen, hr. Koch.

Den lille, tykke mand med de guldindfattede briller stirrede fra Otto til Johan.

– Vi sad lige og talte om Dem, som Otto sagde.

– Hvem vi?

Koch trådte modvilligt indenfor og så sig om med stigende væmmelse.

– Hvor er fotografen, spurgte den unge mand.

– Han kommer, svarede Otto og kastede videokassetten hen til Koch.

– Han har for resten indrømmet, at dét dér svineri blir lavet inde hos dig.

– Jeg vil gerne tale med ham selv, snerrede Koch.

Hans assistent foreslog at de kørte igen. Imens gik Koch rundt med sit patronformede hoved forrest, som om han vejrede et nyt og fremmed bytte. En varan i et andet revir.

– Vi får dig på denneher, Koch, sagde Johan roligt.

Koch så på dem.

– I to kvajhoveder kan ikke bevise en skid, sagde han stille.

120

– Ikke en skid. Han så på Otto. – Den film er nemlig slet ikke lavet inde hos os, men et helt andet sted. Han gik tæt på Johan. – Og hvis jeg var jer, ville jeg holde snuden langt væk. Meget langt væk. Tag det som et godt råd.

Skuddet faldt som et klip i lyset.

Johan var den første, der var inde i soveværelset, hvor Richard sad i sengen med hagen hvilende på brystet. Det meste af hans baghoved var smurt op af tapetet. Han havde haft løbet i munden. En gammel tysk Luger. Den forstenede skræk i hans livløse øjne, havde imidlertid ikke noget med døden at gøre, men derimod livet. Måske den lille plirrende mand, der fra gangen gloede ind på ham.

Ambulancen kom i løbet af få minutter.

Forinden havde Johan og Otto slæbt Koch og hans advokat ind på Gården, hvor han gentog hvad han tidligere havde sagt. At han hverken kendte til magasinerne eller filmene.

– Hvad skulle du hos fotograf Richard Delmont her i dag, spurgte Johan til sidst.

Koch rejste sig og knappede sin jakke. Han smilede.

– Fotograferes svarede han. – Tak for i dag. Med en tommel- og en pegefinger klippede han i luften foran dem begge, for at illustrere sin foragt og i øvrigt bede dem holde kæft.

Advokaten åbnede døren og lukkede den igen. Johan så på Otto, der flåede døren op. Han var rød i hovedet. – Du kan vente dig Koch, skreg han, så kollegaerne kom ud af hulerne, – du kan vente dig din satans rotte …

9

Johan sad ude hos Otto, da den første sne faldt. Der var gået tre måneder siden de var hos Delmont, og obduktionen af manden havde ikke beriget opklaringsarbejdet med andet end det man kunne forvente. Johan talte om sit forhold til Rune og Otto bad ham holde mund.

– Hvis I ikke kan styre den unge, så må I sguda sende ham væk, mand.

Det var efter aftensmaden. Ottos kone var på kursus. Otto havde selv lavet mad.

Han viste Johan sit arkiv over Raymond Lewis' formodede aktiviteter. Johan havde set det hundrede gange før. Otto tog det seneste foto frem af Lewis, der fremviste ham stående foran et enormt Pariserhjul på et marked et sted i provinsen.

– Hvis man vil spindet til livs, Johan, må man først dræbe edderkoppen.

Johan så på uret. Han skulle hente Hannah, der underviste om aftenen.

Otto tændte for fjernsynet. Johan tyssede på ham. Comogruppens leder kommissær Mahler var på skærmen.

– Hold kæft, de har måske fanget fyren. Otto skruede op for lyden.

Johan rykkede hen til apparatet.

– Men vil den anholdte blive sigtet for mordet på udenrigsministeren, spurgte intervieweren.

– Vi er i gang med at undersøge alle hans forhold, svarede Mahler med sit sædvanlige diplomatiske smil.

– Men I har ingen beviser?

– Jeg kan kun sige, at vi mener at Comomordet er meget tæt på en opklaring. Mahler nikkede tilfreds.

Otto skruede ned igen. – Fanme på tide, mumlede han.

Ti minutter senere gik Johan ud til vognen og kørte ind

mod byen. I radioen var der mere om opklaringen af Como-mordet. Folk talte om den lettelse det betød. Ikke bare inden for politiet og Sikkerhedstjenesten, men for hele landet.

Han parkerede over for skolen, hvor Hannah havde fået noget aftenundervisning.

De havde diskuteret dagen før. Og dagen før. Samtidig havde de Feo at tage vare på. Forældrene blev mere og mere sære, mere og mere senile. Hjemmehjælpen var begyndt at tale om et plejehjem til moren. Hvis det ikke havde været for Rune, ville han have foreslået, at de tog Feo til sig. Når de flyttede sammen.

– Jeg vil stadig gerne giftes, sagde han en dag.

– Jamen så må du jo ta dig sammen og fri, hr. Klinger.

De sidder i efteråret på en bænk i Parken.

– Det være hermed gjort.

– Til foråret, siger hun. – Til april.

Han spørger hvorfor de absolut skal vente. Hun siger der er så meget lige nu.

– Er det Rune igen?

– Vi kan da ikke bare ignorere, at der er et problem, Johan. Hun begynder at græde. Den stærke Hannah.

– Åh i gamle dage var det sgu så nemt, snøfter hun. – Jeg var helt sikker på, at jeg gjorde det rigtige med ham. Og så kommer du. Det værste man kan være, er sgu i tvivl. Men hvis Rune er umulig, så er der nogen eller noget, der har gjort ham til det. Hvis han er så voldelig, som du påstår, Johan, så er det fordi jeg har opdraget ham til det. Så er det mig, du skal hade og ikke ham.

– Jeg hader ikke Rune, hører han sig selv sige.

De går ned ad stien der lyser gult. Han lægger armen om hende. Ser op i luften og mærker en klump i halsen.

– Jeg fatter ikke, at du ikke kan se det Johan, hvisker hun.

De står foran den sæsonlukkede café ved Det gamle Kastel.

– Se hvad?

– At han er et resultat af noget. Af dette … samfund. Jeg føler fødderne skride under mig. Han er så lille, og så bange.

Alle de knive og alt det med hans våben og hans bander. Kan du ikke se, hvor sårbar han er? Jeg ser ham næsten aldrig mere. Han er altid nede på gaden. Og dernede har de sikkert deres egen lov. Det vi kalder civilisationen er sgu et meget tyndt stykke cellofan.

– Men det er godt nok underligt med fru Thielemann, indskyder Johan. – Hun siger jo han er så elskelig og så nem og så velopdragen.

Hannah nikker: – Det får alligevel en til at tænke.

Han slukkede for bilradioen og så over på den store, grå skole, hvor der var lys i første sals vinduer.

Lidt væk kunne han høre en mand le.

De kom løbende i den nyfaldne sne. Manden var i en lang, lidt gammeldags sort frakke med pelskrave, han havde en violinkasse i hånden. Pigen løb foran ham og var slet ikke klædt på til snevejr.

I det samme fik Johan øje på Hannah, der krydsede skolegården. Han startede motoren og tændte nærlyset. Manden i den sorte frakke stod midt i lyskeglen. Han ventede på pigen, der havde bukket sig for at samle lidt sne op. Hun sagde et eller andet til ham og han så direkte på Johan, inden han lagde en beskyttende arm om hende. Inden han trådte ud af lyset.

Minuttet efter var Hannah der.

– Så er det jul igen, lo hun.

Han åbnede døren for hende.

Hun snakkede om, at de egentlig var for få i klassen til at hun kunne opretholde et hold.

– Åh jeg elsker simpelt hen den første sne.

Han så i bakspejlet. Gaden var tom.

Lidt efter sad de hjemme i hendes stue. Hun lavede the. Rune var selvfølgelig til et eller andet.

Johan satte en plade på. Hendes yndlingsplade: Albinoni. Og tændte levende lys i vindueskarmen.

– Gider du ikke skrue op, råbte hun fra køkkenet.

Han så ned på gaden, nærmere betegnet gadehjørnet,

hvor Rune stod lidt væk fra gadelygtens skær. Helt alene og en smule forkommen. Stod bare og ventede på, at Johan skulle gå.

Hannah kom ind i stuen. Satte thekanden på bordet og lagde armene om ham.

– Jeg elsker dig, Johan, sagde hun stille.

Han nikkede.

– Jeg blir desværre nødt til at køre, sagde han.

– Nu? Jamen …

– Der er … noget jeg har glemt. Jeg er ked af det.

– Jamen, kommer du igen?

– Ja, måske senere. Måske sover jeg hjemme i nat, Hannah.

Hun kom ud til ham i entreen.

– Hvad er der galt, Johan?

– Ikke noget.

Da han kom ned på gaden var Rune væk.

– Gid fanden havde hele lortet, mumlede han og kørte hen til den nærmeste telefonboks.

– Hallo Otto, ja det er mig …

– Hvad nu?

– Jeg tror vi kan komme videre angående Koch og Richards pornofirma.

– Hvordan?

– Jeg har set hende pigen. Den lille asiatiske pige, som var uden på magasinet og på billederne i Delmonts atelier. Jeg så hende komme gående med sin far. Han så nu ikke ud som typen, der laver den slags.

– Fandt du ud af, hvor de bor?

– Det kræver lidt arbejde.

Otto spurgte om det betød, at Johan bare havde set pigen, og ellers ikke anede noget som helst? Johan kunne høre, at vennen havde drukket.

– Jeg vil ha fat i det svin til Koch, mumlede Johan.

– Hvad så med Lewis? Og hvorfor fanden er du pludselig blevet så blodtørstig?

– Vi ses … Otto, sagde han og lagde røret på.

10

Han sad i Elis Bistro og fulgte adspredt det årlige ritual med at hænge gran og papirhjerter op i vinduet, og han smilede imødekommende til fruen, da hun tændte lyset på bordet foran ham.

– Lidt hygge har man lov til at ha, sagde hun og tørrede efter med viskestykket.

Han nikkede og smilede og stirrede ind i flammen og tænkte på Otto, der var kommet over i Bedrageriafdelingen, et gammelt ønske, der ikke havde skuffet. Jeg befinder mig som en ål i gele, som han udtrykte det.

Johan samlede pakken med det gule bånd op fra gulvet.

– Er det Hannahs julegave, spurgte fruen bag disken.

– Min søsters, sagde Johan. – Det er verdens grimmeste trøje. Hun blir helt vild med den.

I det samme dukkede Otto op og plantede sig larmende ved bordet og råbte på kaffe.

– Jeg er en travl mand, sagde han. – I Bedrageriafdelingen har vi som bekendt hele landet som kunder. Satans til liv.

Han så indgående på Johan.

– Nå, sig mig så, hvad det er, der er så vigtigt, at du jager en stresset tjenestemand fra hans livs gerning?

Johan lænede sig ind over bordet.

– Jeg stod lige bag ham i går.

– Bag hvem?

Johan sukkede og rystede skuffet på hovedet.

– Ham, gutten med den asiatiske pige. Jeg spurgte i en kiosk, om de kendte ham, men …

– Vil du bilde mig ind, at det bare var derfor du jagede mig helt herind?

– Jeg troede du ville ha fat i Lewis.

– Hold nu op, Johan. Helt ærligt, den er sgu for langt ude.

Havde han tøsen med?

– Nej, han var alene. Desværre.

– Hør her: Hvorfor søger du ikke over til os? Så slipper du sgu også for alt det rakkeri, mand. Du blir heller ikke yngre.

– Jeg er ikke god til tal. Otto! Jeg ved den mand, kan føre til noget. Jeg VED det! Han er ikke helt almindelig, du.

Otto bad om at få lidt fløde.

– Johan. Lyt til et råd fra en ældre kollega: Drop det! Jeg ved godt, hvad du vil sige, men hvis du så, hvad vi sidder med oppe hos os. Otto rullede med øjnene.

– Okay, okay, små fisk og store fisk ...

– Johan. Jeg mener det. Jeg har langt flere chancer for at knalde en mand som Lewis fra min vippestol end du har fra gaden.

– Det er muligt.

– Præcis ja. For fanden mand. Det er jul. Vær lidt god ved dig selv og din familie. Slap af, hyg dig.

– Jeg står i gaver til halsen.

Otto rystede på hovedet og slubrede den sidste kaffe i sig.

– Bare drop den fløde, Eli, råbte han. – Betjeningen har aldrig været bedre. Johan! Jeg blir nødt til at løbe, du. Hils Hannah og møgungen. Og Johan! Husk, anden juledag. Litten laver spegesild og bidesild, og far står for krydder-snapsen. Og du siger du aldrig har smagt noget lignende. Præcis ligesom sidste år. Kan du huske sidste år, da du brækkede dig ned over Littens mor?

Johan nikkede og samlede pakken til Feo op.

Imens gik Otto hen til døren, hvor han knækkede sammen af grin.

– Hun kommer også, kvækkede han.

Johan smilede til ham.

Tre timer senere sad han sammen med Hannah og en meget tavs Rune og drak the. Hannah snakkede om juleforberedel-serne og Rune sagde, at han ikke ville med over på skolen.

– Jamen, det skal du altså, sagde hun og gik ud i køkkenet og skyllede af.

Johan gik ud til hende.

– Hvad skal I?

– Afslutning, stønnede hun. – Jeg gider heller ikke, men han skal. Det nytter ikke, at han mister forbindelsen helt.

Han lagde armene rundt om hende.

– Vil det være for meget ...

– Nej, lo hun, – det vil ikke være for meget at sige, at jeg elsker Dem, hr. Klinger.

– Nå, for søren, sagde han påtaget. – Så må vi jo hellere gifte os til april.

– Glimrende forslag, hr. Klinger, sagde hun og kyssede ham. Rune kom ud til dem. Johan slap hende og satte kopperne på plads.

– Jeg går ikke med til den afslutning, sagde han.

– Jamen det skal du, sagde hun. – Og dermed basta.

Rune gik ind på værelset.

– Og imens kan du – hun pegede med en stiv pegefinger på Johan, – imens kan *du* pynte op med gran, hvis de ækle politifingre ellers kan finde ud af sådan noget ...

Han vinkede til dem fra vinduet.

Hannah spadserede, Rune cyklede lidt foran. De gik under den forblæste granguirlande og var underligt alene på den mørke gade. Han sagde til sig selv, at han elskede hende mere og mere omfangsrigt.

– Ja, sagde han højt, da han fandt klumpen med ler, – jeg elsker hende omfangsrigt. Totalt, ku man sige.

Han satte en plade på grammofonen og gav sig til at lede efter de røde lys, hun sagde hun havde købt til dekorationerne. Han var rimelig god til det med juledekorationer og ærgrede sig over at skulle spilde tid med at lede. Da han fik øje på det røde album i reolen. Det var ikke forbudt på nogen måde. Havde bare ikke været fremme så tit. Der var billeder fra Runes tidlige barndom. Og mange gule pletter fra fotos, der var fjernet. Uden egentlig skyldfølelse bladede han det igennem. Der var også enkelte billeder af Hannahs forældre, der var omkommet ved en bilulykke.

De så glade og sympatiske ud. Stod med Hannah imellem sig. En lykkelig familie. Men da han satte albummet på plads, stødte ryggen på en bog, der var placeret bag de andre bøger. Et lille mørkegrønt fotoalbum, omhyggeligt anbragt bag striben af officielle bøger.

Han stod lidt og trippede, lidt underlig tilpas, men trak så albummet ned fra hylden. Det kunne jo være en tilfældighed. Han så på uret og skulle til at åbne bogen, da det ringede på døren. Af en eller anden grund fór han sammen og stillede albummet på plads og ordnede bøgerne.

Udenfor stod gamle fru Thielemann med en julestjerne til Hannah og en pose hjemmelavet konfekt til Rune.

Da hun var gået gik han ind i stuen og stod lidt og så på bøgerne, der skjulte det grønne album. – Du holder fingrene for dig selv, sagde han dæmpet og gik ud i køkkenet og skar grankvistene til. Bagefter hængte han adventskransen op. Det burde de have gjort for længst, men Hannah var ikke særlig påpasselig med den slags.

Han var også inde på Runes værelse, hvor der var påfaldende ryddeligt. En ny stil, den spartanske, der passede til det indelukkede og det korrekte. Når Johan talte til ham, fik han nu et svar. Rune var blevet så dreven, at han kunne kontrollere sit had. Hannah påstod, at det gik fremad.

Johan slukkede lyset og lavede en kande frisk the, men slap så kopper og kande og gik ind i stuen, hvor han pillede tre bøger ud af reolen, for at hive det grønne album frem, som han resolut begyndte at blade i. Det var større end et almindeligt album, med et foto på hver side. De første forestillede Hannah og hendes forældre. Senere kom der billeder af Hannah som student, og senere en serie af en ung, solbrændt Hannah et eksotisk sted, eventuelt på en ferie. Det så nu ikke sådan ud. Hun var iført noget groft tøj, nærmest drejlstøj, ikke noget man plejer at lægge øverst i kufferten.

Til sidst et gruppebillede fra Seminariet. Han fandt hende hurtigt. Hun sad på forreste række med årgangsskiltet på skødet. Smilede imødekommende til fotografen. Cowboybukser og sweater. Langt, lyst hår. Årgang 1972. Der var omkring tres håbefulde seminarister. Alle de unge mænd havde langt hår og skæg. I det samme hørte han stemmer på trappeopgangen. Hendes latter, der rungede på cementen.

Han stirrede på gruppebilledet, altimens stemmerne og skridtene kom tættere og tættere på. Han kunne nu skelne de enkelte ord. Manden stod yderst til venstre i anden række, netop dér hvor billedet var en anelse uskarpt. Det kunne selvfølgelig være en tilfældighed, alligevel følte han sig underlig tør i munden, da han stak billedet ind under skjorten, og satte albummet på plads. I det samme blev nøglen sat i låsen.

Hun smilede til ham og sagde, at der duftede herligt af jul.

– Rune, allersenest klokken halv elleve. Færdig.

Rune gik.

Efter kaffen og de brune kager gik hun ind på sit arbejdsværelse og ringede til søsteren, der boede i provinsen.

De skulle holde jul deroppe.

Han tog billedet frem og satte sig hen til arkitektlampen ved vinduet. Han kunne se hendes fødder og høre hendes stemme. De talte om føret. Hannah skulle låne fru Thielemanns bil. Hun var ikke vant til at køre.

Han stirrede på seminariebilledet. Manden var selvfølgelig yngre dengang. En smule drenget, meget mørklødet med en hvælvet pande. Smuk på en speciel måde. Han var den eneste, der havde slips på. Han stod med hænderne på ryggen. Stiv i blikket. Inde ved siden af blev røret lagt på. Han krammede fotoet og stak det ned i bukserne bagpå.

– Vejret er rimeligt deroppe, råbte hun fra arbejdsværelset.

Den skrutryggede mand i den sorte frakke, der går tur med den asiatiske pige, der eventuelt kan medvirke til at fælde Koch og Lewis, har gået i klasse med Hannah. Hun ved, hvem han er. Har talt med ham, masser af gange.

Hun kom ind til ham.

– Næsten ingen sne. Hvorfor tager du ikke med derop?

Han rejste sig. – Fordi det ville knuse stakkels Feos hjerte.

130

– Hvorfor tager vi ikke Feo med?

– Fordi det ville knuse min mors hjerte.

Hun kom hen til ham og lagde armene rundt om ham.

– De sagde på skolen, at det gik bedre med Rune. Er det ikke dejligt?

Han trak hende ud fra sig.

– Det er vidunderligt.

Hun lagde sig ind til ham. Han mærkede hendes hænder glide ned over ryggen ... ned mod fotografiet!

– Hannah. Han gjorde sig fri. – Hannah, jeg har det sgu ikke så godt, du.

Hun så på ham.

– Ja, det er ikke noget særligt. Bare lidt utilpashed. Han smilede.

– Du ser også helt skæv ud. Er der sket noget?

Han begyndte at trække ud i entreen.

– Du kører da ikke hjem. Johan?

Han tog frakken ned fra bøjlen.

– Der er så mange ting, der ligger og flyder hjemme på mit skrivebord.

Hun kom helt hen til ham, så alvorligt på ham. Hænderne var foldet, men hang slapt ned.

– Johan ...

– Jeg kan komme rundt i morgen. Ved firetiden?

Hun så ned og nikkede.

Han åbnede hoveddøren.

– Nåja, fru Thielemann var her ...

– Johan, hvad er det du har inde under skjorten, som jeg ikke må se?

Han så ud på den mørke trappeopgang.

– Inde under skjorten? Han lo bagatelliserende. – Det er en telefonliste.

– En telefonliste? Hun sagde det så stille, at han knap kunne høre det.

Han nikkede og slog ud med armene.

– Jeg tør ikke lade den ligge derhjemme, hvis der skulle blive indbrud.

Hun så længe på ham. Der var sådan set ingen grund til at sætte ord på. Han sagde, at man fik så mange dårlige vaner af at være inden for politiet.

Hun nikkede alvorligt og rynkede brynene.

– Ja, sagde hun, – det tror jeg egentlig du har ret i.

Da døren var lukket gik han ned ad trapperne i mørke. I lang tid sad han bare i bilen og mærkede fotografiet på ryggen.

– Hvorfor helvede sagde jeg ikke, at jeg havde fundet det grønne album? Nu står hun et sted oppe bag gardinerne og kan se, at jeg ikke kører. Måske har hun allerede fundet albummet frem og set, at billedet mangler. Nu er det ikke kun Rune, der står imellem os, men også løgnen.

Hjemme i sengen overvejede han at ringe til Otto, men droppede det.

– En skolelærer låner ikke sine børn ud til børneporno, mumlede han og slukkede lyset. – Måske ... er det slet ikke far og datter. Måske har den pæne mand helt andre hensigter.

11

Rektor var en kvinde mellem halvtreds og tres. Hun virkede en smule forvirret, en smule skør, måske en smule boheme-agtig. Otto hviskede til Johan, at hun stank af portvin. Hun forklarede dem om seminariets triste udsigter. Hvis ikke der skete noget, måtte de lukke, her kun 11 år før stedets 100 års fødselsdag. Rektor så på dem, som blottede hun en global katastrofe.

– Jeg går ud fra De har været her lige siden man startede, sagde Otto, – jeg mener, ikke fra starten naturligvis, men lige siden De begyndte ...

Kvinden overhørte den dårligt camouflerede ironi, og kværnede videre angående de gode gamle dage. Johan nåe-de at indskyde, at han gerne ville vise hende et foto.

Kvinden skiftede briller og forklarede, at det var et billede af en førsteårgang, eftersom man altid fotograferede før-steårgangene i august. – Det er en tradition, sagde hun vær-digt. Otto sagde, at det var en fortræffelig ide, og at traditio-ner ikke er til at kimse af. Hun så på ham med stigende skepsis, og Johan placerede hende i den kategori, som afskyr mennesker, der taler dem efter munden, og ringeagter dem, der siger dem imod.

Imens forklarede Otto, at det drejede sig om en rutine-mæssig undersøgelse, faktisk en banal eftersøgning.

– Af et menneske, spurgte kvinden og lagde hovedet til-bage.

– Øhja, sagde Otto, – vi har af personalemæssige årsager opgivet at eftersøge dyr.

Johan skyndte sig at tilføje, at det drejede sig om identifi-kationen af en tidligere elev. Johan pegede på manden på fløjen.

– Havde De virkelig regnet med, at jeg kunne huske dem

alle sammen? Rektor så ud, som om hun blev bedt om at flyve.

Først nu fik Johan den umiskendelige fært af portvin.

– Måske nogle af lærerne ...

– Vi fører ikke kartotek over udgåede elever. Det har vi slet ikke kapacitet til. Rent bortset fra, at jeg misbilliger enhver form for registrering.

Otto nikkede forstående og sagde, at det var hans ord om igen, og foreslog, at de gik ind i baren, og slog sig for munden, og rettede det til lærerværelset.

Rektor blev heldigvis på sit kontor, og de fandt selv lærerværelset, hvor en snes ældre som yngre lektorer og adjunkter indtog deres the og kaffe. I det samme vendte rektor tilbage og klappede i hænderne.

– Hvis jeg må bede om jeres opmærksomhed i tre minutter. Disse to unge mænd er fra politiet, de efterlyser een af vore tidligere elever; jeg ved ikke hvorfor, og jeg ønsker heller ikke at vide det. Det drejer sig om årgang '72. Jeg foreslår De lader fotografiet gå rundt.

Johan lod fotografiet gå rundt. Interessen var ikke overvældende. Rektor samlede de ældste kolleger i en sofagruppe. Men ingen af dem kunne huske navnene på nogen af eleverne. Det vil sige, een af pigerne var senere blevet noget fint på en forsøgsskole. Hende kunne de alle sammen huske.

Indtil musiklæreren kom til. Han var en lille, let fedtet mandsling med et sort, pomadiseret hår og en glat talemåde. Otto sagde bagefter, at han lugtede af onani.

Johan pegede på den efterlyste person.

– Det er Hardinger, svarede manden. – Rimeligt talentfuld på klaver, men rigtig god på violinen. Absolut gehør.

Johan så på manden, hvis hud var olivenfarvet, og tænkte, at han lignede en argentiner.

Otto lagde en flad hånd på Johans ryg. Den ligefrem emmede af tilfredshed. Musiklæreren begyndte at tale om en anden elev, der havde været fuldkommen umulig. Nu begyndte en dialog mellem ham og rektor. Johan lyttede pligtskyldigt efter. Imens hentede Otto en telefonbog hos sekre-

134

tæren.

– Kan det passe, at han hedder Wesley Hardinger?

Musiklæreren sagde at det kunne meget vel passe.

Johan så på den beskedne linje i telefonbogen. Otte små cifre, fornavn og efternavn, ingen stillingsbetegnelse.

Såre ligetil alt sammen. Og alligevel mærkede han det risle ned ad ryggen. En uklar, intuitiv fornemmelse, som når den tålmodige jæger får færten af det uventede.

12

Klokken er eet om natten.

Nytåret er overstået og på gaderne ligger endnu rester af serpentiner og fyrværkeri. Det er fem graders kulde.

Johan trak i håndbremsen og så op på de mørke vinduer på fjerde sal.

– Hvor ved du fra, at han ikke er hjemme?

Otto skuttede sig i sin korte frakke.

– Fordi jeg så ham købe en rygsæk i eftermiddags og tage toget nordpå. Han er på vinterferie.

Otto tændte en cigaret.

– Jeg tror kraftedeme du lokker mig på noget fis, Klinger, stønnede han. – Hvorfor kan vi ikke køre den ind over Schatt og Wagner?

Johan stirrede op på vinduerne.

– Fordi vi ikke har noget på ham, og fordi du slet ikke er i afdelingen, og sidst men ikke mindst, fordi de aldrig ville tillade, at vi brød ind uden en dommerkendelse. Alt det ved du udmærket godt, Otto, derfor har jeg også sagt, du kan blive hernede, medens jeg går derop.

– Har du ikke snakket med kæresten om ham?

Johan rystede på hovedet.

– Er det ikke lidt underligt? Otto smed skoddet ud ad vinduet.

– Jo. Johan så på ham.

Otto sænkede for en gangs skyld stemmen.

– Hvad har vi egentlig på den stodder? Ikke en skid! Okay du har set ham gå tur med en skævøjet tøs, og hvad så?

Johan åbnede døren.

– Du kan blive her, Otto. Det tager højst et kvarter.

– Hvad fanden vil du lede efter, mand? Otto steg modvilligt ud.

136

Lidt efter stod de foran døren med navneskiltet W.Hardinger på fjerde sal. Otto sukkede og tog sit grej frem, mens Johan ringede på. Tre gange. Intet svar. Han kikkede ind gennem brevsprækken. Otto stak sit låsesmedgrej ind i låsen. Minuttet efter gled døren op. Lyset faldt ind som en vifte. Entreen var holdt i to mørkebrune farver, adskilt ved et meterhøjt panel.

Lugten var steril, næsten som på et apotek. Johan så bagud på Otto, der forsigtigt lukkede døren. Otto så spørgende på ham. – Hvad nu, hvis stodderen ligger derinde og sover?

Johan rystede svagt på hovedet og fikserede de mange, meget stilrene blyantstegninger, der hang side om side, smukt indrammet med passepartout og det hele. Til allersidst kom en børnetegning af to biler på en vej. På den forreste, åbne bil, der lignede en jeep, sad der en lille mand med visir for hovedet og skød på den anden bil. Kuglens vej var tegnet med en stiplet linje. Han passerede en dør, som han gættede var ud til toilettet og nikkede til Otto, idet han stirrede ind i den dunkle stue. Til venstre lå køkkenet, der var holdt i den traditionelle blå farve. Der var intet der bare lå og flød, ingen opvask, der stod til dagen efter. På en tallerken lå en skive smør under en lille glaskuppel.

Stuen var rummelig med store, tunge meget klodsede møbler, der lignede arvestykker. I det ene hjørne stod et nodestativ med et partitur. Resten af væggen var dækket af to høje bogskabe med glasdøre, og i bunden af stuen havde Hardinger indrettet et lille arbejdsbord med en skuffe.

Johan følte på den nubrede sofa. Et strejf fra hans barndom gik gennem fingrene. Uopskåren mecca.

Otto kom ind til ham fra gangen. Han så hvid ud i hovedet.

– Jeg tror sgu han er her, hviskede han.

Johan rystede på hovedet. Otto nikkede og pegede på en dør i bunden af gangen. Formentlig soveværelset.

– Han er på ferie, sagde Johan.

Otto rystede vedvarende på hovedet. Sagde, at han lige havde været ude på badeværelset.

– Det hele står der, Johan. Tandbørsten, deodoranten,

sæben, barbermaskinen, hele lortet. Han ligger derinde og sover. Jeg synes vi skal skride.

Johan gik ud af stuen, ud i gangen og fikserede den lukkede dør. Lagde øret til. Så på Ottos ansigt, der skinnede af sved. Han gjorde et kast ned mod yderdøren. Johan skiftede vægten fra den ene fod til den anden og gik hen til badeværelsesdøren, som han forsigtigt skubbede op. Alting var godtnok på sin plads, og tydede således ikke på nogen bortrejse. På kanten af det lille siddebadekar lå en rød plasticpincet. Johan samlede den op og viste den til Otto.

– Vi går nu, sagde han indædt.

– Et sekund ...

Johan fortsatte ud i køkkenet, hvor han bukkede sig, så han kunne se op i den flade lampeskærm, der hang over køkkenbordet. Ganske forsigtigt drejede han pæren ud, der som ventet var gul. Lydløst åbnede han det ene køkkenskab efter det andet, og fandt til sidst, hvad han søgte, nemlig et forstørrelsesapparat, en Pattersontank og tre flade kar til væskerne. Otto dukkede op i døråbningen. Johan lukkede skabet.

– Vi går nu, hviskede Otto. – Nu, Johan. Han ligger derinde.

Otto tog fat i Johans jakke.

– Gå bare, hviskede Johan og gjorde sig fri. – Jeg kommer ned om fem minutter.

Han så på det sorte håndtag i den brune soveværelsesdør for enden af den lange gang. Otto slog ud med armene og tørrede en række svedperler bort under næsen.

– Hvad fanden er du ude på, mand? Kom nu med!

Der lød en rislen fra en radiator. De så på hinanden. Johan flyttede blikket og lagde hånden på det blanke håndtag. Otto stønnede og rullede med øjnene. Nede på gaden passerede en bus. Måske den sidste. Langsomt trak han døren til sig og mærkede varmen fra det mørke soveværelse, og den let beklumrede luft, der bølgede ud mod dem. Ud af mørket skilte sig en bred seng, et klædeskab, en lav kommode og en stumtjener.

Otto tog fat i Johan, der havde lagt ryggen mod dør-karmen, idet han langsomt gled ind i værelset.

– Der ligger ... nogen i sengen, hviskede Otto.

Johan stirrede ind i mørket, ind på sengen, hvor der gan-ske rigtigt lå en lille skikkelse. Med vidtopspærrede øjne og strittende arme. Johan kneb øjnene sammen og trådte en meter længere frem og så indgående på den marcipanfarve-de porcelænsdukke på puden.

– Tænd lyset, sagde han med sin almindelige stemme-føring.

Otto fandt kontakten.

Soveværelset var kvadratisk og sengen stod midt på gul-vet. Til venstre for sengen lå en flad luftmadras og en fod-pumpe. Over sengen hang en reproduktion af Klee.

– Stodderen er simpelt hen skruppervers, mumlede Otto og så på dukken i sengen.

Johan trak den øverste skuffe ud i kommoden.

Imens åbnede Otto skabet og stirrede ind på tøjet i Hardin-gers garderobe. Der var til et helt udstyrsstykke. Og en hel del til damer. Otto undersøgte alle jakkelommerne, men fandt kun brugte busbilletter. På hylden over bøjlerne lå tre parykker.

– Her skal du se, hvad vores ven tager på hovedet, når han går ud, mumlede Otto. – Kom herhen, Johan.

Johan drejede rundt. Otto så på ham med et bittert smil, der brat gled af, da han fik øje på dét, Johan havde i hånden.

Pistolen var af ældre dato, og Otto troede først det var en Luger fra anden verdenskrig.

– Det er en 9 mm Star pistol, mumlede Johan.

Otto løftede den op i lyset. Der var en lille indskrift på skæftet. Eldar-Espana cal. 9 mm.

– En gammel Parabellum, mumlede Johan, og åbnede sin anden hånd, idet han så direkte på Otto. Magasinet var helt fuldt. Man kunne sige klar til brug.

– Hvad fanden tænker stodderen på, mumlede Otto.

Johan lagde pistolen tilbage mellem de grå sokker og gik ud i køkkenet, hvor han satte den gule fremkalderpære på plads og fandt kontakten, så lyset blev tændt over bordet.

Otto kom ud til ham. Spurgte om de snart var færdige? I et skab af nyere dato lå seks, syv ruller film, som Johan holdt op i lyset. En stribe portrætlignende billeder af ukendte, tilsyneladende smilende ansigter. Alle sammen børn. Måske gamle elever, eftersom den næste rulle bestod af gruppefotos, hvor børn stod klumpet sammen med deres violiner under hagen. På et af dem havde Hardinger åbenbart brugt selvudløser, da han selv paraderede bag gruppen. Med armene udstrakt og hænderne over deres hoveder. Som en Messias. På skabets øverste hylde fandt han apparatet, et matsort Nikon spejlreflexkamera med standardobjektiv. I det samme lagde Otto noget tungt på køkkenbordet, nemlig en mellemstor aluminiumskuffert, som han havde fundet under sengen. Der var tre vidvinkler og to teler.

Johan trak en lille, grøn skammel hen til skabet og fandt bag apparatet yderligere tre filmruller. Imens stillede Otto kufferten på plads, og mumlede noget om, at han havde set tilstrækkeligt. Johan rullede den første rulle ud under lyset. En følelse af udmattelse og ophidselse greb ham.

– Otto, hviskede han, – ... se engang her.

Han nærmest flåede de to næste ruller ud, der stort set rummede det samme, monotone motiv. En fedladen, stående, siddende og gående kvinde i et dunkelt interiør. Hele tiden med kvinden i focus, som ikke så ud til at vide, hun blev foreviget, eller også var der tale om en opstilling.

– Det ligner sguda, begyndte Otto ...

– ... det er hende, sagde Johan stille. – Og stedet er „Masken".

Otto stirrede vantro frem for sig.

– Du godeste, sagde han.

Johan mumlede, at det selvfølgelig ikke beviste noget. I sig selv. Men at det var alvorlige indicier. Det næste måtte dreje sig om hr. Hardingers alibi.

Otto sagde, at fyren da måtte have en eller anden bog hvor han noterede sine møder ned, en kalender, et eller andet.

Tilbage i stuen fandt de den lille bordplade med det grønne

skriveunderlag og den flade skuffe. Fyldt med røde blyanter og små ark med nodepapir til eleverne. Men på hylden over bordpladen fandt Otto mellem to telefonbøger en flad papkalender af den type, folk får tilsendt fra forsikringsselskaberne. De fleste uger var overtegnet med forkortelserne el. eller sk. Samt et klokkeslæt. De gik ud fra det betød elever eller skole. Enkelte steder stod der også R. Men det der optog dem mest var den bare plet på i alt fjorten dage i maj måned. Otto satte kalenderen på plads igen. Præcis den periode, hvor Rose Valentin blev ombragt og hældt i havnen.

– Jeg holder en halv månedsløn på det er ham, sagde Otto tørt. – Men hvorfor?

Johan rystede på hovedet og sukkede, og bukkede sig ned for at trække en stor udklipsbog frem af reolens nederste hylde.

Otto tog fat i ham. Der lød stemmer på opgangen. De standsede og lyttede. Otto løb ud i gangen. En mand og en pige. På vej op. Wesley Hardinger var på vej hjem. Johan så på scrapbogen, som han hastigt stillede på plads, da en bunke avisudklip faldt ud. Otto kaldte på ham ude fra køkkenet, hvor han havde åbnet køkkendøren. Johan bukkede sig ned. Udklippene, var alle af nyere dato. Han åbnede udklipsbogen, der begyndte med artikler fra maj måned, sidste år. Dagen efter mordet på Albert Como. Faktisk de første der kom. Hele bogen var spækket med udklip om mordet og opklaringen af samme. Det ramte Johan som et slag mod hans åndedrætssystem, da nøglen blev sat i låsen. Otto slukkede lyset. Johan trykkede scrapbogen ind til brystet, da en lysstribe faldt ind i gangen. En pigestemme sagde, at hun selv kendte vejen. Skridt på det bare gulv. En dør bliver åbnet. Ud til badeværelset. Døren lukkes. Tungere skridt. Hardingers. Og så hans stemme:

– Er her nogen?

13

Johan tøvede ikke, men tændte straks loftslyset i stuen, for ikke at gøre manden forskrækket. Han og Otto trådte ud i korridoren samtidig, hvor Hardinger gik et blødt skridt baglæns, idet han stirrede på dem med en blanding af forbløffelse og bebrejdelse. Han var iført en knælang, koksgrå uldfrakke med store påsyede lommer og en gammeldags sort pelskrave. Sammen med de store briller med det tofarvede stel og den gammeldags klippede frisure, der måske allermest vidnede om hjemmeklip, så han mindst ti år ældre ud end sine 37 år. Han stod med en rygsæk i den ene hånd og en papirspose i den anden. Øverst på rygsækken sad en sammenrullet sovepose fastgjort med en rem.

– Vi er fra politiet, sagde Johan stille.

Hardinger stod et kort sekund, som for at forvisse sig om, at Johan talte sandt, så trådte han med en tyssende finger på læben hen til toiletdøren, hvor han bankede forsigtigt på.

– Eva? Eva ... jeg har fået et par gæster, min ven. Jeg stiller din rygsæk uden for døren, så kan du selv finde dine ting. Vi går ind i stuen.

Døren blev åbnet. Den asiatisk udseende pige så hurtigt på Otto og Johan, der stod underligt forlegne i et mislykket forsøg på at finde en passende replik til den akavede situation.

– Jeg har lagt en luftmadras ind ved siden af min seng, så gå du bare til køjs, klokken er også mange.

– Er mine toiletting i rygsækken? Hendes stemme var dæmpet.

Hardinger smilede til hende og løftede rygsækken ind i badeværelset og lukkede døren. Derpå tog han frakken og halstørklædet af og hængte begge dele på hver sin bøjle, idet han var omhyggelig med at efterse, at halstørklædet nu også

142

hang på midten. Han gav sig god tid, og hvis tempoet var påtaget, var han en sand mester i beherskelsens kunst. Foran et lille cremefarvet, venetiansk spejl, lod han fingrene glide gennem det halvlange hår, inden han rettede på slipset og glattede på jakken. I den dårligt oplyste korridor, lignede han en anakronisme fra trediverne, en lidt lurvet, men pålidelig arbejdsløs, der søger job som underordnet funktionær.

– Skal vi gå ind i stuen? Hardinger slog ud med armen og lod Johan og Otto tage plads i det nubrede sofaarrangement.

Et øjeblik stod han, lettere foroverbøjet med foldede hænder, som om han lyttede eller tænkte noget igennem, så så han kort på Otto, nikkede kort, som svarede han bekræftende på et et hemmeligt spørgsmål, og lod sig falde ned i en af de to lænestole.

– Udmærket, sagde han. – De er fra politiet. Jeg går ud fra De har en eller anden form for legitimation.

Johan undskyldte sig og gjorde mine til at trække sit skilt frem, men Hardinger vinkede ham af og sad et par sekunder med to fingre klemt sammen om næseroden, inden han en smule træt, måske en smule distræt, rystede på hovedet, som for at samle sig om en sur pligt.

Johan lagde scrapbogen fra sig på bordet.

– De undrer Dem ikke over, hvorfor vi er her, sagde han stille. Hardinger smilede kort. Det vil sige, munden gled op, men faldt straks på plads igen.

– Nej, det gør jeg ikke, svarede han.

Johan så direkte ind i de mørkegrå øjne, der ikke røbede nogen form for perversion, endsige uro. Ikke desto mindre var han et menneske med hang eller behov for at skifte personlighed, og som fandt det nødvendigt at gemme en pistol i sin kommode.

Sammenholdt med negativerne og det hvide areal på hans kalender, havde han al mulig grund til at føle sig urolig.

Otto rømmede sig. I det samme passerede den lille pige i en stribet pyjamas. Hun gik på tåspidserne for ikke at forstyrre.

Hardinger vendte sig i stolen.

– Sov godt, sagde han. – Du finder selv ud af det, Eva.

Johan så ned i gulvet og vidste pludselig ikke, hvor han skulle begynde. Otto kom ham i forkøbet.

– Hr. Hardinger, kender De det sted der hed „Masken"?

– Ja. Det gjorde jeg. Svaret kom stille og roligt. Han så fast på Otto, der skød brystet frem og hagen tilbage. Imens rejste Hardinger sig og åbnede et lille tobaksskab og skænkede sig et glas portvin i et grønt, ciseleret glas.

Han holdt den støvede flaske op mod lyset. Den så tom ud. Så tømte han glasset, smagte længe på dets indhold og lukkede skabet igen. Uden at se på hverken Johan eller Otto, gik han ind i soveværelset, hvor han talte dæmpet med den lille pige. Om hun ville ligge med lyset tændt? Hun spurgte, om hun skulle sove? Hardinger svarede nølende, at hun godt måtte vente lidt.

Johan hviskede til Otto, at han helst selv ville afhøre Hardinger. Otto spurgte, om han skulle gå, og Johan tænkte, at problemet med Otto måske blot var et spørgsmål om stil, pli og situationsfornemmelse.

Hardinger lukkede forsigtigt døren til soveværelset. Pigen sagde, at hun helst ville have den stod på klem. Manden smilede. Og gik ud i køkkenet, hvor han trak gardinerne for. Så åbnede han køleskabet og vurderede dets indhold, sukkede, og lukkede det igen. Et kort øjeblik stod han atter tankefuld og iagttog sin venstre hånd, der forsigtigt og ganske langsomt strøg frem og tilbage på bordpladen. Så gik han ind i stuen og satte sig i lænestolen, præcis som hvis han var alene hjemme.

– Det drejer sig om mordet på Rose Valentin, også kaldet Mercedes Benz, begyndte Johan. – De har forholdsvis mange fotografier af hende, hr. Hardinger.

– Jeg har mange negativer af hende, rettede Hardinger og smilede stramt, måske snarere af sit eget pedanteri end af Johans fejl.

– Må jeg spørge Dem ligeud. Var det Dem, der skød og dræbte Rose Valentin natten til den …

– Ja. Det var mig.

Stilheden i lejligheden blev kun afbrudt af en rislen i radiatoren. En uregelmæssighed Hardinger straks rådede bod på, idet han med et lidt irriteret udtryk drejede på ventilen og lukkede den overflødige luft ud af systemet.

Otto flyttede uroligt på fødderne og så på Johan som ville han bede ham holde inde nu. Som sad de ved rouletten, med Hardinger som den drevne croupier, og Johan med den mindst mulige indsats havde vundet hele puljen. Stop nu, inden vi taber det hele, sagde Otto Volmars blik.

– De ... erkender, at det var Dem, der skød og myrdede Rose Valentin og bagefter kastede liget i havnen, sagde Johan tørt.

– Jeg smed ikke liget i havnen, sagde Hardinger og indtog en siddende stilling med hænder og fødder, der mindede Johan om et klassisk foto af præsident Lincoln i en lignende lænestol. Otto lænede sig nu frem:

– Vil De være så elskværdig, så nøjagtig som muligt, at forklare os præcis, hvad De gjorde, hvornår De gjorde det, og hvorfor De gjorde det, og hvad De foretog Dem bagefter.

Hardinger så på sit ur.

– Jeg går ud fra, at jeg på et eller andet tidspunkt enten i nat eller i morgen, skal igennem det hele igen. Han så nøgternt på Johan, der nikkede bekræftende. Måske en smule betuttet. – Er det så ikke en smule overflødigt at bruge tid på det nu?

Johan så på Otto ud af øjenkrogen. Hardinger fortsatte uanfægtet: – Jeg har imidlertid et lille problem. Forudsat, at vi skal køre om kort tid, og det skal vi vel, så er der noget vi lige skal ha løst først, som er mig meget magtpåliggende. Inde ved siden af ligger der en lille pige, en meget træt lille pige. Hun er ni år og jeg har ikke andre til at ta sig af hende, mens vi er væk. Og jeg er ikke begejstret for at ta hende med.

Han tror vi kun skal være væk en time, tænkte Johan.

– Hvad med hendes forældre, udbrød Otto.

– Det kan vi godt se bort fra, svarede Hardinger fast. – De må tro mig, der er ikke andre muligheder.

Johan tænkte et kort sekund på Hannah, så sagde han:

– Vi skal nok finde et sted til hende. Hvis vi må låne Deres telefon, hr. Hardinger?

Otto ringede efter en patruljevogn, og hans besked til vagthavende var holdt i en formel tone, der ikke angav noget om fangstens størrelse. Måske, hvis man kendte ham, kunne man lytte sig frem til en smule arrogance, men det lå mest i hans måde at smide røret på igen. Han trak op i bukserne og snøftede. Hardinger så på ham.

– Som at ringe efter en hyrevogn, sagde han.

Otto nikkede, endnu en smule ude af de vante folder:

– Præcis sådan, mumlede han.

Hardinger rejste sig og gik ind i soveværelset og snakkede dæmpet med pigen.

– Fatter du den stodder, hviskede Otto.

Johan så ikke på ham. Hardinger vendte tilbage.

– Er der noget specielt jeg skal ta med?

Johan stirrede på ham. Stadig med følelsen af at stå på en gyngende faldlem.

– Måske noget at læse i, svarede han og tænkte på den kontante procedure, der ventede denne uudgrundelige mand.

Hardinger sukkede og nikkede, uden dog at virke hverken bedrøvet eller forstyrret.

– Der vil jo nok gå en rum tid, førend De atter er tilbage her igen, indskød Otto og lød påtaget let. Som for at angive, at Hardinger snart skulle komme på andre tanker.

Hardinger så på ham.

– Det vil tiden vise, sagde han og gik hen til de høje bogskabe.

Otto stirrede på hans ryg.

– De har lige tilstået et mord, sagde han lige ud.

Hardinger svarede, uden at vende sig, at det vidste han vel. Og trak en tyk bog ud af reolen, så vidt Johan kunne se, om Mozarts liv. I det samme kom pigen ud i korridoren. Hun havde taget alt tøjet på igen. Selv overtøjet. Hun så meget træt ud.

146

– Det var godt, Eva, sagde Hardinger, og gennede hende tilbage til soveværelset.

Johan strakte hals og så dem sætte sig på sengekanten.

Han hviskede et par ord til hende, som hun svarede på ved at nikke, og gav hende derpå den store porcelænsdukke.

– Må jeg få den, udbrød hun.

Hardinger sukkede, og nikkede, men smilede ikke.

– Men pas på den lille Eva, den er næsten hundrede år gammel.

Han kom ud til Johan.

– Jeg tror jeg pakker mine toiletsager ned, sagde han.

– Hr. Hardinger!

Hardinger vendte sig i entreen.

– Hvorfor skød De Rose Valentin?

– Fordi hun var et svin. Og fordi hun havde fortjent det.

Han åbnede døren til badeværelset og tog sine toiletsager ned fra hylden over håndvasken.

Johan gik ud til ham.

– Hun udnyttede pigerne? spurgte han.

– Ja. Det gjorde hun, svarede Hardinger og rystede en deodorant som for at konstatere, hvor meget der var i den.

– Temmelig groft endda. Og jeg havde advaret hende. Mange gange.

– Hvorfor har pigens forældre ikke reageret?

– Fordi de blev godt betalt. Han så på Johan. – Man undres somme tider, når man ser, hvad folk vil ofre, for at tjene nogle håndører.

Johan nikkede tungt og hørte straks efter ordenspolitiet på trapperne.

Han stod endnu med scrapbogen under armen. Otto kom ud fra stuen, med sin frakke over skulderen. Inde på sengen sad pigen Eva og så på dukken, der sad på hendes skød.

– Denneher udklipsbog, mumlede Johan. – Hvorfor har De den?

Hardinger sukkede og virrede lidt med hovedet.

– Det var et uheld, sagde han, og tilføjede mere afdæmpet, – et rædselsfuldt uheld.

– Hvad var et uheld?

Hardinger lynede sin toilettaske, og stod nu lige foran Johan.

– Kendte De „Masken", hr. ...?

– Undskyld. Johan så ned i gulvet. – Klinger ... Johan Klinger. Ja, jeg kendte udmærket „Masken".

– Så ved De også, hvorfor det blev kaldt for „Masken"! Folk var forklædte, anonyme. Hardinger stak en kam i baglommen.

Det ringede på døren.

– Jeg bar selv en halvmaske den nat. For ikke at vække opsigt. Og det gjorde ... han også. Jeg troede jo det var en af Valentins kumpaner, siden de befandt sig inde på hendes kontor.

– Hvem taler De om, hr. Hardinger, hviskede Johan og mærkede blodet sive ned i benene.

Wesley Hardinger tog halstørklædet ned fra bøjlen og lagde det sirligt sammen.

– Como, svarede han stille. – Albert Como.

14

Hotel Bel-Air lå en snes kilometer uden for byen med direkte udsigt til de grå landingsbaner, fem blå hangarer og længere ude det blygrå hav. Bel-Air var bygget i 70erne og vidnede om en pragmatisk indstilling til formålet, at være et moderne lufthavnshotel, et one-night-stop, dækkende den rejsendes primære behov for en seng, et måltid mad og en telefon-vækning. Restauranten hed Arkaden og baren Orkidé-bar, og som et træt forsøg på at illudere luksus og imødekommen-hed, havde en eller anden stillet tre blomsterkasser i recep-tionen med noget der lignede bregner i stedsegrøn plastic.

Værelserne var små og smalle og frem for alt lurvede. På toilettet var flere af de små, lyseblå kakler skallet af og lå demonstrativt i hjørnet bag kummen.

Udsigten til parkeringspladsen og længere væk motor-vejen ind til byen, havde ikke givet anledning til at pudse vinduerne.

Han regnede ud at have sovet i fire timer. Fra fem morgen til ni formiddag. Han så ned ad sig og konstaterede, at han lå fuldt påklædt på det gulfalmede lagen. Straks begyndte nat-tens begivenheder at spole baglæns. Turen til hotellet i den mørkeblå vogn. Bag endnu en mørkeblå vogn. Indeholden-de kollega Otto Volmar. Vi er blevet prominente, nåede den tykke at mumle, inden de satte sig ind i hver deres bil. Efter to en halv times ventetid.

Johan spekulerede på, hvor Hardinger var blevet af? Han steg ud af sengen og gik ud og skyllede munden, og sagde til sig selv, at han savnede sine toiletsager. Ansigtet i spejlet virkede ikke særlig fremkommeligt, et panser af træthed og morgenstund. En knyste med hår på. Han støttede sig til håndvasken og spyttede og gabte og tænkte på Hannah som en pige, der løber i alt for store gummistøvler under en frisk blå oktoberhimmel.

Hun har noget i hånden, der ligner en stafet, og hun ler og er lige ved at snuble, men retter sig op igen, og når frem til den apatiske mand, hvis ansigt er en blegrød knyste. Han glor på stafetten, men rører sig ikke ud af stedet. Hun skubber til ham og ler og maser på, men det dorske individ rækker bare armene ud og favner hende og klemmer til, så hun kæmper for at få luft, og lige med et er stafetten tabt på stien. Han slipper hende og tumler baglæns, sætter sig betuttet på halen og ser hende forsvinde i let trav og ved, at han har mistet hende for evigt.

Drømmen rinder ud med spyttet og vandet fra vandhanen. Så enkelt er det, tænker han og spuler efter, for at være på den sikre side.

Mahler var kommet. Hurtigt, lydløst, lange skridt, flagrende frakke, bag ham løber tre andre mænd. Folk Johan har set på fjernsynsskærmen. Og væk er Hardinger. Langt væk. Nede ved den store dobbeltdør står en ung fotograf. En standhaftig nattevagt. Han ryger på en tynd cigaret. Pludselig bliver han omringet af seks civile betjente. Otto og Johan sidder på en bænk og drikker pulverkaffe. Otto prikker Johan i siden. Fotografen brokker sig. Der bliver taget førergreb. Apparatet falder på gulvet. En af mændene samler det op. Fotografen føres ind på et kontor. Uden sit apparat. En halv time senere kommer der seks andre mænd. De er kommet for at hente d'herrer Klinger og Volmar. Johan siger de nok skal køres hjem. Otto siger de skal interneres. På vejen ud til bilerne, der holder parkeret på en lukket plads, langt borte fra den store og officielle parkeringsplads, får de et kort glimt af politidirektøren og justitsministeren.

En halv time efter er de booket ind på Bel-Air og skilt ad.

Han drejede på den lille radioknap i væggen. Der burde være radioavis nu. Det er der også. Speakeren taler om den japanske yen. Men nævner ikke Como og slet ikke Hardinger. Måske er han kommet for sent på, måske har man nævnt det. I så fald vil det blive gentaget i den engelsksprogede udgave, der følger efter vejrudsigten.

150

– Vi kører jer ud til Bel-Air. Sådan havde de sagt. De pæne mænd i de pæne jakkesæt. Tydeligvis fra S.P. – I har haft en lang nat.

Det sidste Johan havde hørt fra Otto var, da han spurgte, hvorfor de ikke kunne komme hjem?

– Mahler vil ha I skal stå til rådighed natten over.

Ikke mere at tale om.

Han smed sig på sengen med hænderne under nakken. Lukkede øjnene og trak vejret dybt et par gange. Ved gud, de havde taget ham, Albert Comos morder. De burde sidde inde på Elis Bistro og drikke på det. Knytte næverne og slå glassene sammen. I stedet følte han en sugen i maven, som trak op i hjertekrydset under ribbenene, og efterlod et tom-rum i familie med sultfornemmelser. Han vrikkede hovedet fra side til side. Nakken og skuldermuskulaturen var helt stiv. Faktisk havde han ondt i hele ryggen. Som om et usyn-ligt panser havde lagt ham i en indvendig brynje, en palisade af forsvar. Hidkaldt af et nervesystem i alarmberedskab.

Han så for sig den tørre musiklærer, den jødiskudseende mandsling med det smukke sprog og den dannede adfærd, denne stilleben tager en dag ind i Kineserkvarteret med sin spanske pistol og ifører sig i overensstemmelse med regle-mentet en halvmaske, og passerer troskyldigt den isblå skranke, hvor han ignorerer den tunge lugt af billig parfume og gammel sved, idet han henkastet spørger efter madam Benz. Musiklæreren har lagt en plan, og indtil dette øjeblik, da han får anvist en dør i bunden af korridoren, går det hele som smurt. Der er noget, han ikke vil finde sig i mere. Der er noget inde i ham, der vil have hævn. Måske vil han bare sætte en stopper for al perversitet. Med en lille, effektiv Parabellum. Handlekraft og magtesløshed i een figur. Måske vil han statuere et eksempel. Måske drejer det sig om de små piger, der foruden at sutte pik af også lærer at spille violin. Hardinger kan ikke holde det ud. Man kan næsten se ham ligge og vride sig om natten. Søvnløs på grund af sin viden. Det bliver efterhånden uudholdeligt at se de små piger smile. Se dem tage om buen. Måske ved han, at Mercedes Benz er

151

det menneske, der leverer disse vrangskæbner, som en gang imellem fragtes ud til Kochs atelier, hvor en fotograf ved navn Richard foreviger dem i obskøne situationer. Måske er det Koch, der finansierer det hele, og måske er han kun stråmand for den mægtige Raymond Lewis. I hvert fald har musiklæreren fået nok. Et eller andet er kammet over. Det er sandhedens time. Og selv om han er i affekt, har han regnet det godt ud. Gæsterne i „Masken" går og kommer i fuldkommen anonymitet. Stedet er ideelt, hvis man vil begå et mord. Og Wesley Hardinger har besluttet sig for at slå Mercedes Benz ihjel. Hun er på sit kontor. Han åbner døren og træder ind i et lille rum, højst tolv kvadratmeter, dårligt belyst af en lampe på skrivebordet, hvor der står en grøn pengekasse og en sort telefon. Bag bordet sidder Mercedes alias Rose Valentin, og hun er fed og oppustet, ynkelig og hoven, ond og sentimental. Hendes make-up er lagt med en sjusket hånd, hun er en gris i lilla boa, og hendes små røde øjne stirrer olmt på ham, da han trækker pistolen ud af jakkelommen. Hvad hun egentlig ser, kan man kun gætte på, men med hensyn til Hardinger så har han set nok, og hadet blænder ham, da han trykker på aftrækkeren, og for sent opdager, at de ikke er alene. Alt, alt for sent fanger han den lyse skikkelse i den hvide cotton-coat, manden der har stået et sted bag døren, og som skriger stumt under den latterlige maske, idet han afværgende strækker armene ud mod Hardinger, der stirrer rasende på dette irriterende individ, der har blandet sig i hans planlægning. I disse sekunder står de over for hinanden, bødlen og vidnet, anonyme og sammensvorne, og Hardinger åbner døren og tømmer magasinet og ser manden i den hvide cotton-coat synke sammen, som i slow-motion, med et tomt blik af accept. Og nu skal det gå hurtigt. Hardinger passerer de mere traditionelle ludere i kvarteret og iler ned mod banegården. Han har travlt, men ved dog, at Kineserkvarteret ikke reagerer hysterisk på skud. Og gaden ligger da også immun hen lang tid efter. Tre kvarter senere kan han låse sig ind i sin egen lejlighed og gå i bad og tage slåbrok på og lægge Mozarts Requiem på gram-

152

mofonen. Imens er et helt andet team gået i arbejde. Bulen ryddes. „Masken" lukkes. Biler kører op foran Wuhans restaurant. Lig skaffes af vejen. Diskret og uden falbelader. Kunderne verfes ud, de fleste går selv. Af gode grunde er de både blinde og døve. Og for personalet er det, om ikke rutine, så dog en tråd i deres opdragelse. Måske er de lige så uvidende, som resten af klientellet. Måske er der kun een pige, een eneste luder, der har vidst noget, foruden Mercedes Benz, og måske hedder hun Suzan. Skulle hun nogen sinde have ønsket at sladre, har hun for længst ombestemt sig. Og har hun indviet sin nærmeste i sin celebre kundekreds, så taler alfonsen Svenne næppe over sig. Dog, eet faktum står tilbage, forudsat at Hardinger taler sandt. Nogen har ryddet op efter ham. Formentlig ganske få, og de har arbejdet professionelt og hurtigt. Sikkert de samme magtfulde folk, der har besluttet, at Mercedes skulle i havnen og Como til Vestskoven. Muligheden, at man aldrig gjorde sig den ulejlighed at trække visiret af ministeren, er end ikke til at få øje på, rent bortset fra, at disse praktiske mennesker i hvert fald dagen efter, i alle landets aviser og i tv kunne se, hvem han var. Af en eller anden grund, har underverdenen vasket ministerens tavle ren og sikret ham et eftermæle, der er en stor mand værdigt. Og med hensyn til Rose Valentin har man med sans for etikette fundet en sortie, der passede til hendes erhverv.

Tilbage står det ubesvarede spørgsmål: Hvad bestilte Albert Como hos Mercedes Benz?

Måske vil det aldrig blive besvaret.

Han gned sig i ansigtet og kom pludselig til at tænke på Feo, når hun kærligt lod fingerspidserne kure ned ad hans kinder, og så på ham som et barn og som en voksen og ikke mindst som en kvinde. Et barn, der aldrig blev voksen, og en voksen, der aldrig fik et køn. Et menneske, der aldrig lærte at tage, men udelukkende var født med evnen til at give. Og lige med eet tænkte han på fru Como og på familiens børn. Havde de ikke for nylig fået et nyt barnebarn? Han så for sig den grå plade i parken, mindetavlen med faklerne, der ventede på statuen af Como. På den lange boulevard i centrum, hovedstadens aorta, som statsministeren havde udtrykt det, da den skiftede navn. Samt på alverdens alvorlige overhoveder, der dybt bekymrede havde deltaget i den officielle begravelse.

Han måtte have fat i Hannah, der sikkert ikke kunne forstå, hvor han blev af? Hvorfor han ikke ringede. Han ledte alle vegne, og fandt både telefonstik og telefontavle på fire sprog, men intet apparat. Han stak i skoene og gik ud og åbnede døren. Glanede ned ad den lange gang med de mange ens døre, ned til elevatoren, hvor to mænd på hver deres klapstol straks rejste sig op.

Johan tillod sig et lille smil. De var næsten uniformerede. I grå jakkesæt, hvide skjorter, mørke slips. Over gennemsnitshøjde, brede over skuldrene, tætte og muskuløse. Høflige på en bestemt måde. Tæt, ensartet klip. Militær opdragelse. Johan genkendte den ene, der havde kørt bilen fra politigården til hotellet.

– Kan vi hjælpe dig?

Han kløede sig på hagen.

– Jah ... jeg vil gerne hjem. Hvor er Otto Volmar?

– Volmar bor nede på anden sal.

De stod underligt skulder ved skulder foran ham. Et ganske kort og meget anarkistisk øjeblik overvejede han, hvordan han skulle få splittet dem ad. En hidtil ukendt følelse af selvsikkerhed bredte sig i ham. De ville end ikke nå at blinke.

– Er I ... fra S.P.?

Den ene nikkede.

– Du får nogle toiletsager op i løbet af et par minutter.

– Jeg tror hellere jeg vil hjem. Hvorfor har I fjernet telefonen?

De smilede beroligende til ham og puffede ham blidt, men bestemt, tilbage til værelset. Johan bad dem lade være.

– Hovhov, små slag, sagde den ene, da han slog ham over hånden.

– Du skal bare la mig være. Johan så på manden, der så ud til at være midt i tyverne.

154

Den anden, der var ældre, sagde, at de bare gjorde deres arbejde. Johan sagde, at han ville tale med Mahler. De nikkede. Imens begyndte den engelsksprogede radioavis. Uden at nævne en mand ved navn Hardinger.

– Mahler kommer herud i løbet af dagen. Slap nu af, Klinger. Hvad med en kop kaffe?

Johan sukkede og nikkede. Fik et klap på skulderen.

Ti minutter senere sad han og spiste morgenmad og drak kaffe, og læste dagens avis. På det lille bord lå en tandbørste, en tube tandpasta og en deodorant.

Det bankede på døren. Det var een af de brede fyre. Han smilede til Johan.

– Roomservice. Vi glemte din juice. Du siger bare til, hvis du mangler noget.

Han bladede avisen flygtigt igennem og tømte kaffekanden og glasset med appelsinjuice. Følte sig mere frisk og vågen nu og gik ud og åbnede døren. De sad henne ved elevatoren. Den unge kom langsomt hen til ham.

– Jeg er kommet til at tænke på noget, sagde Johan. – Har I ringet til Ottos kone?

– Selvfølgelig har vi det. Jamen, tag det nu roligt, Klinger. Manden så ind på værelset, på bakken med kanden, glasset og den lille brødkurv.

Johan forsøgte at holde hans ansigt fast. Det gav ligesom efter i konturerne, blev sløret og diset, som et gammelt foto. Gangen udvidede sig og kontraherede, og et eller andet i hans ben blev ved med at forskubbe sig, som om leddene bukkede den gale vej. Sikkerhedsvagtens ansigt kom pludselig meget tæt på. Johan fornemmede hans aftershave og fik lyst til at gribe ud efter hans næse. I det samme lettede væggene og vendte i rummet som flytbare polygoner. Han mærkede hænder under armhulerne, opfangede stemmer gennem vat og lå lidt efter på sengen, hvor loftet langsomt var ved at sejle på plads. Tre små skyer drev forbi, og han tænkte på den mærkelige mand ved navn Wasser, fra hvis blik de små skyer sikkert stammede.

155

Det første han registrerede var lugten af sur tobak. Og dernæst skyggen på væggen. Han vendte rundt i sengen og mærkede hovedpinen trille fra den ene side til den anden, som en løsrevet ambolt mellem tindingerne. Gardinerne var trukket for. Det elektriske lys var tændt. Udenfor var det halvmørkt. Han havde ikke ur på. Det lå på bordet. Nogen havde taget det af. Og nogen havde tændt lyset. Måske var det dem, der sad overfor.

Johan satte sig op og genkendte straks Mahler, men havde ikke set den anden før. En lille, kraftigt bygget mand i tresserne, som pulsede på en stor cerut. Ansigtet virkede bekendt.

Mahler lænede sig frem og gav Johan et glas vand. Bagefter gik han ud og tissede og ordnede sit hår og vaskede sig i ansigtet og tænkte, at han allerhelst ville have haft et bad, og allerhelst være derhjemme, sammen med Hannah. Det ville under alle omstændigheder være en befrielse, hvis den gamle ville lade være med at pulse så kraftigt på sin cerut.

Johan satte sig atter på sengen og tog sine sko på. Han fik det straks bedre. Man er underligt forsvarsløs og ydmyget, når man som den eneste sidder i strømpesokker.

– Jeg må ha sovet, mumlede Johan.

– Vi gav dig noget at sove på, Klinger, sagde Mahler venligt. Som altid var han stenrolig, forunderlig tillidvækkende. Lignede hæderligheden selv. Måske var det hans pande, måske var det de blå, ubestikkelige øjne. Johan konkluderede, at det var Mahlers krop. Hans holdning, Hannah ville sige, hans kropssprog. Han havde ikke noget at skjule. Var ufravigeligheden selv. Ordentlig og omhyggelig, uden at være monoman eller fanatisk.

– Hvordan har De det, spurgte den anden, som Johan nu genkendte. Stemmen var tilpas aparte, tilpas nasal. Han var chef for Sikkerhedspolitiet.

Johan svarede, at han havde det udmærket.

Mahler gik hen til vinduet, som han vendte ryggen til, idet han lagde håndfladerne i vindueskarmen og strakte benene ud fra sig.

– Vi har jo afhørt Wesley Hardinger det meste af dagen, sagde han lavmælt.

Johan nikkede.

– Og det er interessant, det, manden har at fortælle. Han er et højt begavet menneske, denne Hardinger. Sig mig, Klinger, Mahler trak sig i hagen og lænede sig lidt forover, – hvor meget fortalte han egentlig jer, inden I kørte ham ind til os?

Mahler gik hen til sengen og satte sig ved siden af Johan. Foldede hænderne og lod hovedet synke ned mellem skulderbladene.

Johan forklarede nøjagtig, hvad Hardinger havde fortalt dem. Angående Rose Valentin og Albert Como.

Mahler nikkede tungt. Og sukkede dybt.

– Det interessante er, sagde han stille, – at Wesley Hardinger ikke, her gjorde han en kunstpause og så direkte på Johan, – ikke slog Como ihjel.

Johan så væk og havde pludselig svært ved at finde et sted, hvor blikket kunne finde hvile. Så så han igen på Mahler, der smilede svagt, idet han beklagende rystede på hovedet.

– Vi har haft vore teknikere i gang hele dagen, og hans forklaring holder ganske enkelt ikke stik. Egentlig er det ganske enkelt. Albert Como blev nemlig ikke skudt med en spansk Parabellum, som Hardinger påstår. Det er hundrede procent sikkert. Det gjorde derimod Rose Valentin.

Johan nikkede langsomt uden dog at forstå det hele.

– Men! Mahler rejste sig op, – for der er et men, Klinger. Hvorfor tilstår Hardinger et mord, han ikke har begået?

Johan følte sikkerhedschefens og Mahlers blik på sig. Som om det var ham, der havde fundet på det hele.

– Hvorfor påstår Hardinger, at han har skudt Como vel vidende, at det vil rejse en lynchstemning mod ham? Hvorfor gør han det?

Der blev stille i lokalet. Mahler satte sig ned igen. Så indgående på Johan. Næsten fortroligt.

– Fordi han ved noget.

– Ved noget, mumlede Johan.

Mahler nikkede med hævede øjenbryn. Hviskede det ud:

– Ved noget. Han er jo et, skal vi sige, spændende bekendtskab denne musiklærer. Jeg går ud fra, at I fandt, skal vi sige alle hans rekvisitter, da I var ude hos ham. Alle hans kostumer.

Johan svarede, at det havde han selvfølgelig også studset over.

– Manden står i vores kartotek, indskød chefen for S.P.
– Han er romantisk kommunist, en fantast. En psykopat.

– Men en meget begavet psykopat, sagde Mahler og trommede på ruden. – Faktisk, så har vi haft ham i kikkerten meget længe.

– Hardinger?

– Hardinger ja. Nu ved jeg ikke, hvor meget du har haft tid til at følge med i alt det med den syriske terrororganisation. Du ved, de havde en boghandel inde i centrum for nogle måneder siden. Under denne boghandel var der en kælder, hvor blandt andre Mehmet var til stede ved flere lejligheder. Siger navnet Mehmet dig noget?

Johan sagde, at det gjorde det.

– Hardinger var også til stede een af gangene, men for et år siden. Vi ved, notorisk, at han var i forbindelse med dem. Og det er sandsynligt, at det er dem, der skaffede ham hans pistol.

Johan så ned i gulvet.

– Vil det sige, at han tilstod mordet på Como for at dække over Mehmet eller een af de andre?

Mahler nikkede, men slog også ud med armene.

– Vi tror det hænger sådan sammen, sagde chefen for S.P. Intuitivt fornemmede Johan et latent fjendskab mellem de to mænd. En kemisk modvilje. Den kraftige, cerutrygende mand kom på benene. Blikket, der ind imellem hvilede på Johan, var docerende og hårdt.

– Hardinger påstod han skød og myrdede Como på Valentins bordel. Har det slet ikke slået Dem, Klinger, hvorfor i alverden Albert Como skulle befinde sig sådan et sted? Har det slet ikke strejfet Dem som politimand, at det var alle tiders måde at slå to fluer med eet smæk? Først skyder de Como ude ved Vestskoven. Så ordner Hardinger sin egen lille private affære med konen på bordellet, og da vi så anholder en af dem, for vi har jo en af disse stjernepsykopater siddende bag lås og slå nu, så påstår Hardinger, at han ved et tilfælde har skudt Como. Bekvemt, ikke sandt? Men sandsynligt? Nej vel. Og slet ikke, når man betænker hans tætte forbindelse med gruppen.

Johan rystede på hovedet. Det var begyndt at køre rundt for ham. Sikkerhedschefen satte sig, så hans rødmossede ansigt var lige ud for Johans.

– I fandt Hardingers scrapbog, ikke sandt? Godt. Hvorfor er han så interesseret i Comomordet, at han klipper alting ud om manden, når vi nu ved ... når vi VED, at det ikke var ham, der gjorde det? Forklar mig det, Klinger! Fordi han *ved*, hvem der gjorde det! Han *ved* det. Musiklæreren ved det. Har vidst det hele tiden. På et givent tidspunkt anholder vi hans syriske ven. Måske har vi fanget den rigtige mand, måske er det blot een af dem. Hardinger er nøglen. Vi tror, han kommer under pres, udefra. Og så begynder planen at ta form. En dristig plan, må man sige. Men den er fin. Den er fanme fin, Mahler. Sikkerhedschefen så på Mahler. Han svedte om munden. Hørmen fra hans cerut skar i øjnene. – Hvis han nu kan blive knaldet for mordet på Rose Valentin, hvis han nu kan blive anholdt, under helt normale omstændigheder, så tilstår han også mordet på Como. Hvorfor er det genialt? Fordi vi ikke kan offentliggøre det. Hvorfor kan vi ikke det? Fordi staten ikke kan tillade, at ha en statue stående i parken og en boulevard midt i byen og et rygte ude i hele verden, der fortæller om en mand, der blev skudt med halvmaske på i et perverst bordel.

Johan så fra den ene til den anden.

Den lille korpulente mand fra S.P. tabte lidt aske på gulvet.

– De skulle ha set statsministerens ansigt, da vi præsenterede ham for Hardingers påstand.

Johan sank en klump. Følte hele tiden et eller andet komme. Men spurgte alligevel, fordi han måtte kende svaret,

159

hvordan Hardinger kunne være sikker på, ad naturlig vej, at blive anholdt for mordet på Rose Valentin.

Mændene tøvede. Mahler sagde noget om, at sagen jo kørte, og man hele tiden nærmede sig ham ikke mindst via Richard Delmont og brugen af de små piger.

– Men for at være sikker på, at det gik som han ønskede, for at være bombesikker på, at de opdagere, der arbejdede med sagen Rose Valentin på et tidspunkt fandt frem til ham, så han kunne bryde sammen og tilstå, plantede denne psykopatiske musiklærer ... han plantede et menneske, en stikker ...

Mahler brød ind.

– Det ved vi ikke bestemt ...

– Han plantede en stikker midt i opklaringsarbejdet. Et menneske, der kunne komme tæt på forløbet. Og som i løbet af kort tid kunne trække tæppet bort.

– Hvem, hviskede Johan.

Sikkerhedschefen så på sin cigar.

– Hannah Hardinger, sagde han så.

Johan blev ved med at se på ham. Ligesom for at indprente sig hans træk; måske for at få ham til at sige noget mere, sige at det ikke var helt sikkert. Blot tilføje noget, der kunne skabe tvivl. Han følte hvordan et eller andet bagude begyndte at smelte sammen. En række billeder af dem sammen. I parken, i byen, i svømmehallen med Feo, hjemme tæt sammen. Fortrolige, voksne mennesker. I en stor digel smeltede det hele sammen og blev til en hårdt brændt klump i maven. Han så op på Mahler, der vendte ryggen til.

Lidt efter gik Johan ud på toilettet og drak noget vand, og kæmpede for ikke at skrige, for ikke at banke næverne ind i fliserne og slå de sidste kakler ned. – Åh, Hannah, hviskede han. Hvor havde hun været elegant. Hvor var det smart at plante det fotografi lige for næsen af ham, når de nu vidste, for selvfølgelig vidste de, at han holdt øje med Wesley. Måske var de slet ikke skilt. Hun kunne sagtens tage sit pigenavn tilbage, det var der ingen, der kunne forhindre hende i. Og flytte et andet sted hen. Men hvad havde de dog fortalt Rune? Var det det, der var skyld i drengens indædte had? Johan faldt ned på toiletsædet. Mærkede intetheden som kulde og slaphed. Børnetegningen i Hardingers korridor. Runes streg. Runes univers. Kalenderen med de bare pletter og med bogstavet R rundt omkring. Han havde fornemmet det, hele tiden. Følt denne nærhed, denne dejavuagtige følelse i Hardingers lejlighed.

Han mandede sig op og gik tilbage til Mahler og hans kollega.

Mahler sagde, at det sgu var noget trist noget, men at Johan ikke skulle lade sig slå ud. Den anden sagde, at de skulle se at komme videre i dagens tekst. Johan så sløvt på ham.

– Vi har foreløbig konstateret, at Hardinger og hans tidligere kone, Hannah Hardinger …

– Tidligere kone? Johan så op.

– Ja. De er skilt, svarede Sikkerhedschefen. – Har det nogen betydning?

Johan sagde, at det havde det ikke. Den anden kværnede videre. Snakkede om, hvordan mordet på Como efter al sandsynlighed havde fundet sted. Hvordan en gruppe syrere formentlig havde passet Como op, da han en sommeraften kører sig en tur. Ikke så underligt kører han ud af byen, ud mod skoven. Vejret var pragtfuldt. Det har ikke kostet mange anstrengelser at passe ham op og gøre det nødvendige. Der er ingen tvivl om, at Hardinger har haft sine helt personlige motiver med hensyn til Rose Valentin, og at planen med at lade ham tilstå et mord, han ikke har begået, først er trådt i kraft, da vi fanger den unge syrer.

Johan hørte kun efter med et halvt øre. Var tilbage i en hed diskussion med Hannah om Como. „Lige nu er hele landet ved at gøre i bukserne over mordet på Como. Aviserne skriver ikke om andet. Hver gang man åbner for fjernsynet får man hans selvtilfredse fjæs slynget i hovedet. Og lige nedenunder ligger den og lurer, at det nok er en udlænding, der har gjort det."

Havde Hannah sagt. Hannah Hardinger, som havde gået

på seminariet med Wesley og blevet gift med Wesley og fået en søn med ham. Og nu, hvor han var i stand til at se bag om kulisserne, kunne han tydeligt huske den aften, da han fandt billedet med Wesley i reolen. Hvordan han stod med det, stukket ned i bukserne. Og hvordan hun omfavnede ham og mærkede efter, om han var bidt på. Og tænkte han bare lidt længere tilbage, så havde det egentlig været ejendommeligt, at hun først gemte albummet for derpå at fortrække til soveværelset for at ringe til sin søster. Selv om der var telefon i stuen. Nu forstod han bedre, hvorfor Hardinger havde været så rolig.

Johan spurgte, hvad syrerne ville opnå?

– Hvad vil den slags mennesker opnå, råbte Sikkerhedschefen. – Måske har Como engang sagt noget ufordelagtigt om deres såkaldte befrielseshær. Hvem ved? Måske var det meningen de ville tage ansvaret for mordet, da vi pludselig anholder en af dem.

Den korpulente mand tændte en ny cerut. Mahler satte sig ved siden af Johan og gned håndfladerne mod hinanden.

– Sagen er, som du kan forstå, langtfra afsluttet, sagde han. – Men vi er tæt på. Lad være med at hænge dig så meget i konens rolle. Mahler rømmede sig. – Vi ved meget lidt om den.

– Vi ved tilstrækkeligt, sagde Sikkerhedschefen. – Og det vi ved, er alarmerende.

Mahler så utålmodigt på ham.

– I den forbindelse, sagde han venligt, – er det bydende nødvendigt, at du og Volmar ikke forpurrer det hele.

– Fik De fat i det, Klinger, brummede den tykke mand.

Johan nikkede og så frem til at være sammen med Otto igen. Forklare ham det hele. Også dét om Hannah. Og lade ham snakke færdig. Otto havde altid styr på det hele. Og vidste altid, hvad man skulle gøre, og var en helvedes karl til at sætte tingene på plads, og verden er fuld af kvinder, og livets korthed taget i betragtning, og den slags forvrøvlet vås, som man ved, kun er et plaster på såret, måske i dette tilfælde en trykforbinding.

162

– Jeg kan ikke se, hvordan vi skulle kunne forpurre noget som helst, sagde han tonløst.

Mahler lagde en finger på hans skulder.

– I har fra dette øjeblik skærpet tavshedspligt, sagde han. – Den gælder ikke kun befolkningen, pressen, familie og venner, også jeres kolleger. Alle!

Johan mumlede, at det ikke var noget problem.

– Med hensyn til Hardingers tidligere kone, som De åbenbart har set en del til, sagde Sikkerhedschefen, – så vil jeg foreslå, at de lader forholdet ebbe ud. Naturligvis uden at forklare hende hvorfor. Det håber jeg, De er indforstået med, Klinger?

Johan så ned i gulvet og sagde, at det var han fuldstændig indforstået med.

– I tilfælde af svigt, skal De vide, at De er under edsansvar, buldrede den trinde mand videre, – og at man i givet fald vil gøre brug af paragraffen om landsforræderi.

– Jeg tror Klinger har forstået, hvad vi mener, sagde Mahler.

Han rejste sig op.

– Hvad med Hardinger, spurgte Johan.

– Hvad med ham? Sikkerhedschefens øjne bulnede ud som to gule æg.

– Jeg mener ... hvis han fortsat påstår, at ...

– Han er bag lås og slå, Klinger.

Mahler sukkede og satte sig igen.

– Det ligger sådan, at vi i løbet af morgenen har fået Hardinger undersøgt af en psykolog. Han skal til en del flere undersøgelser. Men foreløbig kan vi uden videre slå fast, at han i hvert fald er, hvad man kalder mentalt forstyrret.

– Men han har vel stadig krav på, at ...

– Alt det skal der nok blive taget vare på, råbte Sikkerhedschefen. – Det skal De ikke bekymre Dem om, Klinger. Alle spillereglerne blir overholdt. Det er fandengalemig ikke nogen bananrepublik det her, selv om man somme tider bliver i tvivl. Det drejer sig om opklaringen af et politisk mord. Det største og mest alvorlige i vort lands historie. Det beder jeg om, at man erindrer. Ingen ved i dag, hvad det næste bliv. Hvad de finder på næste gang. Vi tager alle forholdsregler. Og om nødvendigt, i visse situationer, bryde med gældende praksis.

Mahler åbnede et vindue. Johan så på sit ur. Klokken var fem.

– Vil det sige, at pressen heller ikke får noget at vide?

– Ja, det kan De fanme tro det vil. Jamen fatter De slet ikke …

Johan strakte armene ud. Mahler sagde, at det ikke var nødvendigt at gå det hele igennem en gang til. Sikkerheds-chefen stønnede og gik hen til døren. Imens gav Mahler Johan hånden. Johan sagde, at han på mange måder følte sig så ufattelig dum over det hele.

– Det er der ingen grund til, Klinger, sagde Mahler.

– Man har manipuleret med mig i en grad, så jeg …

– I har fanget Rose Valentins morder og skaffet os en vigtig brik i opklaringen af mordet på Como. Du har grund til at være tilfreds, Klinger. Virkelig.

Henne ved døren, sagde Sikkerhedschefen, at klokken var over fem. Johan spurgte, hvordan og hvorledes med pigen, der hed Eva.

– Vi finder et sted til hende, sagde Mahler. – Hun er i pleje hos en mildest talt kedelig familie. Men kig op til os i over-morgen.

Johan nikkede.

Lidt efter var de gået.

Han stod lidt og gned sig formålsløst i ansigtet og forsøgte krampagtigt at få hold på sine følelser. Så tog han sin jakke på og gik ned til elevatoren. I receptionen spurgte han efter Otto Volmar, men damen kendte ingen ved det navn.

Udenfor var det begyndt at støvregne.

15

Han stod i to lange minutter og stirrede på fotografiet af Hannah i duffelcoat og gummistøvler. Det stod på den lave reol og han havde selv indrammet det. Arbejdet var kun delvis vellykket, eftersom den lille fod på rammens bagside var præcis så ustabil, at billedet væltede hver gang døren smækkede.

Han gik tilbage til entreen og sparkede adspredt til nogle regninger og en lokalavis, idet han åbnede døren og smækkede den i igen. Det lille billede holdt sig immervæk oprejst. Ialt smækkede han døren i fem gange, hårdere og hårdere, og for hver gang blev hendes smil mere og mere triumferende, mere og mere nævenyttigt. Til sidst gennemgik han sine skuffer og gemmer, hvor der selvfølgelig ikke manglede noget. Ingen dumme efterladenskaber, ingen fjollede aftryk i gulvtæpperne. Måske en fremmed sitren i luften, en svag duft af fremmed. Han så på billedet. Nogen måtte virkelig have arbejdet med den fod.

Han drak en halv liter kærnemælk i køkkenet og følte sig underlig utilpas. Ikke fordi de havde gennemrodet hans lejlighed. Mere fordi de havde efterladt en fjendtlighed, en stilhed, der ikke var hans. – Tænk, at jeg troede det kunne vare ved, hviskede han og skyllede glasset under vandhanen. – Tænk, at jeg kunne tro så længe på hende, råbte han og så op i loftet.

I soveværelset begyndte han at tage tøjet af, da han halvnøgen fór rundt og trak alle gardinerne for. – Der er grænser, skreg han.

Længe stod han under den varme bruser og kørte rundt og rundt med svampen, og vendte ansigtet op mod strålerne og prøvede som en vanvittig at holde øjnene åbne. Bagefter sank han ned på gulvet, sad med ryggen mod fliserne og trak vejret dybt ind, for at beherske gråden.

– Det lange, lange, frie fald, hviskede han.

Til sidst får pessimisten altid ret. – Jeg er opdraget med troen på Nemesis.

Han rejste sig først, da vandet begyndte at skifte temperatur. Formålsløst skrev han hendes navn på det duggede spejl og hviskede det ud igen. – Hvad har det ikke kostet … Hannah …

Han tørrede sig og fikserede sit spejlbillede og genkendte det gamle udtryk af resignation. Engang havde han boet i en etageejendom, helt ny, lå i et af yderkvartererne, hvor stålet synger i opgangene og hvor der bor ti nationaliteter i hver blok. Han havde været tre uger om at tømme fire flyttekasser. Hver aften stod han foran spejlet i entreen og gloede på sig selv og hørte folk skændes og børn græde. Sirener i horisonten.

– Velkommen tilbage, du gamle, sagde han og tørrede sig på ryggen.

Telefonen ringede. Han gik ind og så på den. Røret føltes direkte tungt, da han endelig tog den. Forbindelsen blev straks afbrudt.

I december havde han købt hende et armbånd. Ikke noget særligt. Han ville bare gerne give hende noget. En erstatning for en ring, måske. Ekspeditricen havde været meget venlig og hjælpsom. Han huskede det som en god dag. Den lille æske med armbåndet havde ligget i hans lomme og brændt hele aftenen, men han havde trukket tiden ud og glædet sig til at tage den frem. De havde leet og snakket og hørt musik og talt om fremtiden, indtil hun siger: – Du er vist det eneste menneske jeg kender, der er født totalt uden smag. Der er god smag og dårlig smag, men du har overhovedet ikke nogen. Hvor er det underligt.

Med samme tryk på alle fire ord, som for at mildne det hele lidt.

Hans hånd havde knuget den lille, blå æske. Først da de vaskede op, blev den lagt frem på køkkenbordet mellem to tallerkener.

166

– Jeg elsker dig, Johan, siger hun og drejer armbåndet mellem fingrene.

Da han havde klædt sig på, ringede han til Otto.

– Det er mig, Johan.

– Godt du ringer. Kan vi mødes om en time?

– Hvor?

– Hvor vi plejer.

Otto ringede af. Johan lagde røret på, men løftede det hurtigt af igen. Han nikkede, det var jo kun naturligt. De måtte jo træffe deres forholdsregler. Måske sad de og drak kaffe i en varevogn lidt væk. Måske havde han hilst på dem, engang. Han så på uret. Jeg kunne jo gå en tur. Forsøge at finde ud af, hvor skrappe de er. For fuldstændighedens skyld kunne jeg jo spadsere over i Parken og dvæle nogle minutter ved Comos mindeplade. Eventuelt lægge en blomst. Telefonen ringede igen. Han overvejede at ignorere den, men tænkte, at det jo kunne være Feo.

– Ja, det er Klinger!

– ... åhgud, Johan ... gudskelov ...

Det gibbede i ham, maven ligefrem kollapsede.

– Ja, du ... vi ...

– Hvorfor ringede du ikke? Stemmen lød oprigtig bebrejdende. – Jeg troede jo, der var sket dig noget. Hun lo en smule kunstigt. – Det er så fjollet, men da jeg endelig faldt i søvn, drømte jeg det mest uhyggelige.

– Ja ... det lyder jo ikke så godt.

– Nej, men det er selvfølgelig lige meget nu.

Hun lo igen, og der blev en længere pause.

– Er du der?

– Ja, selvfølgelig er jeg her, men øjj ... jeg blir nok nødt til at løbe nu, Hannah.

Det kneb ligefrem med at sige hendes navn.

– Johan. Hendes stemme gik igennem på en meget direkte måde. Hun sagde hans navn, som om hun svarede på et spørgsmål. Et alvorligt spørgsmål, et spørgsmål, der angik store ting. Som om hun angav ham. – Hvad er der i vejen, Johan?

167

– Ikke noget …

– Du lyder så underlig. Er der sket noget?

Du ved udmærket, hvad der er sket, tænkte han og bed tænderne sammen.

– Jeg er bare så dødtræt, mumlede han. – Har ikke været hjemme hele natten.

– Dig og Otto?

Han så ned i tragten og spekulerede på, om selveste Mahler var med på linjen.

– Du er dygtig, Hannah, sagde han pludselig. Det var ikke meningen at sige det, det fløj bare ud af munden.

– Hvad mener du? Hendes stemme lød oprigtig forundret.

– Ikke noget.

Kællingen pumper mig, tænkte han. Måske har de ligefrem trænet hende. Måske har hun et diplom derhjemme, et hemmeligt sted. Udfærdiget og underskrevet på et stort, firkantet skrivebord, hvis plade endnu er dækket med puds og kalk efter det sidste bombardement. Han så hende stå strunk i grøn camouflagedragt foran fanatikeren med fyldepennen. Den tapre partisan. Den perfekte terrorist. Engang i Damaskus. Under palmerne. Ikke så sært, at hun holdt det lille album for sig selv. Måske det ville interessere Mahler og hans folk. Måske var det for længst arkiveret.

– Ses vi i aften Johan?

– Jeg … ringer til dig, Hannah. Kan vi ikke sige det på den måde?

– Johan!

– Ikke mere ….

– Okay. Jeg elsker dig. Husk det, Johan.

Hun hviskede det. Var der en skjult besked i de ord? Et „trods alt". Han lagde røret på og mærkede nogle få dråber af hævnens sure saft dryppe ned i mavesækken. Hun var en begavet pige. Et logisk tænkende menneske, der lige nu vidste, at han vidste. Det var med andre ord ikke lykkedes ham at agere. Han havde svigtet Mahler og i sidste instans, Como. Men de havde også svigtet ham. Hvis det var sandt, at Hardinger i lang tid havde været under luppen, så var

Hardingers eks-kone også under lup. Døgnet rundt. Og ind i billedet træder pludselig Johan Klinger.

– Ikke pludselig, mumlede han. Ikke tilfældigvis. Hannah havde kontaktet ham. Også de havde brug for ham. Pludselig kunne han ikke huske, hvor meget han havde fortalt hende, i tidens løb. Eller rettere, hvor meget hun havde spurgt. Han stirrede på telefonen.

– Okay, Mahler, sagde han og mærkede en tyngde i åndedrættet. Et pres af tårer: – Jeg overholder spillets regler. Jeg gør, hvad I beder mig om, men I guder, jeg kan ikke spille lykkelig.

– Jeg kan ikke spille lykkelig, Mahler, skreg han.

16

De satte sig ved et bord i midten af lokalet, og Otto bestilte kaffe og brød. Han lignede sig selv, så måske en smule mere træt og slidt ud. Nævnte ganske kort den stakkels erhvervspraktikant man havde sat til at skygge ham. Johan konstaterede, at Mahler også havde været hos Otto. Som havde fået den samme historie. Otto nævnte dog ikke Hannah. Det var Johans specialitet. Måske havde Otto også en.

De sad længe uden at sige noget. Johan spurgte så Otto, hvad han troede.

– Hvad jeg tror? Jeg tror ikke noget. Jeg er pisseligeglad, skal jeg sige dig. Lad dem for helvede bare knalde den psykopat til Hardinger. Otto snøftede og så ned i sin kop, gjorde en hoppende bevægelse, der antydede hans ærgrelse over, at han ikke kunne trække op i bukserne. – I øvrigt talte jeg med Wagner her til morgen. Han er sgu meget flink.

– Med Wagner?

– Ja. Jeg ringede ham op for at høre, hvordan det lå, hvis man ville over i 3. afdeling.

– Færdselspolitiet, måbede Johan.

– Motorsagkyndig. Otto gav sig til at stange tænder.

– Det mener du ikke.

– Selvfølgelig mener jeg det, ellers sagde jeg det ikke. Wagner sagde, at han skulle se, hvad han kunne gøre. Der er flere derovre, der gerne vil rokere.

– Jamen, Otto …

– Hold nu op, Johan.

Otto så direkte på ham. Han så ikke bare træt ud. Også en lille smule skræmt. Vanviddet havde altid ligget på lur i hans blik, måske var det, fordi hans øjne var for små til hans hoved. Han var en mand på vej tilbage, et aggressivt dyr på vej ned i hulen, hvor det ville bruge resten af sine dage til at forklare, hvorfor det ikke var blevet på slagmarken.

Han mumlede noget om, at han ikke blev yngre. – Jeg fylder 46 næste gang, Johan. Jeg gider ikke mere. Risikere liv og lemmer for en eller anden snothvalps skyld. Jeg går ud fra, du endnu kan huske goe gamle Svenne. Forestil dig Svenne med noget tungere end et haglgevær. Forestil dig Svenne komme ind på dig bagfra. Godnat Johan. Lyset slukket af en møgbeskidt alfons, et hul i jorden, en abort på to ben. Så er det for sent at ombestemme sig. Jeg har fanme ikke tænkt mig at nyde cigaren. Men velbekomme. Men jeg synes du skal tænke dig om. Du er ikke så gammel som mig. Der er endnu mange muligheder. Hvorfor søger du ikke over i det private?

– I det private?

– Ja. Stormagasinerne er helt vilde med folk som os. De lønner sguda også bedre. Gå og hygge sig, kællingerne er helt vilde med en forhenværende strømer. Få krænget den lugt af ludere og narko og skidt og lort af dig.

Johan sank tilbage i stolen. De havde engang haft en kollega, der fik et job som detektiv i et stormagasin. Det var den helt store vits på stationen det år. Især havde Otto været meget åndrig: – Nu står Ruppert og glor på kællingerne, når de prøver bukser i de små kabiner. Han har personlig boret huller så han kan se, om de propper benklæderne ned i taskerne. Det er lige mad for den store opdager, når han kaster sig skrigende over en pensionist, der forsøger at snige sig ud med to tøjklemmer og en hårbørste.

Otto rejste sig. Sagde han skulle med Litten i Lavprismarked. Johan tog fat i ham. Lige pludselig var det hele begyndt at skrumpe. Og da Otto stod og knappede sin frakke og bandt sit halstørklæde, blev han klar over, at det ikke var et af den tykkes sædvanlige påfund. Han var på vej ud, bort, væk.

Johan kunne ikke overskue, hvordan han skulle komme igennem dagen alene. Ikke denne dag.

– Otto. Sæt dig nu ned, mand. Jeg giver en pilsner.

Otto bukkede sig ned og hviskede: – Jeg gider ikke ha mit hus endevendt og resten af livet risikere at høre små, dumme klik i telefonen. Hver gang jeg køber en pakke kardonger hos købmanden løber mærket og beløbet ind på et evigt snurrende bånd i en eller anden kælderterminal. Det er slut med alt det fis, kammerat. Jeg melder pas, du. Gider ikke mere. Okay, vi var tæt på, du, endda meget tæt på.

– Hvad skal du lave resten af ugen? Du synes måske ikke vi skal ses mere? Johan lænede sig tilbage i stolen.

– Lad os nu vente og se. Tingene falder vel på plads en dag. Vi kører op i Littens mors sommerhus i morgen tidlig.

– Var det ikke det, du kaldte dødens forport?

– Jo, det er eddermame meget stille deroppe.

– Man kan høre en spurv slå en skid ti kilometer væk, citerede Johan.

Otto nikkede.

– Lige præcis, du, lige præcis.

– Hvor længe blir I deroppe?

– Jeg ved det ikke. Fjorten dage måske. Litten havde noget ferie til gode. Vi skal ud og købe en el-varmeovn. Bagefter drøner vi over og fylder vognen med konserves. Ja, længere er den ikke. Farvel du, ha det godt, Johan.

– Otto. Otto … hvad har du sagt til Litten?

– Tror du jeg er idiot?

– Du har ikke sagt noget?

Otto trak Johan på benene. Han så desperat ud. De nærmest tumlede ud på toilettet, der var lille og ildelugtende, men frem for alt tomt.

– Nu skal jeg sige dig, hvorfor jeg lige pludselig skide gerne vil sidde og overhøre alle landets køreglade idioter i teori, morgen, middag og aften, og hvorfor jeg fiser op og sidder og glor i svigermors iskolde sommerhus og hvorfor helvede jeg ikke har sagt noget til Litten. Er du snotravende dum, mand?

Otto havde godt fat i Johans revers.

– Hvorfor tror du de ulejliger sig med at aflytte os, gennemroder vores bopæl, skygger os og indskærper os vores tavshedspligt. Hvorfor var det så skide vigtigt at få os ud af klappen og ud på det elendige hotel? Er du slet ikke klar over,

172

at der var ministermøde til langt ud på morgenstunden, og at Mahler kom direkte derfra?

– Hvem siger det?

– Jeg har sguda talt med dem inde på Gården. De aner ikke en skid, men Otto ved. Tykke Otto ved, Johan.

En ung fyr skubbede toiletdøren op. Otto sparkede den i igen.

– Hør, hva er meningen?

– Du skrubber bare ud, skreg Otto, og orkanen fra hans organ slog til.

Han knyttede næven foran Johans ansigt. Knoerne var hvide ligesom splinten i hans øje.

– Det *var* ... nemlig ... Wesley Hardinger ... der skød Albert Como den nat. Det er sådan, det hænger sammen, kammerat. Det *var* kraftedermame ham. Og det var dig og mig, Klinger og Volmar, der knaldede svinet. Os to, Johan. Men det kommer aldrig, aldrig nogen sinde frem. Otto prikkede Johan i brystet. Den arme syrer der lige nu sidder og glor et eller andet sted i en eller anden isolationsarrest blir om kort tid sigtet, dømt og fængslet. Vent du bare og se.

– ... Det passer ikke, mumlede Johan ...

– Du kan fanme tro det passer. Forestil dig, hvis man skulle gennem en retssag med Wesley Hardinger som manden, der stod anklaget for at ha skudt den store Albert Como.

– Hvor skød De udenrigsministeren, hr. Hardinger.

– I et bordel, hr. anklager. I et bordel ved navn „Masken". Kan du se statuen af Como i al fremtid. Med halvmaske på!

– Det hænger ikke sådan sammen, Otto. Johan så ned i gulvet. Beskæmmet over, at han ikke havde energi og måske heller ikke lyst til at sætte Otto ind i sagerne. Det ville betyde, at han røbede Hannah. At han afslørede sig selv.

– Det er et led i et større komplot. Det er rigtigt, at Hardinger har været med ...

Otto pegede på ham.

– Jeg har min teori. Du har din. Alt i orden.

Fem minutter senere havde han forladt Elis Bistro.

Johan gik derimod ned i bunden af kaffebaren og ringede

til Feo. Snakkede også med sin mor, der brokkede sig over faderens urenlighed. Sagde, at det var begyndt at dryppe fra loftet inde i spisestuen. Johan sagde, at det var fordi sneen var begyndt at smelte. Og lovede at komme og reparere det. Moderen sagde, at han ikke skulle tænke på det. Noget i stil med, du har dit og vi har vores. Sådan er livet, bare bliv væk, vi har affundet os med det. Svigt os alt det, du vil.

– Jeg kommer, i dag, sagde han, og følte sig en lille smule glad bare ved tanken om at sidde trygt og godt inde i stuen og høre på deres monotone pladder. Og da han hørte Feo nærmest skrige af glæde, fik han endnu et forræderisk ryk i maven og måtte tage sig sammen for ikke at råbe til hende, hvor meget han holdt af hende. Han ligefrem glædede sig til at se på det tag, selv om det ikke var årstiden at lægge tagpap nu.

Lidt efter betalte han Elis kone og forlod det gamle sted. Een gang mere, skulle han komme der. Mest for symbolet og fuldstændighedens skyld.

17

Mahler så på ham med et lille smil, et næsten skælmsk smil. En stolt far, en anerkendende chef, et varmt menneske.

Kontoret var rodet, men rodet var sympatisk. Mahler havde med sin person sat sit præg på stedet, der flød med plasticbægre, termokander og rapporter, men også med potteplanter og små, rørende presenter, sendt fra ganske almindelige mennesker, der ønskede at opmuntre ham og hans folk.

Værelset var kendt som Comogruppens centralnervesystem og lå højt hævet over samtlige andre kontorer i den store bygning med udsigt til Politigårdens parkeringsplads.

Johan kantede sig rundt om konferencebordet, og stod lidt og fandt sin egen bil blandt hundreder af andre.

– Du ser ellers frisk ud, kommenterede Mahler venligt. – Røde kinder.

Johan forklarede, at han den sidste uge havde boet oppe hos forældrene.

Mahler nikkede sagligt:

– Fornuftigt! Var nu den erfarne lærer. – Sid ned, du. Ja, jeg har selvfølgelig flere gange villet kalde dig ind, så vi kunne få en sludder, men du ved, hvordan det går. Hvor pokker blir ens tid af?

Johan sagde, at der hvor han kom fra, var der masser af tid. I øvrigt var det ham, der havde bedt om mødet.

– Først og fremmest er det vigtigt, at tingene omkring dig og Volmar falder lidt til ro. Mahler ledte efter sine tændstikker. – Personligt synes jeg det er en god ide, at Volmar søger over i trafiktjenesten. Han vil blive en fremragende motorsagkyndig.

– Det vil jeg ikke, sagde Johan ligeud.

Mahler så op. Et eller andet passerede gennem hans hoved. Og det så ud til at forvirre ham.

– Nej. Nej ... det tror jeg sgu heller ikke, Klinger.

Johan satte sig med ryggen til det store vindue og tænkte endnu en gang på Hannah, og på brevet han havde skrevet en tidlig morgen. Fuldt af løgne. „Jeg er blevet nødt til at rykke ud af byen et stykke tid. Jeg er ikke mere på Comosagen, men arbejder på noget nyt." Skriftlige formuleringer lå ikke til ham.

– Der er jo stor tilfredshed med jeres indsats. Det vil jeg ikke undlade at nævne. Mahler så efter sin tobak i samtlige skuffer og gik i knæ for at lede allerlængst nede.

Solen var knap nok stået op, da han cyklede ned til byen og smed kuverten i postkassen. Han havde indprentet sig hver en meter på turen, som om det betød noget specielt at kunne huske det. Han kæmpede mod en eller anden form for bevidstløshed. Og mærkede et stik af det uigenkaldelige, det skæbnesvangre og måske dybt uretfærdige, da han hørte brevet falde til bunds i metalboksen. Men nu lå de der, alle ordene, som en klar og tvetydig opsigelse. Og da han lidt senere sad med Feo og forældrene i det trange køkken og burde føle sig rolig og afslappet, slog det ham, at rastløsheden tilsyneladende var kommet for at blive. Jeg er slet ikke kommet hjem, jeg er faktisk ikke hjemme. Jeg har ikke gjort noget forbi. Blot opsendt et røgsignal, der fortæller hende at jeg lever og har det dårligt.

Og da han sad i bilen på vej ind til Mahler, besluttede han, at alting skulle stå på sin rette plads. Intet skulle forties. Kort sagt: Klar besked. Og han cirklede rundt i en tåge og var alligevel helt klar og totalt rundt på gulvet. Og da han smækkede bildøren i på parkeringspladsen, skar det i maven og i brystet og han tænkte, at det i hans tilfælde måtte gøre det ud for hjertet. Jeg må leve med, at jeg ikke kan leve uden hende, og frem for alt arbejde på, at nå ind til sandheden.

Mahler så på ham med åben mumd. Han havde fundet tobakken i sin lomme, og Johan var klar over, at han havde sagt noget.

– Sandheden, sagde Mahler en smule tøvende, – ja ... den

176

leder vi jo alle sammen efter, Klinger, ingen tvivl om det.

– Hvad med Hardinger?

Mahler lavede trutmund og stoppede piben.

– Han er jo, som sagt, mentalt forstyrret. Det behøver man i og for sig ingen fagmand for at konstatere. Et eller andet sted er denne mand dybt, dybt fanatisk. Mahler ledte efter ordene. – Og kompromisløs ...

– Og moralsk, foreslog Johan.

Mahler så direkte på ham. Det skælmske smil kom frem igen, denne gang lidt mere forceret.

– Moralsk, siger du ...

– Ja, det er mit indtryk.

Mahler virrede lidt med hovedet og sagde, at man i hvert fald havde de bedste fagfolk på sagen.

Johan lænede sig op ad vindueskarmen.

– Er mordvåbnet det eneste, der fortæller jer, at det ikke var ham?

Mahler så desorienteret på ham.

– Det eneste? Den gale mand påstår, at han skød Como og Rose Valentin med det samme våben. Det er ikke rigtigt. Hvad mere er der at sige til det?

– Jeg fatter bare ikke strategien, sagde Johan. – Hvis man planlægger den slags meget omhyggeligt, er det en underlig detalje at overse.

Mahler smilede og så ned på sin højre fod, der fejede en smule skidt ind under skrivebordet.

– Du skal hele tiden tænke på, at planen var en efter-rationalisering. Hvis vi aldrig havde anholdt denne syrer ...

– ... som endnu ikke er sigtet ...

– ... som vi stadig tilbageholder, ja så var Hardingers trick måske aldrig blevet afsløret.

– Det havde ikke desto mindre været meget enkelt for dem at placere to våben i Hardingers skuffe, hvis han ønskede at blive taget for begge mordene.

– Punkt 1: Det primære for Hardinger og hans venner var at bytte Hardinger ud med vor syriske ... ven. Punkt 2: Man skal sikre sig, at vi bider på historien med Albert Como på bordel. Du nævner problemet med våbnene. Vi ved i dag, at Como blev skudt med et meget specielt våben. Ikke noget kendt, massefremstillet fabrikat, men en såkaldt „ener". Sådanne våben kan næsten altid spores. Hvorfor man aldrig nogen sinde ville tillade, at vi fik fingre i det. De kunne lige så godt lægge deres visitkort. Men Klinger, misforstå mig ikke. Du og Otto Volmar fortjener meget mere ros end I har fået. Det skal nok komme, bare vent.

Johan sukkede og så op i loftet.

– Der står ikke så meget om Hardinger i aviserne, sagde han stille.

Mahler gik helt hen til ham.

– Hør her, Johan. Det her er jo ikke nogen almindelig sag. Det ved du godt. Det drejer sig om et politisk mord. Vi har mange hensyn at tage. Ikke mindst til vore kære politikere. Mahler bakkede på piben: – Vi får en galning ind, der påstår han har slået udenrigsministeren ihjel på et bordel. Er du klar over, at vi det sidste halve år har fået mellem tredive og fyrre tilståelser på Comomordet? Samtlige stjernepsykopater har været herinde, og vi har pligtskyldigt afhørt og arkiveret samtlige tilståelser. Een af dem, en drukkenbolt uden fast bopæl, påstod Como havde haft et fast forhold til hans kone. Den arme kvinde var 60% invalid og boede på et hjem 400 km nordpå. Skulle vi straks udbasunere det? Skulle vi straks indkalde pressen, hver gang en eller anden galning fandt på en ny historie? Så vi i alle aviserne kunne læse: Blev Albert Como dræbt på et bordel? Var Como homoseksuel? Var konen ham utro? Hvad skulle det gøre godt for, Klinger? Fortæl mig det? Manden har en kone, en familie, og ikke mindst et eftermæle.

Johan nikkede. Mahler klappede ham på skulderen. Og først nu kunne Johan sætte ord på den fornemmelse der slog ned i ham tilbage på hotel Bel-Air. Mahler var flink nok, men utilpas i hans selskab. Måske var han bare stresset. Havde mange møder på en dag. Nu så han oven i købet på sit ur.

– Der var sådan set lige een ting til, sagde Johan, og ignorerede den slet skjulte hentydning. – Angående Hardingers tidligere kone?

Mahler nikkede voldsomt og så indgående på sin pibespids.

– Godt du nævner det selv, Klinger. Jeg er klar over, at du kendte lidt til hende, ikke?

Johan så ned på parkeringspladsen.

– Joh. Vi så lidt til hinanden, en periode.

Mahler sagde, at der var flere teorier.

– Hvorfor er hun ikke blevet afhørt? Johan kneb øjnene sammen. Fikserede sin bil. Hun stod nede ved hans bil. Hannah stod lænet op ad vognens køler. Stod og røg på en cigaret. Han mærkede pulsen sætte farten i vejret. Han stirrede på Mahler, der havde sagt, at hun var blevet afhørt.

Det stod inde i hans hoved: Hun var blevet afhørt!

– Men vi har ingen beviser. Mahlers øjenbryn sad oppe i panden.

Johan flyttede modvilligt blikket tilbage til parkeringspladsen.

– Så I ... observerer hende bare? Er det sådan det hedder?

– Noget i den stil.

– Hvad ... hvad siger hun?

– Klinger! Mahlers stemme var blidt appellerende. Hagen lå på brystet. Et mildt udtryk, der sagde, skal vi ikke slutte her?

– Hvad siger hun, Mahler, gentog Johan stædigt.

– Hun siger, at hun ikke kender noget til det. At hendes forhold til eks-manden er overfladisk.

Mahler smilede kort og gik hen og åbnede døren.

Johan blev siddende, idet han fulgte Hannah rundt om bilen.

Mahler lukkede døren forsigtigt.

– Hvad er det, der nager dig, Klinger?

Johan gik hen til ham og lagde hånden på håndtaget.

– Hardinger nager mig, sagde han stille.

– Hardinger? Hvordan skal det forstås? Kender du ham?

– Jeg var sammen med ham, i hans lejlighed ... den aften.

– Og hvad så?

– Jeg synes jeg kender ham. Johan så væk.

– Du synes du kender ham?

Johan gjorde en svag hældning med hovedet og åbnede døren.

– Jeg tror Hardinger taler sandt, sagde han og gik ud på gangen, hen mod trappen, ned ad trinene, og følte Mahlers blik hele vejen.

Han så på hende, hals og hoved stak op over den blanke overflade af parkerede biler.

De har afhørt hende, tænkte han, hun har været inde hos Mahler og de andre, og hun har siddet på en stol over for dem, og de har spurgt hende ud om alting mellem himmel og jord, og på toppen af det hele, de har hende under observation. Også nu!

– Hej, Johan …

– Hej. Skal vi sætte os ind i bilen?

Han åbnede døren og låste op for hende.

Et langt øjeblik sad de og så ud ad forruden.

– Jeg synes bare vi skulle tale sammen, sagde hun så.

Han lod en finger køre rundt med rattet.

– Ja, det er klart …

Hun nikkede, og han funderede lidt over, om hun var ked af det, vred eller begge dele. Måske burde jeg også være noget, tænkte han.

Hun trak brevet op af frakkelommen. De så begge to på det.

– Hvad skal det betyde, spurgte hun.

Han startede vognen og rullede ud af parkeringspladsen, ned mod ringvejen, og ud af byen. Kunne samtidig ikke løsrive sig fra den fornemmelse, at der måske allerede sad en lille sort dimmer et eller andet sted, som transporterede samtalen ind til Mahler eller S.P. eller begge dele.

Han tændte for radioen.

Hun lagde en hånd på hans arm.

– Kan vi slet ikke snakke om det?

– Selvfølgelig kan vi det.

Han drejede af ved den første rasteplads og bad hende stige ud. Hun lod ikke til at undre sig.

– Vi skal måske til at lege den lille mutte dreng og den spørgelystne pige?

– Nej, mumlede han og skrabede i jorden.

– Nej, råbte hun, – det lover jeg dig vi ikke skal. Jeg skal nemlig sige dig, at jeg har fået nok af små, mutte drenge. For tre uger siden skulle vi giftes til april. For tre uger siden sad vi sammen i min sofa og lagde regnskab, for mindre end tyve dage siden stod jeg inde hos diverse ejendomsmæglere og lod mig skrive op, og så får man sådan et brev. Du kan sguda ikke behandle folk på den måde, Johan. Hun viftede med kuverten.

Han så væk, da hun bukkede hovedet. Havde aldrig set hende græde før.

– Kan du slet ikke sige noget?

Han så modvilligt på hende.

– Du ser træt ud, sagde han.

– Jeg har også sovet skide dårligt, hvis du vil vide det, råbte hun og stampede i jorden. Bagefter pudsede hun næse. Han så på hendes ryg og følte hverken hævntørst, bitterhed eller skuffelse. Kun en rendyrket, lammet frustration.

– Hannah, sagde han nølende.

Hun snurrede langsomt rundt og tog hans hænder, og da han ikke fortsatte, glattede hun bare hans hår og kyssede ham på hagen.

– Du blir nødt til at fortælle mig, hvad der foregår, Johan. Jeg har altid syntes du var en underlig østers, men det her er simpelt hen for meget. Vi er voksne mennesker. Hvis du … af en eller anden grund ikke mener du kan fortsætte … åh! Det er så dumt. Jeg føler mig så dum. Du står bare der …

– Hvad vil du ha jeg skal sige?

– Du kan for fanden vel ta dig sammen til at gøre det ordentligt forbi. Så meget mandfolk er du vel?

Han så ned i jorden.

– Er det Rune, spurgte hun kampberedt.

– Nej, selvfølgelig er det ikke Rune. Han rystede på hovedet. – Giv mig dog lidt pusterum …

– Pusterum? Du har været væk en hel uge. Blir bare væk, og sender et mystisk brev.

– Jeg skrev jo, at jeg var kommet over på en ny …

– … jatak.

Han så på hende.

– Jeg må indrømme, mumlede han, – at jeg lige for tiden har lidt svært ved at få det hele til at hænge sammen.

Hun tog om ham, og han lagde kinden mod hendes hoved.

– Du kan for eksempel starte med at fortælle mig, om du elsker mig, hviskede hun. – Forstår du, jeg er temmelig gammeldags på det punkt.

Han rømmede sig: – Om jeg elsker dig …

Hun slap ham.

– Men det er måske for meget forlangt?

Han smilede kort.

– Næ. Det er ikke for meget forlangt.

– Nå?

Han lo lidt.

– Okay, okay. Ja. Jeg elsker dig.

Han så væk, en smule overmandet af sine egne følelser.

– Men du blir nødt til at gi mig et par dage, Hannah.

Hun vendte ham rundt og så op på ham.

– Til hvad, Johan? Til hvad? Er det så vigtigt, alt det du laver, at du ikke kan betro dig til nogen? Er jeg så langt ude, at jeg ikke engang kan være din fortrolige?

– Nej, nej, mumlede han, og tænkte, ja, det er præcis sådan det er. – Det er ikke dig, fortsatte han uden at se på hende. – Det er … det hele. Jobbet. Det hele. Han mærkede hvordan løgnen begyndte at fungere, som en hurtigtvirkende brusetablet. – Det er en ny sag.

– Er du så ude af det andet? Alt det med … Como?

Han så på hende. Hun stod med siden til, i færd med at tænde en cigaret. Og lige med et slog det ham. Han havde undervurderet Mahler, da han troskyldigt spurgte, om hun var afhørt? Om de observerede hende? Det var helt overflødigt med alle de små mikrofoner. Med mærkelige biler i kølvandet og skiftende mænd i supermarkedet. De havde jo ham, Johan Klinger. Hvem kunne bedre end ham komme tæt på Hardingers eks-kone? Han var faktisk ved at afhøre hende, men var endnu noget utrænet. Hvorimod hun ... var meget mere effektiv.

En flad, metallisk fornemmelse slog ind over ham.

– Som sagerne står, er der ikke meget at fortælle, sagde han.

Hun nikkede og dryssede lidt aske ned på asfalten.

– Og du er nødt til at bo hjemme hos dine forældre?

– Lidt endnu, ja.

– Og du ved ikke, hvornår det ... holder op? Eller hvornår du flytter hjem igen. Jeg kan måske slet ikke forvente noget som helst ...

– Jeg kan komme rundt i morgen ...

– Nå, du kan komme rundt i morgen. Jamen det var jo dejligt.

Han gik hen til hende.

– Hannah. Jeg kommer i morgen. Så snakker vi tingene igennem.

– Lover du det, Johan?

– Ja, jeg lover det.

Hun nikkede. Og pludselig kom tårerne tilbage. Hun lignede en meget lille pige.

– Kors, hvor er det fjollet. Jeg er bare blevet ... så skide glad for dig, Johan. Hun så op på ham. Hæmningsløst ærligt, tænkte han.

Han kyssede hende på panden.

– Det er altså ikke forbi mellem os, hviskede hun.

– Nej, selvfølgelig er det ikke det, sagde han stille.

De stod lidt, tæt sammen, og hun sagde, at det var verdens grimmeste rasteplads. Han trykkede hende tættere ind til sig og sagde til sig selv, at han allerede savnede hende. Hun spurgte, hvad han fik tiden til at gå med, oppe hos forældrene, og han svarede, at han havde lagt tagpap på tilbygningen og repareret faderens kukur.

Hun smilede og så indgående på ham.

– Jeg elsker dig, Johan Klinger, sagde hun fast.

Han nikkede og rystede på hovedet og trak hende hen til bilen.

Dagen efter, klokken præcis 11.30, hilste han for første gang på efterretningsmanden Victor Stern.

18

Han kendte ikke de mænd, der hentede ham. De lignede ikke nogen, der bare hentede. Var for gamle til den slags. Og da vognen standsede i det fredelige villakvarter, var der ikke vekslet et ord på hele turen. Johan sad på bagsædet og gloede afventende på sine chauffører. Den ene steg ud og åbnede døren. Johan smilede til ham.

– Det er service, hva?

Manden pegede op på det hvide hus med de støvede vinduer.

– Det er måske derinde mødet skal være? Johan prøvede igen.

Manden så lakonisk på ham.

På vejen op til døren tænkte han, at nogen burde slå græsset. Der var intet navneskilt, der fortalte, hvem der boede i huset, og ringeklokken duede ikke. Det var heller ikke nødvendigt. Hans gamle ven Wagner åbnede, inden Johan havde fundet ud af at banke på. Af en eller anden grund undrede det ham, at se Wagner i de omgivelser. Dels vidste han ikke, at Wagner tilhørte Comogruppen, dels forekom den gammelkendte kollega anderledes og mere stiv i denne sammenhæng.

– Vi skal ind i stuen, sagde han uden at se direkte på Johan.

Rummet var ovalt og spartansk møbleret. Enten havde de lejet huset for nylig eller også var man ved at flytte. Måske så det altid sådan ud. Han spekulerede uvilkårligt på, hvad de andre stuer mon blev brugt til? Måske sad der små, grå mænd og lyttede til snurrende bånd, måske var man for længst gået bort fra den slags metoder.

– Sid ned. Wagner gik hen mod døren. – Mahler kommer om to sekunder.

Ligesom hos tandlægen, tænkte Johan og satte sig i det pauvre sofaarrangement, der var rykket sammen om et støvet teaktræsbord med sorte brandmærker. Det hele lignede resterne fra et dødsbo. Eller noget fra et tyve år gammelt venteværelse. Han rejste sig op og stod et øjeblik og lyttede. Ikke en lyd. Under bordet på den flettede hylde lå et falmet ugeblad. To år gammelt. Og i vindueskarmen lå en telefonbog fra i fjor.

Over for ham gabte en kold kamin. I det samme blev en anden dør åbnet. Den var skjult af kaminen og bygget ind i en niche.

– Arh, Klinger, sagde Mahler og kom hen og gav hånd. – Hvad siger du til omgivelserne, rædselsfulde, ikke sandt? Han gned sig i hænderne og så sig om, som en jovial ejendomsmægler. – Det trænger virkelig til at blive frisket op. Nå, sid ned ...

– Hvem bor her? Johan satte sig modvilligt i den umage sofa, der stod med ryggen til den indbyggede dør.

Mahler stod henne ved kaminen.

– Hvis man så bare ku fyre lidt op i det her monstrum.

Nu kom Wagner tilbage. Johan stirrede på ham. Han bar på en bakke med kaffe, tre kopper og en lille skål med brune kager.

– Tusind tak, Wagner. Mahler tog bakken.

Wagner sagde, at der desværre ikke var noget fløde. Mahler svarede, at så måtte de jo klare sig uden. Han lød dog en smule ærgerlig. Kort efter forsvandt Wagner igen. Mahler rørte larmende rundt i kaffen, men så så pludselig op.

– Åhja, udmærket Stern ... kom indenfor.

Johan vendte sig om med et ryk. Havde ikke hørt den anden komme ind. Enten havde døren stået på klem, eller også kunne denne Stern noget særligt.

Mahler præsenterede dem for hinanden.

– Victor Stern, Johan Klinger.

Der blir et øjebliks tavhed. Mahler er ikke ligefrem den perfekte vært. Imens studerer Johan Stern, der går over til vinduet, hvor han stiller sig med siden til. Hans sko er sorte, med udvendige syninger. Solide og elegante. Jakkesættet er gråt og ser ud til at være skræddersyet. Ikke som Mahler, der ser ud som om han sover med det på. Helhedsindtrykket er klassisk.

– Det her behøver ikke tage særlig lang tid, begynder Mahler …

Stern ligner en mand, der sætter pris på årgangsvine, god mad og et liv med sordin. Et menneske, der i modsætning til den hjemmestrikkede Mahler, lever for sin fritid, og som betragter sit job som et nødvendigt onde. Kort sagt en verdensmand. Victor Stern er solbrændt uden at se sund ud. Cirka tres år.

– Og nu går det fremad med hr. Hardinger, fortsætter Mahler og tager en brun kage.

Johan flytter blikket fra Stern, og spekulerer på, om Mahler mener efterforskningen eller Hardingers psyke. Måske begge dele. Måske skal det tolkes sådan, at musiklæreren er ved at knække. Stern fortrækker ikke en mine, men ligner en der venter, og som har vænnet sig til at vente og som kan beherske sin utålmodighed.

– Jah, Victor Stern her, siger Mahler og børster lidt småkage væk fra munden, – Victor Stern kommer jo helt fra Wien, for at bistå med denne … sag. Kan vi kalde dig specialist, Stern, spørger Mahler og smiler en smule nervøst.

Stern ser på ham. Men inden han får svaret vender Mahler sig mod Johan.

– Een ting skal du vide, Klinger. Der er stor tilfredshed med din indsats. Over hele linjen. Også … du ved, politisk.

Johan stirrer på hans mund. Der synes at være et eller andet i vejen med eftersynkroniseringen. Som på en italiensk film.

– Vi er nået så langt, at vi med 99% sikkerhed kan fastslå, at Mehmet er kommet ud af landet. For længst. Ellers havde vi fundet ham. Men nu … nu tror vi, at vi har lokaliseret ham. Mahler nikker, og ser indgående på Johan.

Henne ved vinduet har Stern vendt sig om. Han står således med ryggen til lyset og ser på dem.

– Vi tror, han er på Cuba, Klinger, siger så Mahler.

Mødet varede en halv time til. Så blev Johan hentet og kørt hjem til sig selv af de to tavse chauffører, der havde fragtet ham ud. Da han tog afsked med Stern sagde denne: – Jeg glæder mig til samarbejdet, Klinger. Og Johan havde hørt sig selv sige:

– Også jeg.

Han lagde sig på sengen og så op i loftet. Måske skulle han opfatte det som en belønning. En mulighed for at stige i graderne. Men egentlig havde han aldrig følt sig særlig ambitiøs.

En time senere ringede han til hende. Hun lød glad. Sagde, at de var ved at få høvlet alle gulvene af. – Vi kan ikke være herhjemme. Har du det godt?

Han sagde, at han havde det udmærket.

– Vi ku mødes ovre i Parken, sagde hun. – Om en time.

Han sagde, at det passede ham fint.

Bagefter ringede han til Seruminstituttet og fandt nummeret på en gammel, nu pensioneret kollega, hvis hukommelse var legendarisk. Det var fem år siden, han var holdt op. Han sagde han savnede arbejdet.

– Hvem skulle tro det, lo han.

Johan spurgte, hvor meget han kendte til Efterretningsfolkene? Om han kendte en der hed Stern, Victor Stern?

Den gamle tøvede lidt, spurgte om det kunne være den Stern, der var kommet fra udenrigsministeriet?

– Hvis det er ham, så er det sgu en stor kanon, du. Han arbejdede en overgang for både CIA og Grapo.

– Jeg troede Grapo var en spansk terrororganisation?

– Både ja og nej. Denne Stern var vist dobbeltagent. Jeg kan sgutte huske det, Johan. Det er så mange år siden. Men hvis det er ham, så kan han lidt af hvert.

– Men du så ham aldrig?

– Nejnej. Vi talte bare om ham. Uhanej, husk på, jeg var bare nul og nix. Er han kommet hjem?

– Jahh. Johan trak på det. – Jeg blev bare nysgerrig.

Han mødte hende i Parken. Hun tog hans arm og spurgte, om det ikke var på tide, at de fik talt ordentligt sammen.

– Om hvad?

– Ja, om os. Du lukker dig mere og mere inde i dig selv.

Johan så op i luften. Det var en lun dag med en diset sol. Hvad ville der ske, hvis jeg krammede ud nu, tænkte han. Var der noget der ville bryde sammen?

Hun var begyndt at snakke om Rune igen.

– Ovre på skolen siger de det er fjernsynets skyld. Jeg aner snart ikke, hvad jeg skal stille op med ham.

Måske er han arveligt belastet, tænkte Johan.

– Det er sgu ligesom med dig, sagde hun og trak ham med ned på en bænk. – I glider bare væk uden at sige hvorfor. Du skulle se ham. Han ville absolut klippes helt kort. Og så de armyjakker de render rundt i. De ser hæslige ud.

Hun rystede på hovedet. Spurgte til Feo.

– Det går fint, sagde han. – Ja, du så hende jo selv. Lidt for fed, lidt for dvask.

– Jeg har overvejet at sende ham væk, bare en periode.

Han så hurtigt på hende.

– … ja, mest for min egen skyld.

Han lagde armen om hende.

– Hannah, lad være med det.

Hun så forvirret på ham. For første gang i lang tid så han hende i øjnene, uden at flytte blikket. Nu er vi bare os, tænkte han. Nøgne, ikke noget filter. Nu kan hun se, hvordan det hele hænger sammen. Jeg behøver ikke at tilføje noget.

– Hvad sker der Johan, hviskede hun.

Han svarede ikke. Så bare på hende. Hun havde taget hans hænder.

– Hvad sker der med os?

Han flyttede blikket.

– Det ligger sådan, sagde han, – at jeg lidt senere i aften skal ud og vaccineres. Men jeg tænkte, at vi måske kunne ses bagefter.

Hun slap hans hænder.

– Hvorfor skal du vaccineres? Fejler du noget?

– Overhovedet ikke.

Hun tog fat i hans arme.

– Jeg kan ikke holde dit fravær ud mere, sagde hun. – Du er her og du er her alligevel ikke. Jeg vil ha den gamle Johan tilbage. Fortæl mig hvorfor du skal vaccineres? Skal du rejse?

– Ja, det er … ja, det er selvfølgelig jobbet, de siger det kun tager en uges tid, højst.

– Hvem siger det? Hvor skal du hen?

– Ja, cheferne. Han så på hende. – Vi skal … ja, jeg aner i grunden ikke ret meget om, hvad vi skal.

– Hvor skal du hen? Skal Otto med?

– Nej, Otto skal ikke med. Det er ikke noget særligt.

– Jamen, hvor skal du hen, hvem skal du sammen med?

– Jeg skal sammen med en ældre fyr der hedder Stern. Jeg kender ham ikke.

– Hvorhen, Johan?

– Til Havana.

Da han sad i Seruminstituttetes venteværelse repeterede han hendes spontane reaktion. En blanding af chok, rædsel, bekymring og irritation. Måske mest det sidste. Han havde fået fat i Otto, der var vendt hjem efter sit ophold i svigermoderens sommerhus. Succesen havde været begrænset.

– Hvad fanden skal I til Cuba efter?

– Det drejer sig stadig om de der syrere.

– Hvad med Hardinger?

Johan havde gloet ned i tragten. Angående personen Hardinger havde han valgt at fortrænge de mulige teorier. Det teoretiske tænkearbejde måtte være Mahlers bord.

– Skal I så ned og kigge negrene op i røven, skreg Otto og ræbede sig.

– Jeg ved egentlig ikke, hvad vi skal. Det er vel noget ham Stern finder ud af.

Otto sagde, at Stern engang var en stor kanon. Men at han vistnok havde kvajet sig for mange år siden. Endda rigtig voldsomt.

190

– Han holdt til nede i Barcelona. Jeg tror fanme svinet var Francomand.

Johan sagde, at Stern nu boede i Wien.

Otto svarede, at det var det rette sted for gamle nazister.

– Han virkede rimelig stueren, sagde Johan og følte distancen til Otto større end nogen sinde.

Otto sagde, at han i øvrigt var komplet ligeglad. Og at han for resten ville gå ud i solen og koncentrere sig om sig selv.

Nøjagtig otte timer senere sad han på Hannahs seng og lyttede til trafikken, der blussede op efter fjernsynstid.

Inde bag væggen lå Rune. Måske sov han, måske lå han og stirrede op i loftet og tænkte på sin mærkelige far, musiklæreren og moralisten Wesley Hardinger, der skød og myrdede Rose Valentin og stædigt fastholdt mordet på Albert Como. Måske havde han hørt, da de elskede. Da de glemte det hele og nøjedes med at være sammen.

Han så bagud på hendes nøgne krop, der lå viklet ind i lagenet. Hun sov ikke. Slappede bare af. Vi fortrænger, tænkte han, sammen fejer vi det hele ind under gulvtæppet og kører videre, som om intet er hændt. Tiden læger alle sår.

Hun drejede sig, så hun kunne se op på ham.

– Kom, læg dig, hviskede hun.

Han rystede på hovedet og rejste sig. Var endnu øm i den ene balde efter vaccinationen.

– Jeg har lovet Feo at komme tilbage, sagde han.

Hun satte sig op.

– Vil du virkelig køre helt derop nu?

Han fandt sine bukser.

– Johan!

– Ja, det regner jeg ikke for noget.

– Det var ikke det.

Han tog sokker på.

– Hvad så?

– Behøver du at ta helt derover?

– Hvor over?

– Ja, hvor tror du? Til Cuba. Jeg synes du skal blive hjemme.

– Jeg behøver det ikke. Men jeg har ikke noget imod det. Det ... passer mig egentlig meget godt.

Hun tændte en cigaret og lagde armene over kors.

– Ses vi i morgen?

Han knappede skjorten.

– I overmorgen. Der er nogle ting jeg skal ha ordnet.

Hun slukkede cigaretten.

– Hvad for nogle ting, Johan? Nej, sæt dig nu ned. Jeg blir tosset af at se dig fare rundt.

Hun tvang ham ned på sengen.

– Hvad er det for nogle ting du skal ha ordnet?

Han brød sig ikke om, at hun tog fat i ham. Ej heller, at hun stillede ham den slags spørgsmål, og han brød sig i særdeleshed ikke om tonen. Som om han havde brudt en eller anden aftale.

– Jeg skal ordne nogle ting angående rejsen, sagde han afvisende.

Hun steg ud af sengen og tog sin housecoat på. Gik hen til vinduet og åbnede persiennen. Det violette neonlys fra lysreklamen overfor, faldt ind på sengen.

Et strejf af fiktion gjorde ham mere apatisk og mindre aggressiv.

– Er du kommet på Comoholdet, Johan?

Han satte sig på sengen og bandt sine snørebånd. Havde ikke lyst til at se op på hende.

– Hvorfor spørger du om det, Hannah?

– Fordi jeg gerne vil vide det.

– Hvorfor vil du gerne vide det?

– Fordi jeg synes det kommer mig ved, råbte hun heftigt. – Fordi du opfører dig underligt. Du svarer mig ikke og glider af og tør ikke se mig i øjnene. Og nu alt det med Cuba. Du bliver væk i dagevis, man hører ikke en lyd, og pludselig kommer der et mærkeligt brev, og bang ... så skal du rejse langt fanden i vold.

Han lagde hovedet tilbage og sukkede. Hun stillede sig foran ham og trak ham ind til sig.

– Jeg vil ha den gamle Johan tilbage.

– Vi finder ud af det, Hannah.

– Gør vi?

– Ja. Det gør vi. Når jeg kommer hjem.

– Og du siger, det kun er en uge?

– Ja, cirka.

– Og det er ikke farligt eller noget?

– Nej.

Han rejste sig og lagde kinden mod hendes hoved. Mærkede varmen fra hendes krop. De stod længe og bare vuggede i takt, og han tænkte, at hvis han nu sagde det, som det var. Det hele. Og fik renset luften. Da der lød en høj skratten inde fra Runes værelse. En lille stump musik og to høje stemmer og en let genkendelig båndsusen. Det var deres stemmer.

– Vil du virkelig køre helt derop nu.

– ...

– Johan!

– Ja, det regner jeg ikke for noget.

– Det var ikke det.

– Hvad så?

– Behøver du at ta helt derover?

Hun flåede døren op og åbnede ind til Rune. Han hørte hende skælde ud. Drengen sagde ikke noget. Det var første gang han så hende græde af raseri, sorg og afmagt.

Lidt efter stod de ved hoveddøren.

– Hvorfor gør han sådan noget, hviskede hun. – Tror du han er ensom? Han kan sguda ikke blive ved med at være jaloux.

– Jeg tror han er syg oven i hovedet, og at den eneste der kan hjælpe ham, er dig, sagde han og åbnede døren. – Det vil nok tage dig det meste af dit liv, og måske vil du til sidst spørge dig selv, om det var ulejligheden værd.

Han tændte lyset på trappen.

– Sådan er det altid, ikke Johan? Man spekulerer på, om det mon er ulejligheden værd. Eller gør man? Gu gør man ej.

– Nogle gør.

– Ja, din ven, Otto, han gør.

Johan sukkede.

– Hvad gør du så, spurgte han. – Fortæl mig det, Hannah. Hvad er dit bidrag? Foreløbig kan jeg kun se ham, der ligger inde i sengen og griner hysterisk, mens han spoler sit sindssyge bånd frem og tilbage.

Hun bøjede hovedet og begyndte at lukke døren.

– Hannah …

– Farvel, Johan.

Han stod et øjeblik på afsatsen, så gik han ned ad trapperne og ud i natten, hen til bilen og satte kursen nordpå.

Tænkte på, om lygterne i bakspejlet, der trofast fulgte ham hele vejen, mon var ven eller fjende?

19

Som altid i forældrenes hus, når han sov i sit gamle sove-
værelse, vågnede han tidligt og lå og lyttede til skoven, der
den morgen var helt stille. Lyset udenfor var gråt og fladt.
Han kantede sig ud af sengen og åbnede vinduet på klem, og
lå nogle minutter og nød den skarpe fyrretræslugt.

Stilheden og lugten, vinden i trætoppene og lyden fra
savværket, råbene fra skovarbejderne og de hæse skrig fra
rovfuglene dybt inde i skoven, roterede som en gammel
78'plade, drejet af et uopslideligt værk og afspillet af en
evighedsstift.

En time senere sad han ude i vognen og så op på dem. De
stod alle tre oppe i vindfanget. Faderen, moderen og lille,
tykke Feo. Tre mennesker der var i gang med at synkronisere
deres senilitet. Han havde forklaret dem, at han skulle rejse
en uges tid. Og da han vinkede til dem, og moderen og Feo
vinkede tilbage, og faderen blot så på ham, vidste han, at den
gamle havde gennemskuet det hele.

Resten af dagen købte han ind: Kuffert, en smule sommer-
tøj og en sololie. Og da han om aftenen slukkede lyset og
telefonen ringede, valgte han at ignorere den, og steg ud af
sengen og drak en øl, og lagde sig tilbage igen, og krummede
sig sammen og sagde til sig selv, at savnet ville gå over en
dag. Måske allerede på Cuba. Tre timer senere stod han op,
klar over, at han ikke kunne falde i søvn førend han havde
fået talt med hende. Han tog tøj på og gik ned på gaden og
ned til telefonboksen. Der var ingen grund til at gøre arbejdet
nemmere for nattevagten.

Han foreslog de mødtes dagen efter og forklarede, at han
skulle flyve hen på eftermiddagen.

Bagefter vandrede han rundt i byen og tænkte på Victor
Stern, der sad et eller andet sted på et anonymt hotelværelse

og ventede på, at dagen skulle bryde igennem.

Nøjagtig syv timer senere sad han sammen med dem i lejligheden, hvor der endnu lugtede stramt af lak.

Han havde haft morgenmad med. Hun så ud som om hun havde grædt hele natten. Rune lignede sig selv, bortset fra en ny frisure.

– Johan skal rejse, sagde hun til ham.

– Hvorhen? Rune så kort på hende.

– Til Cuba.

– Hvad skal du derover efter?

Johan så på ham. Spørgsmålet havde lydt naturlig interesseret. En svag åbning, en gnist af interesse.

– Jeg skal … forsøge at spore … og eventuelt fange nogle terrorister.

– Hvad har de gjort? Spørgsmålet faldt prompte.

Johan så ned i koppen. Hvad fanden kan det gøre, at jeg fortæller dem det, tænkte han. Hvad fanden betyder det hele, hvis jeg skal sidde her kun seks timer inden jeg skal rejse og lyve dem lige op i hovedet.

– Egentlig er det temmelig hemmeligt, sagde han. – Men … det er muligvis dem, der har slået Como ihjel.

Hannah rejste sig op. Han syntes det gik lidt for hurtigt, og at Rune så efter hende. Hun stod med ryggen til og skar ost.

– Hvorfor sender de dig, spurgte hun stille.

Johan trak på skuldrene: – Det kunne jeg også godt li at vide.

– Skal du så skyde nogen, hvis du fanger dem? Rune så på ham med det kendte, hårde, let hånlige udtryk.

– Forhåbentlig ikke.

– Fedt mand.

Johan så på ham.

– Ja, nu du siger det. Vi ku jo pløkke hele bundtet ned. Revl og krat. Alt hvad der rører sig. Eller bombe dem.

– Skide lækkert …

Hannah bad dem holde inde.

– Har du aldrig tænkt på, at alt det fis en dag kan ramme dig, Rune? En dag, når du står og skal købe dig en pakke

196

tyggegummi ser du et lille lynglimt og sekundet efter ser du ikke mere.

– Måske er det mig, der har anbragt lortet der, sagde Rune med et hvidt blik.

– Ja. Det kan man vel ikke udelukke, mumlede Johan.

– Nej, det kan man ikke, råbte Rune og rejste sig. – Men så kan du jo lige så godt skyde mig nu, mens jeg sidder og æder mine cornflakes.

– Og dine vitaminpiller, indskød Hannah. – Husk dem.

– Måske var det en ide, sagde Johan dæmpet.

Rune pegede på ham:

– Men du skal vide, makker, at vi er mange, vi er nemlig mange du, og en dag kommer turen til dig og hele bundtet.

– Hold mund, Rune, råbte Hannah.

Johan tyssede på hende:

– Fortæl mig en ting, Rune, sagde han. – Hvorfor tror du der er to slags mennesker. Dem, der laver den slags ... anbringer bomber i butikker og flyvemaskiner, og dem det går ud over. Hvorfor er der disse to slags mennesker?

– Hvad fanden rager det mig.

Johan så på ham og nikkede.

– Det var egentlig et meget godt svar, sagde han.

Senere stod han sammen med hende på banegården. Han gentog, at han ville være hjemme igen om en uge. Hun nikkede og pillede lidt ved hans knapper. Han så på uret.

– Pas godt på dig selv, Johan. Lov mig det. Vi har kun eet liv. Jeg ved ikke, hvad der er sket med os på det sidste, men jeg ved vi nok skal klare det. Jeg elsker dig, Johan. Husk på det. Lige meget hvad der sker. Pas på dig selv. Ingen sag er større end dig selv.

Han steg op i lufthavnsbussen og gik ned til bagsædet, hvorfra han kunne se hende stå og vinke. Han syntes han havde beregnet det sådan, at bussen skulle køre, cirka med det samme. Men af en eller anden grund varede det næsten et kvarter, før de kom af sted. Og af en eller anden grund blev hun stående tyve meter væk, ret op og ned og bare så på

ham, indtil bussen endelig lagde fra, så han kunne genop-
tage sin vinken og se hende blive mindre og mindre for til
sidst helt at forsvinde.

20

Taxaen kørte i siksak fra hotel Habana Libre tværs over Ave
Salvador Allende og ud på en mindre befærdet, meget lige
vej, hvor flimmeret fra de spanske huse fik hans kvalme til at
stige. Han fandt et lommetørklæde og tørrede sig over pan-
den og i nakken, mens han prøvede at danne sig et indtryk af
den lille, fåmælte chauffør med abeansigtet og cigaretskod-
det.

De drejede skarpt til venstre ad Calzada del Cerro, som
Johan huskede fra kortet over byen og overhalede med hor-
net i bund en kreaturvogn med sorte svin. Ind imellem
gloede chaufføren på ham i bakspejlet, men blikket røbede
ingen hensigter. Farten blev sat ned. Endnu en gang drejede
de til venstre og kom ind i et fladt, meget støvet, noget lurvet
kvarter, hvor tre høje betonbygninger rejste sig over en stribe
kulørte barakker, der lå strøet som kasser mellem store,
firkantede klodser fra kolonitiden.

De befandt sig på vejen, der hed Trinidad i det kvarter, der
hed Cerro.

Chaufføren kørte ind til siden og vendte sig sløvt i sædet.
Bag dem lagde støvskyen sig. Johan så ud ad ruden, hvor en
gruppe halvnøgne unger gloede ind på ham. Lidt væk kom
en større dreng trækkende med en vogn med en vandbe-
holder.

Et sted gøede en hund og som altid var der en radio, der
kværnede over det hele.

Chaufføren åbnede sin dør og stak fødderne ud. Han
havde bare tæer i skoene, der var brune og spidse. Han så på
Johan.

– Five dollars, mumlede han.

Johan rodede i lommen. Imens rykkede børnene nærmere

og ved synet af de amerikanske pengesedler begyndte de at råbe og række hænderne frem.

Chaufføren stak pengene til sig.

Johan steg ud. Kort efter var taxaen væk. Han så sig lidt omkring, mens flokken af børn rykkede lidt væk. Samtidig følte han, at resten af kvarteret skrumpede. At al opmærksomhed, med eet, var samlet om det nye element.

En ung pige, der netop lagde et tæppe til luftning på en balkon gik et skridt baglæns, ind i mørket, for dér at iagttage ham. Han så på huset, der var stort og firkantet med et skaldet platantræ under den pompøse balkon. I træet hang et hvidt fuglebur med en papegøje. Af en eller anden grund havde den mistet alle sine fjer.

Han begyndte at gå og konstaterede ret hurtigt, at Trinidad var en meget lille vej i et monotont kvarter med mange børn og mange hunde. Rundt omkring, spredt i små grupper, sad ældre mænd i hvide undertrøjer foran deres respektive gadedøre og gloede afventende på ham. Han standsede og gik to huse tilbage, stod et langt øjeblik og stirrede på det grønne hus med de to nøjagtig lige høje palmer. En lille pige, højst to år, kiggede op på ham med store, sorte øjne, og brød ud i et stort smil, da han bukkede sig ned. Huset bag hende så grønt ud på en næsten undersøisk måde. Som fik det sin kulør fra et flimrende koralrev. Een af skodderne hang faretruende skævt over første sals vinduesfag og fuldendte indtrykket af forfald. Haven var tilgroet og tør. Helhedsindtrykket var dvaskt og ligegyldigt.

Han smilede til den lille pige, der havde fået følgeskab af flere, og gik ind og bankede på den røde hoveddør, hvor der hverken var navneskilt eller brevkasse. Men folk uden navn får vel heller ingen post. Børnene lo og råbte noget til ham. Da en fed, meget mørk kvinde kom til syne ved husets gavl, hidkaldt af larmen fra ungerne. Hun havde selv et lille barn på armen. Da Johan trådte et skridt frem, gik hun uvilkårligt et skridt tilbage, men blev stående, da han kom helt hen til hende. Han smilede og trak i mangel på bedre en dollarseddel op af lommen. Hun undlod at se på den, så han stak den hurtigt af vejen, og følte sig på een gang dum og flabet.

Han pegede spørgende på huset. Kvinden rystede på hovedet. Johan lavede en ærgerlig grimasse. Kvinden pegede over mod de høje betonhuse.

– General Docente ... Allende ...

Han nikkede og fikserede hendes armbåndsur, der prydede hendes fede håndled. Det var stort set mage til hans eget. Et japansk Seiko-ur. Oven i købet twin quartz. Han pegede på sit eget ur og smilede. Kvinden nikkede uforstående og vedblev at henlede opmærksomheden på de høje, hvide bygninger i baggrunden. Først nu blev han klar over, at hun mente Allende-Hospitalet.

Han sukkede og tørrede sveden af panden og smilede undskyldende til hende. Tre, fire smårollinger kiggede op på ham bag hendes voluminøse hofter. Johan så endnu en gang op på huset, og registrerede, at små grupper af mænd stod og gloede ind på ham fra vejen. Han nikkede ud til dem.

– Anyone speak English?

De så på ham.

Pludselig stak en tynd pige i løb. Forsvandt som en mus ind mellem buske og træer, og kom lidt efter tilbage med en cirka tolvårig dreng hun kaldte for Pablo. Imens stod Johan bare og svedte og smilede til den voksende hob, og følte sig mindre og mindre velkommen. Han så ned på den tynde pige, der pegede på drengen, der hed Pablo. Han røg på en lang cigaret med et hvidt filter. Bestemt ikke en cubansk cigaret. Pablo havde med andre ord forbindelser.

– Pablo?

– Si, Pablo.

– Speak americano, sagde pigen og fniste og bed i sin finger. Drengen så hånligt på hende og gjorde et kast med hovedet.

Johan nikkede og lagde en flad hånd på hans ryg, og skubbede ham blidt ud på vejen, væk fra de stirrende blikke, bort fra gruppen med dagdrivere. Imens trak han en 5-dollarseddel op af lommen. Pablo så dovent på ham. Øjnene var halvt lukkede.

– Who lives in the green house? spurgte han dæmpet.

– I do.

– You do?

– Yes. I do. The house with the two palms.

Johan nikkede.

– Okay, Pablo. Who else lives in the green house? Han gjorde sig meget umage med udtalen.

– All of us. Many people.

– Many people? Johan stirrede op på huset. Det så også rummeligt ud. Måske boede de der hele bundtet, eller også var Pablo fuld af fup eller også, og det var nok det mest sandsynlige, var han ikke særlig stiv i det engelske. Johan tørrede sveden af nakken og halsen.

– ... and señor Rodriguez!

– Señor Rodriguez?

– Si.

Johan tog fat i drengens skuldre.

– Where is señor Rodriguez now?

Pablo pegede bagud, på hospitalet.

– He is bad. He is kaput.

– Kaput? You mean he is dead?

– No, kaput. I don't know. Are you from Canada?

– Yes, Canada. That's right. Johan gav ham hans 5-dollar-seddel og så ham rulle den sammen og proppe den i brystlommen. Bagefter så han afventende op på Johan, som var de i gang med et nøje indstuderet ritual, der lidt efter lidt ville fylde lommen til bristepunktet.

Johan nikkede og fandt endnu en 5-dollar-seddel. Pablo trak på skuldrene, måske fordi han syntes det var trivielt, måske for at skjule en latent benovelse. For at dokumentere sin status, smed han et stort skod væk. Johan smilede og gav ham Sterns cigaretter. Også de forsvandt ned i brystlommen.

– Listen now, Pablo. I would like to see señor Rodriguez' room. In the green house. Okay?

Pablo trak på skuldrene og begyndte at gå hen til huset, hvor gruppen af tilskuere nu lignede et opløb. Johan smilede til dem og fulgte Pablo, der diskuterede voldsomt med den

202

fede kvinde, der åbenbart havde noget at sku have sagt. Af hendes ansigtsudtryk kunne Johan forstå, at hun ikke var særlig glad for at lukke ham ind i huset. Pablo gjorde en ligeglad gestus med begge hænder og gik hen til døren. Johan fulgte efter. I det samme forsvandt konen om bag huset. Pablo åbnede døren og gennede de mest nysgerrige unger væk. Johan trådte indenfor, hvor der lugtede af kattepis og mug.

I hall'en var der næsten bælgmørkt, eftersom Pablo straks lukkede døren, og samtlige skodder var lukkede.

Han stirrede op ad en stejl trappe til første sal, da Pablo kaldte på ham. Han stod foran en dobbeltdør.

– Is it ...?

– Si. Señor Rodriguez' room.

Drengen åbnede døren og lænede sig sløvt op ad karmen, og spyttede på stengulvet. Rummet var stort og svalt og dunkelt. Kun lysstriberne fra hulrummene ved skodderne faldt ind på det nøgne gulv, hvor der lå stabler med gamle, læderindbundne bøger. I bunden af lokalet stod en mørkerød sofa og et kæmpemæssigt køleskab samt et lille fjernsyn, der tilsyneladende ikke var tilsluttet. Johan ledte efter en stikkontakt, men fandt ingen, da han snublede over et eller andet på gulvet. Et jernstativ af en slags. I det samme fjernede Pablo noget fra et af vinduerne.

Johan vidste præcis, hvad han stod med i hænderne, endnu inden lyset ramte ham. Det var et halvvejs krøllet nodestativ. Langsomt gik han hen til et højt skab og trak i håndtaget. Døren var låst. I det samme hørte han skridt oppefra. Et lille drys puds dalede ned fra loftet. Han så på Pablo, der var i færd med at tænde en af Sterns cigaretter. Pablo var en dreven ryger og en sand mester i at puste røgen ud. Måske var de flotte røgringe til ære for Johan. Måske legede han bare med lyset og støvet. Johan gik hen til ham. Han havde fundet en 10-dollarseddel, som han holdt frem under drengens næse. De sløve, brune øjne så opmærksomt på ham.

– You lead me to señor Rodriguez ... at the hospital. And I

give you this and one more, when we have found him. Come on, Pablo.

Pablo lavede endnu tre røgringe og vadede roligt ud af det grønne hus, hvor hoben havde slået sig ned i forhaven.

21

Kvinden i informationsburet i Allende-hospitalets monumentale foyer var meget lille, meget mager og meget formel. Bag hende kunne Johan se en grundplan over hospitalet samt et rektangulært, meget forskønnet maleri af tre mandehoveder, der som ånder vågede over det moderne Cuba. Hans historiske indsigt var ikke stor, men han gættede på at det var Fidel og Raúl Castro med Che Guevara i midten, og han tænkte, at de lignede en billig reklame for en amerikansk country & western trio.

Det var Pablo, der førte ordet, og hans opførsel over for den trætte dame i buret, var lige så lakonisk og indolent, som den var kunstig. Hans smartness gjorde imidlertid intet dybere indtryk, i hvert fald lukkede kvinden øjnene og rystede sindigt på hovedet. Pablo forklarede Johan, at der var besøgstid mellem 7 og 8 om aftenen. Ellers ikke.

– Spørg hende, hvor Rodriguez ligger.

Pablo gjorde en opgivende bevægelse med armene og så ligesom tilfældigt på den lomme i Johans bukser, hvor pengesedlerne kom fra. Måske fungerede han som en automat. Han videregav spørgsmålet til kvinden i den blå kittel, der med alle tydelige tegn på irritation vraltede ned fra sin stol, for ganske langsomt at gå over til et gråt monstrum af et skuffedarium, som hun med en gaben trak ud. Det viste sig at være et kartotek. Med to fingre ledte hun på må og få, uden egentlig at vie foretagendet nogen seriøs interesse. Johan bankede på ruden og slog ud med armen og modtog et hadefuldt blik. Skuffen blev smækket i igen. Kort efter sad hun atter på sin lille piedestal, og han tænkte, at hun meget vel kunne blive grundstenen til et stort og frodigt bureaukrati, og at Pablo, ad åre, ville finde veje, så systemet kunne udnyttes fuldt ud. Han følte medlidenhed med menneskene i det grønne hus og i særdeleshed med pigen med de levende øjne og de hurtige bevægelser. Pablo spurgte atter om noget, og kvinden svarede uden at se på nogen af dem.

– Hun siger der er flere, der hedder Rodriguez.

– What's his first name, spurgte Johan og følte en stigende desperation komme krybende med et latent hedeslag på ryggen.

– I don't know. Only señor Rodriguez.

Johan stod lidt og så sig om, så sagde han: – Tell her I am from Russia, and that I must find my friend Rodriguez. It is very important.

Pablo oversatte, dog uden at lægge Johans iver i stemmen. Kvinden slog ud med armene, komplet ligeglad.

De gik ud i den bagende sol, hvor Johan slap sin 10-dollarseddel. Pablo sank lidt i den ene hofte og så afventende og glædesløst på ham. Johan stillede sig med ryggen til ham, af en eller anden grund begyndte drengen at irritere ham. Måske var det hans utilslørede ligegyldighed, måske var det hans måde at tage imod pengene på, manglen på taknemmelighed. Måske var det den lagdelte belægning på hans tænder.

Johan så på sit ur. Klokken var fire.

– Okay, sagde han. – That's all. Thank you.

Pablo så på ham. Trak mundvigene lidt nedad.

– I don't need you anymore.

– But ... señor Rodriguez?

– Never mind. I'll find him alone. You can go now.

Drengen blev stående og begyndte lidt efter at famle efter Sterns cigaretter. Johan tørrede sig over panden. Spurgte om der var problemer med forståelsen. – I said you can go now.

– I stay, sagde Pablo og blæste røgringe op i luften.

Johan skubbede ublidt til ham med en meget stiv pegefinger.

– I told you to go, now go!

Pablo brokkede sig på spansk og slog ud efter Johans hånd. Johan vendte siden til og knappede en knap op i skjorten.

206

– Fuck you, sagde Pablo.

Slaget ramte ham på siden af hovedet, og det var ikke ment så hårdt som det blev. Drengen landede på skulderen og rullede rundt, men kom straks efter på benene. Johan kaldte på ham, for at undskylde, men Pablo var allerede for langt væk. Han truede og råbte, spyttede og bandede.

– Come back, Pablo.

– Fuck you, man …

– I have more money for you.

– Fuck you. Pablo rundede et hjørne.

Johan så efter ham, men satte sig så på en sten. I ti minutter sad han og gloede ud i luften. Så kom Pablo tilbage, nu i selskab med en lidt ældre dreng. Formentlig hans storebror. Johan så op på dem. Den store dreng havde fat i Pablo.

– This is my brother, sagde Pablo uden at se på nogen af dem.

Storebroderen nikkede opfordrende til Johan.

– Dollars? sagde han.

Johan kom på benene. Han spurgte hvordan Rodriguez så ud? Hvor gammel han var? Hvordan han gik klædt?

– Like you, sagde Pablo, – maybe a little older. Smaller … beard, black and grey beard … white skin … from Canada, I think.

– From Canada?

– Si. Maybe. I don't know.

Broderen sagde si si, Canada. Han havde også ringe på fingrene. Alle turister, alle europæisk udseende turister var tilsyneladende fra Canada. Måske var de i stand til at skelne europæere og canadiere fra russere. Señor Rodriguez var med andre ord ikke cubaner. Måske syrer. Måske spanier.

– Do you know what he did? What kind of work he had?

– No work. I think he writes a book, maybe.

– Si si, a book, sagde broderen, der stadig havde fat i sin lille engelsktalende guldgrube.

Johan nikkede og fandt en 5-dollarseddel frem. Den så ikke ud til at tilfredsstille dem. Den store tog sedlen med alle tegn på skuffelse.

– Please mister, sagde han og rullede med øjnene.

Johan så på Pablo.

– Tell him, I kill him, if he stays one minute more.

Pablos blik åbnede sig som en vifte. Lidt efter var de væk. Han stod lidt og vippede på fødderne og stirrede på den gråbrune paddehat af forurening, der hang over Centro Havana.

Så gik han ned mod hjørnet til Agua Dulce, hvor han fandt en sval bar, et dunkelt, åbent lokale hvor man kunne få kaffe, rom eller bare mineralvand. Han tog det sidste. I alt fem, små glas. Indehaveren ville ikke have nogen penge, men fandt det åbenbart rigeligt at kunne stå og more sig over den forpinte turist, der led i varmen. Han sagde et eller andet på spansk. Johan nikkede og lagde alligevel nogle centavos på disken.

Han begyndte at vade ned ad Calzada de Buenos Aires, men ombestemte sig og gik tilbage til Trinidad, hvor han straks fik øje på en stor, lyseblå Buick, der holdt parkeret foran huset med de to palmer. Motoren gik i tomgang og en velklædt kvinde i noget, der lignede en spadseredragt, stod i samtale med den fede kone med det japanske armbåndsur.

Johan satte farten op. Iagttog manden ved rattet, der i det samme smed et skod ud ad vinduet. Kvinden steg ind i bilen, der rullede ned mod Johan, der ugenert gloede ind på bilens bagsæde, hvor to små piger sad i hver deres kanariegule kjole. Med hver deres sorte violinkasse.

Nøjagtig tyve minutter senere stod han atter i den gabende hal på Allende-Hospitalet, hvor kvinden i den blå kittel var blevet afløst af en anden kvinde i en blå kittel. Han gik over til den brede stentrappe og begyndte eftersøgningen.

Hospitalet var stort og uoverskueligt i al sin ensartethed. Hver etage, hver afdeling lignede hinanden til forveksling og indtrykket var midt i systematikken forstemmende. De blå og hvidklædte plejere vimsede frem og tilbage mellem patienterne, hvis sygdomsbillede ikke vidnede om nogen rubricering.

Til sidst greb han fat i en yngre læge.

208

– Excuse me, do you speak English?

– Yes, can I help you?

Johan nikkede taknemmeligt og tørrede sig over panden. Kvinden smilede imødekommende.

– I am looking for a friend of mine, and it is very important that I find him as quickly as possible.

– Yes, and what's wrong with him?

Johan stirrede på den unge kvinde.

– I don't know. You see, ... I was just told, that he was here ... and ... ehh ... his name is Rodriguez.

– What is his first name, please?

– His first name, arhh yes, is is John. John Rodriguez.

Han smilede bredt til hende. Måske en smule anstrengt.

– I'll see what I can do. Please follow me.

De gik hen til et kontor eller en vagtstue, hvor lægen ringede rundt for at lokalisere señor John Rodriguez. Kort efter lagde han røret på.

– I am sorry, but it seems that we only have a Juan Rodriguez and a Emilio Rodriguez. Are you quite sure that it is the right hospital? There are several in Havana, you know ...

Johan sagde, at der måtte foreligge en misforståelse.

Lægen trak på skuldrene og sagde, at Juan Rodriguez lå inde for at få reguleret sin sukkersyge og at Emilio led af en nyresygdom.

Johan nikkede og tørrede sig over panden. Lægen begyndte så småt at bakke væk. Johan løb efter ham.

– I don't know all the patients, sagde lægen. – Maybe if you come back at seven o'clock. Ask the women in the office in the groundfloor ...

– Yes, yes, nikkede Johan. Desværre har jeg ikke tid til at vente. – Where can I find ... Emilio Rodriguez?

Lægen svarede at medicinsk afdeling 2 lå på fjerde sal. Måske var patienten flyttet til kirurgisk.

Fjerde sal lignede anden sal og tredje sal og alle de andre hospitalsgange. Han gik derfor direkte ned til Vagtstuen og spurgte efter sin gamle ven Emilio.

Sygeplejersken så træt på ham og skrev et stuenummer ned på et stykke papir. Hun var i gang med at spise en tomat og et stykke brød.

Kort efter skubbede han døren op til fire sengs stuen, der var malet i en gråblå farve. To af sengene var tomme, og i en tredje, placeret midt på gulvet, lå en gammel mand og sov med åben mund. Hans tænder stod i et glas med vand. Johan stod et øjeblik og kiggede på manden og fikserede så den fjerde seng, der stod skjult bag en stor, hvid skærm. Han gik tværs over gulvet, men tøvede så foran skærmen. Et ganske kort sekund, en intuition i bevægelsen. Han så sig tilbage og undrede sig. Hvorfor fjerner du ikke skærmen, Johan Klinger, rungede det i hans hoved. Bedst ikke at vide, mumlede en anden stemme. Han trak vejret dybt og flyttede den hvide væg og stirrede ind på den brede jernseng, hvor en mørkhåret, temmelig langhåret mand lå med ryggen til. På den venstre side af sengen hang en plasticpose med mørkt blod, tilsyneladende i forbindelse med mandens venstre nyre. Johan gik langsomt rundt om sengens fodende og trådte med ryggen mod væggen frem til hovedgærdet og mærkede et fysisk slip i mellemgulvet. Et kort klip i knæhaserne, der fik ham til at klaske ryggen mod væggen, hvor han stod og trak vejret i små stød, mens han stirrede på Emilio Rodriguez, der var identisk med musiklæreren Wesley Hardinger.

Han havde tillagt sig et sirligt skæg rundt om munden og var naturligvis en del mere solbrændt, måske en smule tyndere. Johan vædede læberne, da manden i sengen slog øjnene op. Langsomt drejede han blikket op til Johan, og blikket var mindre forbløffet end man umiddelbart skulle forvente. Til gengæld stirrede Johan fuldstændig lamslået på den stumpnæsede tromlerevolver Hardinger trak frem under dynen.

– I giver aldrig op, vel, hviskede han.

– Hardinger, måbede Johan og gik et skridt baglæns. Musiklæreren skubbede sig tilbage i sengen. Hans blik hvilede ufravigeligt og en smule søgende på Johan, der tænkte, at på den afstand kunne ingen undgå at ramme, og at et skud med

210

sådan et våben næsten automatisk ville være dødeligt.

Hardinger så træt ud. Træt, men viljefast. Måske havde han slet ikke sovet, men blot ventet.

Han stemte sig op at sidde. Et lille satanisk smil bredte sig på hans smalle læber.

– Vores fælles bekendt er mere naiv, end verden tillader nu om stunder, sagde han med sin velkendte distinkte og meget kultiverede stemme. Selv i en cubansk hospitalsseng bevarede han sin integritet, sit fulde mål af værdighed.

– Jeg fatter ikke, hvordan i al verden ...

Hardinger svarede ved blot at ryste på hovedet, idet han slog dynen til side. Han var nøgen under skjorten. En bred forbinding sad tværs over hans venstre hofte, hvor et blåt plasticrør var stukket ind under det brune plaster, i forbindelse med posen under sengehesten.

– Man prøver at redde min nyre, sagde Hardinger.

Johan lukkede øjnene og stod lidt med håndfladen mod væggen.

– Hvordan går det til, sagde han med ryggen til, – at du ligger her?

Han drejede rundt og så direkte på Hardinger, der smilede.

– Jeg ville tro du ville ha spurgt om hvorfor ... jeg ligger her; men det ved du vel allerede.

Hardinger kneb øjnene sammen. Imens sagde Johan, at han vidste forbløffende lidt.

– I så fald, står det meget slemt til, sukkede Hardinger.
– Men jeg tror du bluffer, Klinger. Det var Klinger du hed, ikke?

Johan nikkede og sagde, at han ikke bluffede. Det værste er, mumlede han for sig selv, at jeg heller ikke aner, hvem jeg skulle bluffe.

– Måske er du præcis så naiv og troskyldig, som man har fortalt mig. Jeg kan næppe tro det.

– Er du stukket af fra fængslet?

Hardingers smil bredte sig nu til øjnene.

– Nu tager vi een ting ad gangen, sagde han.

Hardinger verfede ham af og trak med den frie hånd ned i skjortens halsudskæring. Johan bøjede sig frem og stirrede på et langt, snoet ar syet med sorte sting, der strakte sig fra nøglebenet til venstre armhule.

– Jeg kan til din oplysning fortælle dig, at det er et meget kedeligt sted at blive snittet, forklarede musiklæreren. – En pulsåreblødning i armhulen er faktisk ikke til at standse. Den er med andre ord dødelig.

– Ved du ... hvem, der ...

– Ja ja da Og det gør du sikkert også.

Johan rystede på hovedet og trak vejret dybt et par gange.

– Jeg ved som sagt forbløffende lidt, mumlede han.

– Det var et held, at jeg boede så tæt på hospitalet, sagde Hardinger.

– Hvem stak dig ned, spurgte Johan stædigt.

– Det gjorde din ven, hr. Stern.

Et kort sekund så han dem for sig. I mørket, vende rundt, som under vand. Den store, professionelle Victor Stern. Han har en kniv i hånden. Og den klejne musiklærer, utrænet og rådvild. Et let bytte. Blodet, der plasker ned på gulvet. Stern der løber hen ad den mørke gang i det grønne hus med de to palmer. Åbner døren. Varmen og lyset, som falder ind på pølen. Og manden, der måske hedder Hardinger, måske Rodriguez, måske Mehmet eller Yüce?

Og Victor Stern prajer en taxa og kører tilbage til hotel Marazul og skifter skjorte og spiser kylling, og imens transporteres musiklæreren til hospitalet, hvor lægerne kaster sig over den kraftige blødning og snitsåret i venstre nyre. Måske arbejder de hele natten. Og måske sidder Stern på sin altan og skuer ud over Santa María del Mar og tror at alting er i orden. Måske aner han ikke, hvem han har overfaldet, måske ved Stern det hele. Men da Johan Klinger kommer for at spørge ham, ligger han på sengen med et sort hul i tindingen, skudt af gud ved hvem?

Og om lidt er turen kommet til mig, tænker Johan og fikserer Hardinger, der rent faktisk slet ikke burde befinde sig i Havana, men derhjemme, bag lås og slå.

Hardinger så indgående på ham og nikkede svagt.

– Jah, det er svært, ikke sandt? Og egentlig var jeg ikke så utilfreds med at blive indlagt. Stern kunne jo komme igen. Jeg mener, Havana har mange øjne og Cerrokvarteret har mange munde at mætte, og med lidt US-dollars kommer man langt. Jeg mener, du står jo her, ikke, Klinger? Måske var du bare ude for at sikre dig, at din kollega havde gjort sit arbejde tilfredsstillende? Eller er det hele forkert? Du siger ikke så meget hr. politimand ...

Johan så på ham.

– Jeg ved ikke, hvad jeg skal tro.

– Det er i grunden ejendommeligt, sagde Hardinger. – Man bruger al sin energi og al sin koncentration på at frigøre sig fra normer og konventioner, fra sin arv og sit miljø, inden man omsider er blevet sig selv. Det originale produkt, det individuelle menneske, og så er tiden gået. Har du nogen sinde tænkt over det? Pludselig, så ligger man der. Og så er det saftsuseme for sent. Viseligt indrettet, ikke sandt, Johan? Jeg håber det går an, at jeg kalder dig ved fornavn. Vi er jo på en måde relaterede.

– Behøver du pege på mig med den der?

– Jeg mener, det er så utrolig uopfindsomt bare at dø. Så banalt og trivielt. Og omsonst. Man ville jo helst ha fundet ud af det hele ... inden. Og så pludselig, blop. Måske har jeg alle dage været nihilist. Inderst inde tror jeg dog, at jeg ville ha foretrukket en eller anden form for ... jeg vil ikke sige tro, det er så vulgært, men overbevisning. Har du nogen sinde været til en katolsk messe, Johan? Nej, det fører for vidt. Jeg kan godt lide Cuba. Hardingers blik pejlede sig hen over loftet. – Og jeg er ligefrem begejstret for Havana. Han så direkte på Johan. Blikket var brændende. – Folk er præcis så musikalske, som jeg havde ventet. Og disciplinerede. Han argumenterede og gestikulerede med revolveren. – Midt i al dovenskaben. Men man indretter sig.

Han drak en tår vand.

– Jeg faldt til. Nu havde jeg været her før. Tre gange, faktisk, og kendte sågar nogle lærere på Musikkonservatoriet. Livet var så småt ved at blive meningsfyldt. Ikke let, gudfaderbevares, men meningsfyldt. Jeg havde fundet et sted at bo, nogle rare mennesker, et levebrød, og Teresa ikke mindst. Måske er det mig, der er naiv, Johan. Måske er det slet ikke dig. Hardinger så på sine hænder. Revolveren lå imellem dem.

– Og så dukkede denne Stern pludselig op.

Johan spurgte om han eventuelt måtte tage en tår af vandkaraflen.

– Naturligvis, alt det du vil ...

Johan drak næsten det hele.

– Du blir ikke syg af det? spurgte Hardinger.

– Sikkert, svarede Johan og tørrede sig over munden.

– Tid er noget besynderligt noget. Især når man ligger her. I nat lå jeg og tænkte på Stern. Det lyder fjollet, men jeg tænkte på ham som manden med leen.

Johan satte sig med siden til. Hardinger trak fødderne til sig.

– Teresa, sagde han, – er min nye kone. Hun har en lille pige. Pragtfuld unge. Hun er selvfølgelig alt for ung til mig. Men man lader sig jo forkæle.

– Hardinger ...

– Først troede jeg, at I bare ville holde øje med mig. Ja, egentlig tror jeg, at jeg havde ventet noget i den retning. Men Teresa! Hardinger rystede smilende på hovedet. – Hun var af en helt anden mening. Hun er også rundet af en mere dramatisk strand. Men efterhånden lod jeg mig overbevise.

Hardingers stemme blev fastere. – Det er jo såre indlysende. Oplagt. Og da vi første gang så den nydelige mand herude i Cerro, blev vi klar over, at han mente det alvorligt. Jeg brød mig ikke om det, men Teresa fulgte efter ham. Til Santa María Del Mar. Til et nyt hotel ved navn Marazul. Hun kommer hjem til mig hver nat. Der er een til, hvisker hun. Stern har en makker på Marazul. Han er ikke bevæbnet. Hvordan Teresa finder ud af den slags, interesserer mig ikke, hr. Klinger. Men en aften beskriver hun denne kollega for mig, i fald han en dag skulle dukke op. Han er høj, slank,

214

blond og veltrimmet. Midt i trediverne. Politimand helt ud i neglerødderne, som Teresa udtrykte det. Beskrivelsen forekommer mig bekendt. Jeg er god til ansigter, og pludselig ved jeg, hvem denne mand er. Ja, faktisk har han stået i min lejlighed, engang for tusind år siden. Sådan føltes det. Nu er han på Cuba sammen med den erfarne sporhund, señor Stern. Ja, vi holdt øje med hinanden, señor Stern og señor Rodriguez. Egentlig ville jeg helst ha heddet Rodrigo, efter Joaquin Rodrigo, men det fandt jeg for anmassende, for blasert for en lille musiklærer.

Hardinger smilede træt og bad Johan trække skuffen ud i det høje bord ved siden af sengen. I skuffen lå en toilettaske, en spansk parlør og en lille æske med spillekort.

Hardinger bad Johan åbne den lille parlør.

– Inde i midten finder du et dårligt fotografi af min elskede. Hun er 24 år. Fra Jamaica. Min skytsengel.

Hardinger så væk og tilføjede, at alle mennesker trængte til at have nogen at leve for.

Imens lagde Johan fotografiet fra sig på bordet og så ned på sine fingre. Hardinger bad ham trække den hvide taburet ud, der stod under sengen. Og da han satte sig på den, fik han pludselig en voldsom trang til at græde. Ikke for at kondolere, men fordi han var ked af det. Så satans ked af det.

Hardinger så på fotografiet. Den lille, spinkle mand i den store seng, og Johan tænkte på den smukke Teresa, der sad med tungen ud af munden på værelse 302. Señor Lucas' toiletgulv.

– Jaja, sukkede musiklæreren. – Og nu er det din tur, Klinger. Er der noget du ikke forstår?

Johan så på ham.

– Jeg forstår ikke, hvordan …

Han rejste sig op og satte sig ned igen.

– Jeg forstår ikke ret meget af det hele, er jeg bange for. Men du kan jo begynde med at fortælle mig, hvordan det kan gå til, at du pludselig kan starte et nyt liv i Havana, når du har tilstået et mord, ja hele to mord derhjemme.

Hardinger sukkede og så ud ad vinduet, ud på den blå

himmel. Det var et længselsfuldt blik, der et øjeblik fratog ham koncentrationen. Uden lyst løsrev han sig, og stirrede stift frem for sig.

– Tjah. Det er et godt spørgsmål. Svaret er endnu bedre, men jeg er ikke sikker på, du bryder dig om det. Hans åndedræt blev hurtigere, og en sitren af bevægelse bølgede hen over hans ansigt. En pludselig og tilsyneladende grundløs sorg lagde sig i hans blik. Et langt øjeblik lå han bare og trak underlæben ud og ind, inden han med en kraftanstrengelse så direkte på Johan med et tappert smil.

– Det er underligt, hviskede han, – så naiv man trods alt er. Og blød. Vores fælles bekendt siger jeg er en håbløs gammel romantiker. Jaja. Men, Klinger, fortæl mig først, hvorfor du er på Cuba. For du er vel ikke på ferie?

– Jeg er her for at finde Comos morder, sagde Johan ligeud.

Hardinger lukkede øjnene og trak vejret dybt.

– En syrer, fortsatte Johan, – ved navn Mehmet.

– Skulle han være i Havana? Hardinger åbnede øjnene langsomt.

– Det er den forklaring jeg har fået.

– Ja, det er vel den officielle forklaring, sukkede Hardinger.

– Den officielle forklaring?

Hardinger nikkede og så ud ad vinduet. Nu helt uden længsel.

– Netop, netop Klinger. I øvrigt, han så på Johan, – i øvrigt har du fået mig overbevist. Jeg tror vores fælles bekendt har ret. Det har hun som regel. Om det så skulle være til det gode, det aner jeg ikke.

Han lagde revolveren på bordet. Johan så på den. Det var et amerikansk våben af ældre dato. En kortnæset Colt 38. Ikke noget ringe våben.

Hardinger så op i loftet og bad Johan lægge skyderen ned i skuffen.

– Jeg plejer at ha den i min toilettaske. Det er derfor den er så stor. Nu må jeg undvære mine parfumerede flakoner, og

216

det er plagsomt for en mand, der er så forfængelig som jeg. Musiklæreren smilede, men skar en grimasse. – Ja, råbte han, – jeg kan lide de dufte man kan købe på flaske og hælde i håret eller duppe i ansigtet. Havana er for forurenet til at dufte behageligt. Synd med alle de frugter. Han så på Johan. – Og jeg kan lide smukke kvinder, god musik og ædel vin. Han så atter ud ad vinduet: – Der er visse mangler i denne by, men den har også sine fordele.

– Hvor har du revolveren fra?

– Fra en ven. Hardinger flyttede ikke blikket og ændrede ikke tonelejet. – Jeg har faktisk sådan nogle, Klinger, venner.

– Du ville fortælle mig noget før, angående hvorfor du …

– Jeg kan fortælle dig, hvorfor Victor Stern er i Havana, afbrød Hardinger, idet han fikserede Johan. – Med hensyn til dig, Johan Klinger, så er vi nødt til at gætte. Medmindre du lyver og har samme opgave som Stern.

– Jeg lyver ikke. Jeg orker ikke, at … Johan bukkede hovedet.

Hardinger lagde hånden under hans hage. En mærkelig alfaderlig gestus.

– Jeg fik pludselig lyst til at røre ved dig, sagde han stille. – Jeg burde nok ikke stole på dig, Klinger, men I guder jeg gør det alligevel. Måske er vi to slet ikke så forskellige, som man skulle tro. Mærkelige skæbne … er du meget ambitiøs?

– Hardinger, sagde Johan utålmodigt.

– Ja, jeg ved jeg sludrer. Undskyld mig. Men denne næsten religiøse tillid til systemet og dets magthavere, alle de grå embedsmænd, alle de små beslutningstagere, på hvert deres niveau. Jeg skal forsøge at forklare, hvordan tingene hænger sammen. Med hensyn til hr. Stern, så er det såre enkelt. Han er i Havana, for at lokalisere mig, Wesley Hardinger. Opgaven var ikke svær for en mand med Sterns evner. Hardinger så op i loftet. – Han stod en aften i korridoren. Jeg havde netop sendt tre små piger ud i Havanas lumre aften. De havde øvet skalaer en hel time. Jeg var dødtræt. Og dér stod han så i det algegrønne mørke. Jeg aner ikke, om jeg gjorde modstand. Nu var jeg heldig at ha folk omkring mig og at bo så tæt på et hospital. Det er vigtigt, når man hverken har bil eller telefon.

– Men Hardinger, brød Johan ind. – Hvordan i alverden kan det lade sig gøre, at du er på fri fod? Blev du hjulpet ud af fængslet? Men det var måske slet ikke dig, der slog Rose Valentin ihjel?

– Joh, det var mig. Forstår du, Klinger, jeg giver mig ikke af med at lyve. Og det skaber problemer for et system, der har bygget et helt net op omkring løgnen. Hr. Mahler og hans folk gjorde virkelig et dygtigt stykke arbejde. Det ligefrem vrimlede med psykologer og psykiatere. Jeg har ikke forstand på den slags, men på et tidspunkt gik det vel op for dem, at jeg ikke havde til sinds at knække.

– Knække?

– De første dage var interessante, senere blev det trivielt. De påstod hårdnakket at jeg løj. At Como aldrig havde været i „Masken".

– Men Como blev jo skudt med et helt andet våben end Rose Valentin? Hardinger nærmest svingede blikket over på Johan, der så væk i et forsøg på at skjule sin egen tvivl. Forklaringen på Hardingers tilstedeværelse dukkede op som et fotografi i fremkaldervæske.

– Til sidst blev jeg kørt et eller andet sted hen. Hvor aner jeg ikke. Vi var kun mig og hr. Mahler og to andre. De to andre sad bag en skærm. Ja, det lyder godtnok mærkværdigt. Men sådan foregik det.

– Og du aner ikke, hvem de var?

– Jo, den ene var vores distingverede justitsminister. Han har nogle meget karakteristiske stemte s'er. Den anden er jeg usikker på.

– Hvad ... talte I om?

– Om mordet på Como. Mahler talte også lidt om ansvar og fædrelandskærlighed. Jeg tror egentlig han mente det.

Johan hældte lidt vand op og drak det langsomt.

– Til sidst sagde Mahler, at han var parat til at indgå en aftale.

Johan rejste sig og trådte hen til vinduet, hvorfra han

kunne se ud over det distrikt, der hed Jesus Del Monte. Helt ud til det blå hav. Han tænkte på Mahler, og på Mahlers kontor. Og på chefen for S.P. og på opholdet på hotel Bel-Air. Og på lille tykke Otto Volmar, som hele tiden havde haft ret. Pessimister har gode odds. Og han tænkte på den aften, da han og Otto stod i Hardingers soveværelse. På den aften, da de to temmelig ordinære betjente fandt manden, der skød Albert Como.

Han så på Hardinger, der studerede sine negle.

– Tænke sig, en aftale. Jeg var parat til at ta min straf, selv om det aldrig havde været meningen at krumme så meget som et hår på Comos hoved. Det er jo ... forfærdeligt. Og det var en grusom ... fejltagelse. Men hvordan skulle jeg kunne vide, at udenrigsministeren færdedes i Valentins gemakker? Så vidt jeg kunne forstå, blev han afpresset, jeg ved det ikke. Det interesserer mig sådan set heller ikke. Rose Valentin havde ingen eksistensberettigelse. Hun udnyttede små piger og hun udsugede deres kunder. En meget indbringende forretning. At bilde folk ind at de er anonyme, fordi de har masker på. Især hvis man har indrettet det sådan, at der er skjulte fotoapparater i det lokale, hvor de atter blir sig selv og forlader etablissementet. Og især hvis kunderne har et ry og rygte at beskytte. Flere højtstående politifolk og parlaments-medlemmer havde deres gang hos Mercedes Benz.

– Hun var vel ikke alene om det?

– Jeg ved ikke, hvad hun var. Jeg ved kun, at det var hende pigerne frygtede. Hende der prygglede dem, og hende, der fik dem til at vågne badet i sved om natten. Jeg ved I kalder det for selvtægt, jeg kalder det for moral. Og jeg var parat til at tage min straf for det jeg havde gjort.

– Mahler påstod, at du havde forbindelse til en syrisk terroristgruppe.

– Åhgudja. Man skal jo ha en og hænge op på det. Man tror det er løgn. Det er det ikke. Mahler havde selv pro-blemer. Han kaldte det for landsforvisning. Ejendommeligt ord. Ren anakronisme. Passer fint til en som mig.

– Man ville for enhver pris undgå at sværte Comos navn

til, sagde Johan.

– Det var en handel. Ikke særlig ren i kanten, men en handel. Jeg erkender at min retsbevidsthed den dag fik et knæk, og tro mig eller lad være. Jeg var ikke sikker på, at jeg ønskede at deltage i deres handel. Men gjorde det for Comos skyld. Jeg havde intet udestående med ham. Og desuden, så var udsigten til et langt liv inden for fængslets mure bestemt ikke fristende. Det var vel en rimelig handel, for alle parter.

Hardinger åbnede skuffen og tog den lille æske med spillekort.

– Jaja, så langt så godt, som man siger. Se engang her, Klinger: Man bliver så filosofisk af at ligge og vente på døden. Det her er et sæt spanske spillekort, ganske almindelige i den spansktalende verden. Da spanierne kom til Cuba havde de kortspillet med. Vi kender Canasta, ikke sandt? Men efterhånden opfandt cubanerne selvfølgelig deres egne kortspil. Også en kabale. Er du interesseret i kortspil, Klinger?

Johan svarede, at det var han sådan set ikke. Der er tusind løse ender, tænkte han, og manden har muligvis ret, men han er også gal.

– Den cubanske kabale vil interessere dig, eftersom sandheden interesserer dig. Hardinger så alvorligt på ham. – Den afviger fra alle andre kabaler derved, at den ikke kan gå op. Medmindre man snyder. Det geniale er, at man hele tiden er lige ved. Man sidder i timevis og spiller og siger til sig selv, nu er den der, og så, nej. Hvad så? Så må man snyde!

Hardinger havde lagt kortene ud i en vifte, men samlede dem sammen igen.

– Hr. Mahler og hr. Justitsministeren og hele statsapparatet spillede cubansk kabale. De snyder, hviskede han. – Tænk, at man i min alder stadig kan føle skuffelse over den slags.

Han lå lidt.

– Lige fra starten vidste de, at hvis kabalen skulle gå op, så blev det uden Wesley Hardinger. Så man sender ham til Cuba. Efter eget ønske. På livstid. Frit lejde. Man har tillid til ham. Mahler og jeg blev enige om remis. Og da jeg sidder i

220

flyet tænker jeg, at man sikkert vil lukke Comosagen. Måske vil man straffe en helt anden. Det bekymrer mig. Men jo længere væk jeg kommer, jo nemmere blir det at fortrænge. Jeg begynder på en frisk i Havana. For hver dag der går, slår troen på at det skal lykkes, rødder. Det er et nyt liv, Klinger. Nye muligheder. Jeg møder Teresa. Jeg vil endda gå så vidt som til at sige, at den gamle musiklærer bliver forelsket. Min fantasi slår imidlertid ikke til. Jeg overser ganske, at man har arbejdet med en sideløbende, hemmelig plan. For næppe er jeg etableret, førend señor Stern dukker op. Og señor Klinger. Og pludselig en eftermiddag står den ene i min korridor med en kniv.

Hardinger så op på Johan, der nikkede.

– Jeg er selvfølgelig klar over, at det kun er et spørgsmål om tid, så står han her på stuen. Men nu er jeg forberedt. Og jeg er bevæbnet. Men der er ikke mange vagter om natten, og min skydefærdighed lader meget tilbage at ønske. Da jeg så dig dukke frem, tænkte jeg, at Stern havde sendt sin elev for at gøre det beskidte arbejde færdig.

– Stern er død, sagde Johan stille.

Hardinger stirrede på ham. Så så han op i loftet og gjorde en synkebevægelse.

– Teresa, mumlede han. – Jeg troede ikke hun kunne gennemføre det.

Johan så væk.

– Hun har været på hotel Marazul de seneste dage. Det vil sige, når hun ikke var på tobaksfabrikken. Måske var turen også kommet til dig, Klinger. Havde det ikke været for vores fælles bekendt. Ind imellem har skæbnen en bizar måde at blande kortene på.

Johan så på den nu dødtrætte mand, da døren ind til stuen gik op. En gruppe plejere kom ind med en læge i spidsen. Skærmen blev trukket bort.

– Oh, you have a visitor, smilede den gamle læge.

– A friend, smilede Hardinger og så alvorligt på Johan, der rejste sig.

– En sidste ting, inden jeg går, sagde han og tog Hardingers udstrakte hånd. – Angående Hannah …

Hardinger nikkede og smilede.

– Hun må selv forklare dig det hele, sagde han. – Hun kom vist ud af landet i al hemmelighed. Du skal dog vide een ting mere: Jeg stillede en betingelse for at tie. De krævede jo, at jeg aldrig mere måtte vende tilbage. Og det accepterede jeg. Men jeg måtte se min søn igen. Jeg har forstået, at du kender Rune …

Johan nikkede.

Imens skiftede en sygeplejerske Hardingers plasticpose. Lægen så til, mens en anden gik i gang med at skifte hans forbinding.

– Jeg brød min del af aftalen, sagde Hardinger og lagde sig om på siden. – Jeg gav ham et brev med min adresse på. Intet menneske kan tage afsked med sit barn uden at bevare håbet om at mødes igen. Og Rune vidste selvfølgelig intet om omstændighederne. Jeg måtte efterlade en besked. Og jeg gjorde det med god samvittighed.

Johan så på lægen, der trak et par gennemsigtige handsker på.

– Hun bor på et lille, temmelig kedeligt hotel ved navn Deauville. Værelse 9. Jeg foreslår du tager en taxa, du finder det aldrig selv. Hils hende fra mig, Johan.

Johan nikkede og gav Hardingers hånd et sidste klem.

– God bedring, sagde han. – Til vi ses igen.

– Pas godt på dig selv, Klinger, svarede Hardinger.

22

Da den gule taxa rullede ind til kantstenen foran hotel Deau-
ville gjorde Johan sin beholdning af dollars og centavos op,
idet han skulede til det lille, indeklemte skiddenrosafarvede
hus med det flakkende neonskilt. Lidt efter var taxaen væk.

Mit humør er i bedring, sagde han til sig selv og fikserede
indgangen. Musiklæreren Hardinger har gjort mig, om ikke
glad, så lysere til mode.

Han skubbede døren op med skulderen og kom ind i et
dunkelt rum med en sort skranke, hvor en hvidhåret neger
sad og gloede på et fjernsynsapparat, der reklamerede for et
eller andet medicinsk produkt.

Med siden til Johan sagde han noget på spansk, som Johan
oversatte til „har ikke tid".

Han gik hen til trappen.

Hvis Hardinger talte sandt! Hvorfor skulle jeg tro ham,
hvorfor skulle manden fortælle mig sandheden? Fordi han
har været gift med Hannah! Fordi Hannah er på Cuba, i
Havana, på hotel Deauville, på hvis slidte trappetrin jeg
netop sætter min ene fod.

Han standsede på reposen og gned øjnene. Nedenunder
blev der skruet op for musikken. Receptionisten var i gang
med programvælgeren. Victor Stern ligger skudt på Mara-
zul! Min kollega, der er sendt ud af Comogruppens chef,
ligger med et hul i hovedet på min seng.

Hardinger kan være identisk med fantombilledet Mehmet!
Teresa kan være et dæknavn for Ismet, og „tyrken Yüce"
hedder muligvis Hannah.

Han ser hende på fotografiet, i en støvet grøn armydragt.
Den er lidt for stor. Solen skinner, det er bagende varmt. På
bagsiden af billedet har hun streget Damaskus ud. Damas-
kus!

På første sal stirrede han ned ad en lang, smal gang med en umiskendelig lugt af rådden fisk. Fra et af værelserne lød der en hidsig diskussion. En eller anden fik en øretæve. Derpå stilhed.

„Verdens farligste trojka", siger Victor Stern. Men Stern havde haft en hemmelig alliance på Marazul. Nemlig señor Lucas. Han havde forsynet Stern med en revolver og slået pigen Teresa ihjel.

Hvis Hardinger havde en forbindelse til Mehmet, var det på tide at få lokaliseret Lucas. Måske ledte han efter Johan lige nu.

Tilbage står, at Hardinger er på fri fod. Et faktum der trumfer enhver teori. Tilbage står, at Stern har ført, ham Johan, bag lyset, og at Mahler har løjet. Medmindre Hardinger er hjulpet ud af landet. Er det sådan det er gået for sig? Musiklæreren med den farlige viden, bliver hjulpet ud af fængslet af Mehmet og hans folk. Mahler er nødt til at tie og sender Stern, Klinger og Lucas ud for at finde den undvegne og slå ham ihjel. Hannah regner sammenhængen ud og rejser til Cuba for at advare sin eks-mand.

På anden sal var der fire nogenlunde ens døre: 9-11-15-17. Ingen lyde. Ingen lugt, og frem for alt ingen mennesker.

Over den snoede trappe hang et spejl, som enten var beskidt eller itu. Den nederste del var spættet med sorte klatter.

Men indtrykket af Wesley Hardinger var så overbevisende. Man bør stole på sin intuition, siger Otto.

– Kan man overhovedet stole på nogen, mumlede han og gik hen til døren med ni-tallet.

Andre end Stern kunne have stukket Hardinger ned.

Han mærkede pulsen slå hurtigere og hårdere, da han lagde øret til døren. Langt væk rykkede en flyvemaskine fri af den monotont brummende millionby. Og for en gangs skyld var der ingen musik. Ingen samba og ingen bongojazz. På hotel Deauville ser man måske ingen grund til at musicere. – Hannah, hviskede han. Og tog i dørhåndtaget. Døren var selvfølgelig låst. Måske sad hun derinde. Sad på en nøgen divan og ventede. Ifølge planen. Den, der gik ud på, at Hardinger sendte fjolset Johan ud til Deauville, hvor Hannah eller Mehmet eller Ismet sad parat med kuglen i kammeret. Hullet i hovedet. Liget i vandet.

Hannah havde været på Marazul den nat Stern blev skudt.

– Jeg så dig fra min altan, hviskede han til døren, og gik to skridt tilbage og stemte ryggen mod væggen og strakte benet ud. Foden ramte håndtaget og låsen, der gav sig foruroligende let.

Værelset var lille, tarveligt og hurtigt overset. Han så på den uredte seng og følte sig dårlig ved tanken om, at hun havde sovet i den. Hvorfor var hun der ikke?

– Hannah, sagde han og følte rummet replicere.

Hun havde været der. Puden lugtede af hendes hår og hendes krop. I et lille klædeskab hang tre bøjler og dinglede som nævenyttige knogler. Skufferne var tomme, og der var ingen efterladenskaber under sengen. Først nu så han skriften på fliserne over håndvasken ved vinduet. Med rød læbestift stod der: *Bliv hos Wesley i nat.*

Det var hendes skrift. Ingen tvivl om det. Han så på sit ur. Og studerede fliserne mere indgående. Andre beskeder var i al hast tværet ud. Endog hans navn. Behovet efter hende, efter tryghed og hvile, lammede ham nogle sekunder. Savnet satte sig som en knude i maven. Han bukkede sig og lod det kolde vand løbe ned over nakken. Havde før følt slapheden trække opgivelsen med sig, og gav nu efter og tænkte, om de mon nogen sinde kom ud af dette varmehelvede. Han slukkede for vandet og hørte straks skridt på trappen. Det kunne være hende. Det kunne være hvem som helst. Men det kunne også være en, der vidste, at han var der; og som kom for at gøre det hele forbi. Hardinger var den eneste der vidste, at Johan var på hotel Deauville.

Han løb hen til døren og stak hovedet ud. Hvem det end var, så gjorde vedkommende sig umage med at komme så lydløst som muligt fra receptionen til første sal. Johan kunne ikke se manden, men derimod den gamle ved skranken. Det spættede spejl var placeret så man fra lobbyen kunne overskue trappen og afsatsen. Nu lå receptionisten ind over gæstebogen. Skyggen af en mand bevægede sig fra første til anden sal. Johan fik et strejf af ham. Han var mørklødet, bred og alt for mørk til at være kollega til Stern og Johan. Iført mørkeblå bukser, mørkerød poloskjorte og en let jakke, samt et sæt solbriller med gule glas. Manden tøvede et par sekunder. Nok til at Johan kunne nå at finde passet i inderlommen. Nu var der ingen tvivl. Manden der kom, var señor Lucas fra værelse 302, og Johan behøvede ikke læne sig længere ud for at finde ud af, hvad det var Lucas gemte under sit ene revers. Spørgsmålet var om han kom efter Hannah, Mehmet eller Johan Klinger?

Johan lukkede forsigtigt døren og løb hen til vinduet for om muligt at finde en brandtrappe.

Udenfor er der blevet meget stille. Johan traf sit spejlbillede over vasken. Han svedte. Hardinger er fjenden, tænkte han. Hardinger har sendt denne mand. Stern kvalte Teresa, Lucas skød Stern. Lucas er på Hardingers hold. Dobbeltagent. Han stirrer ud ad vinduet igen, men der er ingen brandtrappe, kun et fald fra anden sals højde.

Udenfor er der meget stille, døren er lukket, men ikke låst, for låsen er smadret. Et drevent blik vil straks fastslå, at låsen er sparket ind, og Johan er sikker på, at señor Lucas eller hvem fanden det er, har et meget drevent blik. Han kan næsten fornemme mandens tunge åndedræt. Nu venter vi, begge to. På hotel Deauville i Havana hvor en mand kan dø, uden at nogen kerer sig om det.

Johan vidste, at man altid tøver et par sekunder inden man åbner en lukket dør, specielt hvis man ved, at fjenden står lige bag den. Han bukker sig og tager fat i det matte jernrør under vasken og vrider det fri. Lugten af rådden fisk kommer fra afløbet. Røret måler cirka en halv meter og har en lille krumning i den ene ende. Han vender sig om, da døren med det emaljerede håndtag glider ti cm op. Døren åbner indad. Johan trækker vejret dybt og lister hen til væggen, idet han knuger afløbsrøret i sine svedige hænder. Ude på gangen trækker Lucas vejret i små, dybe stød. Og nede på gaden passerer en bil med radio. Johan hæver røret, og nu kommer døren, langsomt og nølende. Lucas er professionel og forivrer sig ikke. Han ved de ikke vil blive forstyrret, så han skubber blot til døren med skosnuden, men bliver selv ude på gangen. Hvor han kan overskue hele værelset med fingeren på aftrækkeren. Johan holder vejret og flytter sig tyve cm, så Lucas ikke kan se ham gennem revnen mellem dør og væg. En tung lugt af aftershave ruller ind i værelset. En lugt Johan genkender fra værelse 302. Han mærker skjorten klæbe til ryggen, og han fryser midt i heden og føler sveden drive fra håndleddene ned over albuen og op i armhulen. Armen der skal svinge røret begynder at ryste. Han åbner munden for at fylde lungerne, da vinduet smækker op med et brag. Det dirrer og synger i værelset. Johan står foroverbøjet. Samtlige muskler er i alarmberedskab, han ved ikke, om han har råbt. Men konstaterer, at han ikke har gjort sprosserne ordentlig fast, da han ledte efter en brandtrappe uden på huset.

Jeg kan ikke få luft, tænker han og retter sig op.

Og nu kommer Lucas. Med blikket fæstnet på det klaprende vindue. Og han kommer ind med siden til Johan, og med pistolen tæt ind til sig. Johan puster ud og knuger jernrøret, da Lucas standser. Han står en halv meter inde i rummet, en meter fra Johan, og nu vender han hovedet. I brøkdelen af et sekund stirrer de på hinanden, og det føles som timer, da skuddet flænger luften, Johan registrerer at han springer, hører endnu et skud, og skriget fra Lucas, smældet fra røret, splinterne fra brillestellet og drønet, da den tunge krop trækker håndvasken ud af væggen. Lucas tumler rundt, skifter pistolen fra højre til venstre hånd, da Johan rammer ham i brystet med vristen. Og i ansigtet og i lysken. Sekundet efter vælter han baglæns ud på gangen, hvor han raver rundt, inden han finder balancen og løber ned ad trapperne, og falder ned i lobbyen, hvor en lille pige med en avis stirrer på den gamle mand, der stirrer på noget, der ikke eksisterer. Johan vender ryggen til og kommer ud på gaden, hvor han begynder at løbe.

Mørket er faldet på, men varmen er taget til. Om kort tid vil byen synke ned i et koksgråt krater, hvor ansigter og skikkelser, mørke og varme vil smelte sammen i en stoflig digel, kun sparsomt oplyst af byens symbolske vågeblus.

Han løber og han løber, og han tænker på Lucas og Hannah og på kuglen, der fløj så tæt på hans hoved, at han kunne fornemme suset, da den passerede. Og tankerne flyver, for måske begik han en fejltagelse. Måske burde han have talt med Lucas. For måske er vi på samme hold. Han synker sammen ved en bænk i en offentlig park.

Teresa skød Stern. Sådan må det være. Og Lucas kvalte Teresa, da han fandt sin kollega med hullet i hovedet.

Han lagde sig på bænken med ansigtet vendt mod Havanas stjerner. Og han tænkte, jeg ligger på en bænk i Havana og jeg aner hverken ud eller ind, men Hannah er her, et eller andet sted. Han drejede hovedet og så på en gammel mand med en brun papirpose. De stirrede på hinanden, og den gamles hånd dykker ned i posen og finder en rød tomat. Bevægelsen er nænsom. Han har kun dén tomat. Og han rækker den til Johan, der smiler og sætter tænderne i dens bløde kød.

Lidt efter går han i Centro Havana, passerer de oplyste restauranter El Carmelo og Las Bulerias, og ved hotel Habana Libre falder han ind i en taxa og nikker træt til chaufføren.

– Cerro, Hospital Salvador Allende, por favor …

23

Hun sad ved Hardingers seng, med hænderne i skødet, tilsyneladende afslappet og resigneret. Hardinger lå med lukkede øjne. Over sengen hang en infusionsflaske med saltvand, fastgjort til et drop i håndledet. Han så gul ud i huden.

Hannah lignede sig selv. Lyse cowboybukser, krøllet T-shirt, slidte lærredssko. Bare at se hende, gjorde Cuba, Hardinger og Havana mere overskuelig, mere jordnær og acceptabel. Hun løftede hovedet, da han lukkede døren efter sig. En bølge rullede hen over hendes ansigt. Så trak hun vejret dybt, sitrede og kom på benene og gik ham foroverbøjet i møde.

I lang tid stod han blot med ansigtet begravet i hendes hår, hendes duft og hendes hud.

Hun tog hans hoved mellem sine hænder, holdt det fast og bestemt og så indgående på ham.

– Åh, gudskelov, Johan. Hvor er det godt, hvor er det godt. Åh, hvor er det godt, Johan. Hun trak sig ind til ham, med kinden mod hans bryst og holdt fast. Imens fik Johan øjenkontakt med Hardinger, der så fladt på dem.

– Jeg troede jeg var kommet for sent, hviskede Hannah, og holdt ham ud fra sig. – Men vi har tusind ting at gøre.

Han nikkede og strøg sig over panden.

– Wesley siger, at Stern er død. Hun satte sig ved siden af sengen. Som for at demonstrere en eller anden slags solidaritet.

Johan lukkede øjnene et øjeblik, for lynhurtigt at forsøge at indstille sig på et nyt rollehæfte, en ny gruppering, et nyt følelsesregister.

– Ja, det er han også, mumlede han og fandt atter Hardingers dødsensalvorlige ansigt, der stirrede på ham med en splint af skepsis. Måske havde han heller ikke lært de nye replikker endnu.

– Jeg forstår godt, hvis I helst vil være alene en stund, sagde han formelt, – men tiden tillader det ikke.

Johan så på Hannah, der så på Hardinger. Forsøgte hun at undskylde ham? Var det det hun sagde med det lille suk.

– Hvornår forlod du hotel Marazul?

Johan støttede sig til sengehesten. Det kørte pludselig rundt for ham.

Hannah tog hans hånd.

– Vi kan ikke forstå vi ikke har hørt fra Teresa, hviskede hun.

Han flyttede blikket ud over det mørke Havana, så ned på de sparsomme blus, en millionby i mørkelægning, en jungle uden træer. Alle mennesker har en kujon inde i sig, tænkte han. Min er stum.

– Du var jo selv på Marazul, mumlede han og trak hånden til sig.

Hun sad så tæt på Hardinger. En kone ved sin mands sengeleje. To mennesker, der efter lang tids tvungen adskillelse nu træder frem, for at fuldbyrde en fælles opgave.

– Jeg ledte efter Teresa, svarede hun. – Vi var urolige for hende.

„Vi", tænkte Johan. Hvor finder jeg et „vi", jeg kan stole på? Måske var Stern mit „vi"? Måske Lucas, måske Mahler og Otto. Måske er jeg manden uden et „vi".

– Jeg syntes jeg skyldte hendes mor, og Wesley ikke mindst, at ta ud og se efter hende.

Han så på hende.

– Du spurgte efter Stern? Da du var derude …

Det lød som en anklage.

– Fordi vi vidste, at Teresa var ude efter Stern, svarede Hardinger hårdt.

Og Hannah tilføjede: – Jeg fik at vide, at Stern endnu ikke var vendt tilbage.

Johan rømmede sig og gik hen til vinduet med den storslåede udsigt. Imens drak Hardinger et glas vand.

230

– Hvor jeg hader at ligge her, sagde han og så op i loftet.
Hannah tørrede hans pande med en serviet.

Han så på Johan.

– Jeg har et dræn i venstre nyre. Jeg skal ... drikke rigeligt.
Men hvis Stern er død, hvorfor kommer hun så ikke hjem?

Hardinger gentog sætningen et par gange. Hannah så på
Johan. Så ordnede hun Hardingers pude og kyssede ham på
kinden.

Han tog hendes hånd.

– Find hende, Hannah, hviskede han. – Vil du ikke nok?

Hun nikkede.

– Vi kører nu, Wesley, sagde hun blidt. – Vi skal nok få
hende hjem.

Hardinger drejede sig i sengen og så igen på Johan:

– Du ville fortælle mig det, hvis hun var død, ikke Klinger?

Johan følte lufttrykket i rummet kontrahere. Mærkede
Hannahs blik komme og gå. Hardingers desperation. Hele
hans autoritet.

– Var det hende, der skød Stern, stønnede Hardinger. – Så
sig dog noget, menneske ...

Johan slog ud med armen.

– Hvis bare jeg vidste det.

– Det *var* hende, sagde Hannah. – Hvem ellers?

Hardinger rakte hånden ud. Han så ikke på Johan, men
rakte bare hånden ud. En bydende gestus, Johan blev nødt til
at besvare. Han stod på den modsatte side af Hannah.

– Sig mig så, Johan, sagde Hardinger, – sig mig så, hvor
hun er.

– Hun er på værelse 302, svarede Johan stille.

– På værelse 302? Var det Sterns værelse?

– Det tilhører en mand ved navn Lucas, svarede Johan.
Hannah spurgte, hvem Lucas var, og Johan svarede, at det
kunne han også godt lide at vide.

Hardinger slap hans hånd. Munden var sammenknebet.
Der var blevet meget stille. Han så chokeret ud.

– Hvordan ... hvordan, jeg mener ...

– Wesley, sagde Hannah ...

– Jeg vil vide, hvordan de myrdede hende, råbte Hardinger.

– De kvalte hende, sagde Johan ligeud.

Hardinger nikkede og trak en skuffe ud i bordet. Så på Johan:

– Værsgo, sagde han. – Den er ladt. I æsken finder du ekstra patroner.

Johan sukkede og stak revolveren i lommen.

– Og så … vil jeg ikke ha noget imod at være lidt alene, sagde Hardinger værdigt.

Hannah bøjede sig ind over ham og kyssede ham på munden.

Han smilede til hende og klappede hende på ryggen.

– Mozart har vi stadig, sagde han.

Lidt efter stod de uden for hospitalet. Mørket var nu tæt som beg. Hun trak ham med over til den jadefarvede motorcykel, han havde set foran hotel Marazul.

De stod lidt og så i hver deres retning. Han sagde, at der var tusind ting, han gerne ville spørge hende om, men opdagede så, at hun stod og græd. Ret op og ned. Han trak hende ind til sig, i vildrede med sig selv.

– Jeg er bare så ked af det, hviskede hun, – men det er fanme ikke retfærdigt. Det er fanme ikke retfærdigt, at han skal lide sådan. Hvad fanden bilder de sig ind? Hvad er det for nogle mennesker?

Hun pudsede sin næse og trak vejret dybt ind nogle gange. Han så op i luften.

– Bare jeg vidste, hvad pokker der foregik, sagde han.

Hun nikkede.

– Jeg kan hjælpe dig. Et stykke af vejen. Men lige nu, blir vi nødt til at køre ud til Marazul. Jeg har lånt motorcyklen af Teresas storebror.

– Hvorfor skal vi tilbage til Marazul?

Hun satte sig overskrævs på sadlen. Så pludselig meget træt ud.

– Wesley fortalte mig, at Stern lå derude endnu. Det havde

du sagt til ham. Er det rigtigt?

Johan nikkede.

– Vi må ha ham væk, Johan. Det kan du godt se, ikke?

– Væk? Han stod lidt og svajede og tænkte, at han måske kunne sove lidt på turen.

Hun ruskede i ham: – Hvis de ikke allerede har fundet ham, så må han væk, inden hotelpersonalet slår alarm. Og så kommer du aldrig ud af Cuba. Så kommer ingen af os ud.

Han satte sig tungt i sidevognen. Aldrig ud af Cuba.

Hun startede maskinen.

– Jeg har Lucas' pas, råbte han.

– Hvor er dit eget?

– Det har han.

– Har du slet ingen anelse om, hvem han kan være?

– Jeg tror, nej jeg ved, at han er fra Madrid. Og jeg tror, at han forsynede Stern med en Beretta. Hvordan de er hægtet sammen, ved jeg ikke.

Hun slukkede motoren. Så indgående på ham.

– Ved du ikke, om han var på jeres hold?

Johan sukkede og gned sig i ansigtet.

– Gider du høre på, hvad jeg har lavet i dag, sagde han.

– Fortæl mig, hvad du har lavet i dag. Hendes stemme lød en smule hård, en smule irritabel og en smule utålmodig.

Han lukkede øjnene og lod sig falde tilbage i det umage sæde.

– Dagen starter med, at jeg finder liget af Victor Stern. Min fornemme kollega. Han har et hul i tindingen. Formentlig skudt med sin egen Beretta. Bagefter finder jeg liget af en ukendt pige. På Lucas' værelse.

– Teresa, afbrød Hannah.

Johan nikkede.

– Jeg går ud fra, at hun har likvideret Stern, hvorefter señor Lucas har ordnet hende. Det forklarer også forbindelsen mellem Stern og ham.

– Vi kan ikke lade Wesley ligge deroppe alene, Johan.

Johan åbnede øjnene.

– Og vi kan ikke lade Stern ligge og rådne på Marazul.

– Jamen kan du ikke se, det der ikke lykkedes for Stern, nemlig at myrde Wesley, det står Lucas nu parat til at fuldføre.

Johan sukkede og rystede på hovedet, og tænkte, at trætheden snart måtte kamme over.

– Det er ikke så ligetil, mumlede han. – Forstår du, efter jeg havde fornøjelsen af at møde Wesley Hardinger, fordi jeg fulgte Sterns spor, og tog til huset i Trinidad, så foreslog han, at jeg kørte ind til hotel Deauville for at hente dig.

Hannah sagde, at hun aldrig ville sætte sine ben på det sted igen.

– Der, fortsatte Johan, – mødte jeg helt tilfældigt señor Lucas. Han havde Berettaen med, og var enten ude efter dig eller mig. Jeg havde ikke tid til at spørge ham.

Hannah så frem for sig. Så vendte hun helt rundt i sædet.

– Johan! Se på mig. Og hør godt efter! Vi har ikke så meget tid, du og jeg, i hvert fald ikke lige nu. Du blev chokeret over at møde Wesley, ikke? Og det er vel gået op for dig, at Stern udelukkende var i Havana for at gøre ham tavs, ikke? Er det så så fandens kompliceret, at regne ud, hvad Lucas er udset til at gøre?

– Hvad Lucas er udset til at gøre?

– Sidder du og sover? Vidste du noget om en Lucas fra Madrid? Nej, det havde hverken Mahler eller Stern fortalt dig om. Vidste du noget om Wesley? Nej, du var på jagt efter Comos morder.

Johan følte trætheden lette. I løbet af sekunder var han klar som en frostmorgen.

– Lucas, sagde hun bestemt, – er i Havana for at slå Johan Klinger ihjel. Han er betalt og bestilt.

– Hvorfor har han så ventet så længe? Han havde tyve chancer om dagen. Jeg har vadet rundt på Santa María, mutters alene. Han ku have parteret mig, flænset mig og smidt mig ud til hajerne.

– Lucas ventede på, at Stern fuldendte sin del af opgaven.

– Du er meget klog på det her, Hannah.

– Du må fanme lære at stole på folk, Johan, råbte hun.

– Du må lære at se virkeligheden i øjnene, mand! De svin sendte Wesley ud af landet, fordi han gemte på en sandhed, vores forløjede, depraverede, korrupte, sindssyge samfund ikke kunne bære på. Alle de fine mænd. Alt deres pis og lort. Men der var een mere end hr. Hardinger. Der var desværre også en strømer ved navn Klinger, og pludselig forfremmes denne menige mand og kommer på førsteholdet, og skal med agenten Stern til Havana. Og fanme om han ikke gør, som de beder ham om. Uden at stille så meget som eet eneste spørgsmål. Hvornår vågner du op, Johan?

Han så væk.

– Inden du starter maskinen, sagde han stille, – var det måske en ide, at du, der er så klog, forklarede mig, der er så dum, hvordan det kan gå til, at du lige pludselig dukker op i Havana?

Hun bøjede hovedet og tændte en cigaret og fik et bittert drag om munden.

– Vi har ikke så meget tid, Johan, sagde hun. – Det er en længere historie, men du skal få den i hovedpunkter. Bare et referat.

Hun så frem for sig. – Ingen følelser og slet ingen fortrydelser. Bare en rapport. Hun så på ham og smilede på en indadvendt måde.

– Da Wesley står og skal ud af landet, modtager Rune og jeg et lille, formelt brev fra ham, hvor der står, at han er blevet nødt til at emigrere, og at vi vil høre nærmere. Vi fatter ikke en lyd af det hele, og jeg ringer til ham, men der er ingen der svarer. Alt det skete, mens du var oppe hos dine forældre.

– Hvorfor fortalte du mig ikke noget om det?

– Ingen fortrydelser nu, Johan. Og skal vi endelig til den ende, så er der faktisk også et par småting, kammerat, som du har fortiet for mig. Jeg synes imidlertid, at der er noget lusk ved det brev. Man skrider ikke bare fra sin søn og skriver til ham i formelle vendinger. Brevet må altså være kontrolleret eller skrevet med ført hånd. Men den dag, eller dagen før, inden han rejser til Cuba, beder han om at se sin søn for sidste gang.

Hun så ned og blinkede en lille tåre bort.

– Ved du hvad, Johan. Det allerværste, dét der rammer een allerhårdest, det er den afstumpethed hos de mennesker …

– Hos hvem?

– Hos jer, råbte hun. – Alle jer, der sidder og manipulerer og regulerer og regerer … og lyver, Johan!

– Hannah …

– Tænk, de arrangerer et møde, allernådigst, mellem Wesley og Rune, forestil dig hvilke følelser … og så ved de svin, at manden kort tid efter vil få besøg af Victor Stern.

Hun rystede på hovedet og afviste den hånd han strakte ud.

– Det lykkedes Wesley at få smuglet et brev ud til mig, via Rune. Et brev, der er så forfærdende, så rystende, at jeg ligger brak i tre dage. Han skriver, at han har begået en forbrydelse han ikke fortryder, og som han under ingen omstændigheder kan tale om. Stakkels Wesley overholdt sin del af aftalen med de høje herrer. Han beder os naturligvis om at tie med, hvad vi ved, og efterlader ellers en adresse her i Havana, for i det mindste at ha en livline tilbage til Rune. Jeg fatter selvfølgelig ikke en lyd af det hele. Wesley er normalt ikke en type, der går rundt og laver forbrydelser. Den Wesley jeg kendte, kunne ikke krumme et hår på nogens hoved. Men det der bekymrer mig allermest er paradokset. Jeg mener, hvis man begår en forbrydelse, og hvis man blir taget, så plejer man at blive straffet. Man kommer sgu ikke på ferie i Havana, og slet ikke i total hemmelighed.

Hun trådte på cigaretten.

– Fire dage senere begynder brikkerne at falde på plads. I mellemtiden er du blevet en anden. En fremmed, og lige midt i det hele, skal du også rejse. Jeg glemmer aldrig den aften, da du fortalte mig, hvor du skulle hen … en underlig svævende fornemmelse. Som ganske lille pige var jeg med min mor og far på biludstilling og blev væk fra dem. Jeg kan ikke huske jeg nogen sinde har været så ulykkelig siden.

236

Indtil den dag. Jeg kunne ikke nå nogen af jer. Og så lige med et … en eftermiddag i parken. Du var rejst, og Wesley var borte og Rune, ja hvor var Rune? Jeg troede i begyndelsen, I skulle ned og holde øje med Wesley, da jeg åbner avisen, og falder over en lille notits. Pludselig vidste jeg, hvad Wesley havde gjort. Hvad det var, der var så stort, at han ikke kunne tale om det. Hører du efter Johan?

Han så sløvt på hende. Sagde han hørte efter. Hun sukkede og startede maskinen. – Vi snakker senere, hold fast.

De rullede ad den mørke Maximo Gomez, op mod den lange tunnel med det gule lys, under Havanabugten, til Casablancakvarteret og videre ad nattetomme boulevarder mod Santa María del Mar. Og han lå med ansigtet vendt mod stjernerne og drømte, at han fløj.

Hun parkerede et stykke fra hotellets indgang.

Og han ser hende proppe nøglen i bukserne, løbe hen til de brede døre, nøjagtig som hun gjorde dén nat, da både Stern og Teresa måtte betale for en forbrydelse begået under helt andre himmelstrøg, af helt andre hænder.

Hannah undersøgte terrænet.

– Stern tager Teresa med hjem i den tro hun er en prostitueret, mumlede Johan. – Måske har den gamle villet fejre, at opgaven er løst. At han snart skal tilbage til Wien og koncerthusene.

– Sidder du og snakker med dig selv?

– Gør jeg? Han kravlede ud af sidevognen.

– Johan. Se på mig. Er du sikker på, at airconditionanlægget er tændt oppe hos Stern?

– Yes. Det kører hele tiden. Ellers ku du ha lugtet ham helt herned.

Hun gik tæt på ham. De stod i skyggen fra en større blomsteransats.

– Lucas kan være her. Er du forberedt på det?

Johan så op ad facaden.

– Jeg tror Lucas er i Havana. Jeg ramte ham med et rør. På næsen. Jeg er sikker på han går rundt med en brækket næse.

Han må ha søgt læge. Der er een ting jeg ikke forstår, Hannah. Jeg var her den nat, da Teresa skød Stern. Hvis hun skød ham. Forstår du, jeg hørte Stern komme hjem. Jeg hørte ham låse sig ind.

– Jamen, Teresa var med ham, Johan. Stern var i Cerro den nat. Han troede Wesley var død. Faktisk talte han med mamma Blanca.

– Mamma Blanca? Kvinden med det japanske armbåndsur?

– Wesleys ur.

– Hvor skete det? Jeg mener, hvor forsøgte han at myrde Hardinger?

– I huset, svarede hun stille. – Blanca og ungerne fandt ham i en blodpøl. Men kom nu, Johan. Der står en ung mand i receptionen. Vi går bare ind, som om jeg er din gæst. Har du din nøgle?

Da de stod i elevatoren, på vej op, spurgte han, hvad hun havde tænkt sig at gøre ved Stern.

– Vi må ha ham væk, ned i sidevognen og ud i havnen. Hvad vil du ellers foreslå?

Dørene gik op. Foran dem lå den lange, orange gang. Rungende tom som altid.

Du er pokkers effektiv, Hannah, tænkte han, og gik hen til Sterns værelse.

Hannah holdt sit lommetørklæde for næsen. Trods anlægget var liget begyndt at lugte. Johan viklede det ind i sengetæppet. Hannah sagde hun ville gå ned og opholde portieren.

Fem minutter senere lå bylten i sidevognen.

Johan så på den.

Adjø, Victor, tænkte han. Underlig måde at dø på, når man holder så meget af årgangsvine og skræddersyet tøj.

Hun kom løbende hen til ham.

– Lucas har overhovedet ikke været på hotellet til aften, sagde hun. – Han er stadig i Havana.

Johan nikkede.

– Og få rettet næsen ud.

238

Hun svingede benet over benzintanken.

– Eller på hospitalet. Vi må tilbage til Wesley.

Hun startede energisk, og endnu en gang slog det ham, at alting nu gik som smurt i olie.

Og da de uden problemer hældte efterretningsmanden Victor Stern i havnebassinet, konstaterede han, at det var godt det hele gik så hurtigt, så man ikke nåede at reflektere, og det var heldigt, at han ikke fik så meget søvn, så undgik han at få mareridt.

– Allermest heldig, sagde han sløvt, – er jeg, fordi du er her, Hannah.

Hun stirrede på ham.

De stod på den forblæste kaj.

– Har du drukket?

– Drukket?

– Ja, du lyder så underlig. Hun ruskede i ham.

Han bad hende slappe af.

– Du er klar over, at vi skal ud af Cuba i morgen, ikke?

– Hvad så med Lucas, spurgte han.

– Det er på grund af Lucas.

– Ja, det siger du jo.

Hun gik tæt på ham.

– Hvad fanden er det du insinuerer, mand?

– Ingenting. Jeg gør bare, som der blir sagt. Ingen gider fortælle mig noget. Det er også okay. Stern gad heller ikke.

– Har jeg ikke fortalt dig noget?

– Jo, masser, men det hænger sammen ad helvede til.

– Godt. Hør så her. Nej, endnu bedre ... du kan læse det, mens vi kører ind til hospitalet.

Hun startede motorcyklen, mens han søvndrukken foldede den lille avisnotits ud. Den lå i en gul kuvert og var bemærkelsesværdig uskadt. Udklippet handlede om et ulykkestilfælde, eventuelt et selvmord. Det var sket på en jernbaneskråning, et ret øde sted. Teksten var formel. Som der stod: Overbetjent Otto Volmar blev 46 år.

Han læste det to gange, så krøllede han papiret sammen og sendte det ud i den cubanske nat.

Hun så på ham. Vinden havde fat i hendes hår.

– Der er kommet en ny mand derhjemme, råbte hun.
– Tabor hedder han. Mahler er væk. Der renses ud.

Men hvad med alle politikerne, tænkte han.

– Råddent hele vejen op, råbte hun mod vinden.

De kørte langs med havnen, og drejede ind mod bykernen, og var ved Allende-Hospitalet et kvarter senere. Klokken var to.

– Ti minutter til, sagde hun, da de holdt foran den sparsomt belyste indgang, – så kan du sove. Giv mig din revolver.

– Hvad skal du med den?

– Han skal sguda ikke ligge deroppe som en levende skydeskive uden at kunne forsvare sig. Det bedste var, hvis vi kunne holde vagt. Åh, for fanden, hvad er det for et liv? Hun stampede i jorden.

Han så på hendes hånd.

– Kom nu med den, Johan. Revolveren.

Jeg hjælper hende med at skaffe Stern af vejen. Og med hensyn til Teresa, så er det Lucas' problem. Nu giver jeg hende min skyder og sætter mig artigt til at vente, mens hun forsvinder om i busken, for at gøre det sidste arbejde færdigt. Er det sådan det er? Nej, sådan er der ikke noget, der er. Sådan fungerer tingene ikke.

– Hils ham, sagde han, og gav hende revolveren og æsken med patroner.

Hun var væk på tre sekunder.

– Sikke en energi, mumlede han og gik væk fra motorcyklen, væk fra lyskeglen. Hvis jeg bare kunne tænke klart. Hvis jeg bare kunne få en time, en time og en smule søvn.

Han gned øjnene og glanede adspredt fra side til side, da hun kom løbende ud fra hospitalet.

Han gik hende i møde med en urolig, alarmerende fornemmelse i hele kroppen, der gjorde ham lysvågen.

– Han er der ikke, råbte hun på afstand.

Han gloede ud i luften.

– Sengen er tom!

240

Han så hjælpeløst forbi hende, idet han tog fat i hendes arm, for ikke at drive ud på det store flade hav, hvor han hverken vidste ud eller ind. Måske var det en del af deres plan.

At få ham lokket i et baghold.

– Kan han ikke være udskrevet? Hannah! Talte du med nogen?

– Nej, der var ikke en sjæl.

– Der må sguda ha været en natsygeplejerske.

– Der var ikke nogen, siger jeg jo.

Han så indgående på hende.

– Hvad foreslår du vi gør ved det?

– Vi kan da ikke bare lade som ingenting ...

– Du mener ... jeg skal gå op ... og kigge efter ham ...

Han kneb øjnene sammen og rystede svagt på hovedet.

– Hvad er det med dig? Kom nu, menneske ...

– Hannah! Han tog fat i hende. Hun snurrede rundt. – Giv mig revolveren!

– Revolveren?

– Ja, revolveren. Hvis du mener Wesley er i fare, er det nok bedst, jeg får den.

Hun rakte ham både æsken og revolveren.

– Har du det bedre nu?

Da de kom op til afdelingen, der lå i halvmørke, kun oplyst af de gule pærer over dørene, kom en ung sygeplejerske dem i møde. Hannah spurgte, om hun talte engelsk?

– A little, smilede pigen.

De forklarede, at det drejede sig om señor Rodriguez.

– Si?

– Why has he been moved?

Sygeplejersken sagde, at Rodriguez ikke var flyttet. Det måtte være en misforståelse.

De gik ind på stuen, hvor den gamle mand lå med næsen i vejret og sov. Hardingers seng stod tom. Johan følte på lagenet.

Sygeplejersken sagde, hun ikke kunne forstå det. At señor

Rodriguez ikke måtte stå op. Hannah spurgte hende på spansk, om der havde været fremmede, altså gæster på stuen? Sygeplejersken tænkte sig længe om, så smilede hun genert og fortalte Hannah et eller andet.

– Hvad siger hun, spurgte Johan.

– Hun siger, at señor Rodriguez fik en gæst på besøg for en halv time siden.

Hannah så op på Johan.

– Was it a man, spurgte Johan.

– Si, a man. Sygeplejersken forklarede Hannah noget mere.

– Hun siger manden havde et stort plaster over næsen.

Johan nikkede og mærkede noget skrumpe i maven.

– Hvis I to går ind i vagtstuen, så slår jeg en runde.

Han trak den lille Colt og begyndte langsomt at gå ned mod opholdsstuen, der var stor og bred med en smuk udsigt. Der var stole og borde og tre høje skabe. Stuen var tom.

Han åbnede to døre ind til linnedrum og vaskerum og tændte lyset i rummet over for opholdsstuen, der var fyldt med kørestole og stativer til infusionsflasker.

Så slukkede han lyset i redskabsrummet og så indgående på en rød, cirkelformet lem, der sad på væggen en meter over gulvet. Lemmen og låget havde et håndtag. Sygeplejersken og Hannah kom langsomt hen til ham.

– Hun siger det er til vasketøjssækkene, sagde Hannah.

Johan åbnede lemmen og så ned i en lang rørformet skakt, en slags indvendig rutsjebane. Sygeplejersken demonstrerede, hvordan de gjorde med sækkene med snavset linned. Johan nikkede og satte sig på hug, idet han lod en finger køre langs åbningens inderside. Hannah sagde et eller andet til sygeplejersken angående señor Rodriguez. Imens så Johan på sin finger, der var blevet rød af blod.

– Spørg hende, hvordan man kommer ned i vaskerummet, sagde han stille og rejste sig op.

Hannah så på ham. Han sukkede og rystede lidt på hovedet.

– Jeg er bange for vi er kommet ti minutter for sent.

242

Sygeplejersken forklarede tjenstvilligt, hvordan de fandt derned. Hannah så op på ham.

– På vejen derned kan I måske få fat i en læge, mumlede han.

– Går du ikke med?

– Nej ... jeg blir her. Skynd jer nu lidt.

– Johan. Hun tog fat i ham. Ikke mere af den slags.

– Jeg synes I skal skynde jer derned, snerrede han. – Måske lever Hardinger endnu.

Han så hende få tårer i øjnene. Måske var det af træthed.

– Hvorfor går du ikke med? hviskede hun. – Hvad skal du?

Johan stillede sig med siden til hende og så ned i gulvet.

– Lucas er inde på opholdsstuen, sagde han dæmpet.

Hun gik et skridt baglæns.

– Så ... du ham?

– Han står bag skabet. Når man tænder lyset i redskabsrummet spejler gangen og bagsiden af skabet sig i ruderne. Gå nu, Hannah.

Hun nikkede mekanisk og fulgte efter sygeplejersken, der var gået ned til den brede elevator. Han så dem vente; da døren gik op. En portør rullede ud med en stor seng. Han smilede til patienten. Hannah og sygeplejersken gik ind i elevatoren, der straks efter gled ned i kælderplanet. Der blev stille på afdelingen. Johan så på portøren, der bukkede sig og trak i et håndtag under sengen. Det så ud som om han havde problemer.

Johan begyndte at bevæge sig hen mod opholdsstuen, da portøren kaldte.

– Un momentito, por favor ...

Johan standsede op og drejede langsomt rundt. Portøren slog ud med armene, smilede og pegede på sengen. Gjorde en løftende bevægelse og sagde noget på spansk.

Johan løb tilbage til ham og løftede op i sengens benende. Patienten, en midaldrende mand med skægstubbe, smilede taknemmeligt til ham.

– Gracias, sagde portøren, der havde fået hjulene til at

243

fungere igen.

Johan nikkede og vendte sig om, da han fik øje på Lucas, der i det samme smuttede ud af opholdsstuen, og ud gennem en smal dør i bunden af gangen. Johan løb. Et eller andet var slået fra, måske den sunde fornuft. Han tænkte på det, på vejen ned til døren, men konstaterede, at benene arbejdede autonomt og at den gamle sporhund for længst var præget på den slags jagter, og aldrig mere ville lytte til andet end kommandoen fra det tidligste instinkt. Han standsede foran døren, tøvede to sekunder og sparkede den op, så den knaldede mod væggen. Han sprang ud på en grå stentrappe, der førte nedad. Eventuelt en personaletrappe, eventuelt en brandtrappe. Der lød skridt nedefra. Han kunne høre en dør blive åbnet. Hurtigt sprang han ned til tredje sal og flåede døren op ind til en lang, hospitalsgang, mage til den på fjerde. Midt på gangen stod en læge i samtale med to sygeplejersker. De stirrede ned på ham, måske havde de stået sådan et par sekunder, måske havde de set hvor Lucas var smuttet hen. I hvert fald havde han ikke nået at passere dem. Som jeg står her, tænkte Johan, kan han uden at anstrenge sig stikke overkroppen ud og ramme mig præcis hvor han vil. Han måtte være i linnedrummet eller i opholdsstuen. Lægen råbte et eller andet. En gammel kone i en blå hospitalsskjorte kom ud fra en af stuerne. En af sygeplejerskerne gik hen til hende. Og nu kom Lucas. Han havde stået i vagtstuen mellem Johan og personalet. Han sprang adræt ud på gangen, bag den gamle kone og skød tre gange. Sygeplejerskerne skreg, mens lægen smed sig ned på maven. Johan kastede sig ind i opholdsstuen og fik først nu øje på to damer, i hver deres slåbrok, som sad og røg ved et lille bord. De stirrede på ham. Han knugede den lille tromlerevolver og kravlede på maven hen til den brede dør, hvor han rejste sig op med ryggen til karmen, idet han lynhurtigt gled ud på gangen, hvor han gik halvvejs i knæ med begge hænder om skæftet, og så Lucas på vej ned mod den brede trappe. Lægen og sygeplejerskerne stod klemt op ad væggen. Johan skød to gange og så Lucas feje hen ad gulvet, få meter fra

244

trappen. Johan skød igen, men fejlede, og begyndte at spæne ned mod trappen, hvor Lucas var forsvundet.

Han standsede ved hjørnet og gik i knæ, idet han hurtigt kiggede frem. Sekundet efter splintredes murværket få centimeter over hans hoved. Lucas måtte ligge et sted på trappen, medmindre han stadig var i stand til at gå. Johan sprang over til den modsatte væg, da Lucas skød igen. Kuglen ramte det samme sted i muren. Lucas lå altså ned. Johan stak hovedet frem. Lucas lå på afsatsen mellem etagerne. Det blødte fra hans ben, men ellers så han frisk ud. Han rodede med sin pistol. Johan vurderede afstanden og skød to gange. Begge skuddene ramte Lucas i hænderne, så pistolen nærmest fløj ned ad trappetrinene.

Johan var nede hos ham på sekundet. Den store spanier stirrede afvisende på ham. Lå halvvejs med siden til ham med de blodige hænder presset ind mod maven.

Johan vidste, at det var et spørgsmål om tid, førend hele bygningen vrimlede med politi.

– My passport, sagde han, – quickly … señor Lucas.

– In my pocket, stønnede manden.

– Give it to me!

– Are you crazy, snerrede Lucas. – My hands …

Johan bukkede sig over ham, da Lucas med et brøl slog armen om hans hals. Det var en stærk arm, og Johan blev flået ind til mandens bryst, og mærkede hvordan Lucas med den anden hånd begyndte at slå løs på hans ryg. Med en kraftanstrengelse kom han så meget fri, at han kunne presse den stumpnæsede revolvers løb op i Lucas' strubehoved. Lucas sagde et eller andet, der nærmest lød som en rallen. Imens fandt Johan sit pas. Langt væk kunne han allerede høre sirenerne.

– Who payed you, spurgte han. – Tell me.

Lucas pumpede luft ud med uregelmæssige, hysteriske stød.

– I have money. Lots of money. Forget about Stern. He is dead.

– Who payed you, Lucas?

– Stern payed me, brølede spanieren.

– Only Stern?

– Si ...

– How do you know Stern?

– ... from the old days ... Listen man, I have money.

Johan kom på benene. Lucas krabbede sig hurtigt op at sidde. Han var temmelig bleg at se på.

– Look, sagde han og stak den ene blodige grab ned i bukselommen. Johan så knap nok kniven, førend Lucas havde kastet den. Den havde kun strejfet hans kind. Mandens effektivitet var direkte skræmmende. Lucas sank sammen, da Johan hævede revolveren og tømte tromlen. Spanieren sprang en halv meter op ad væggen, hvor han hang et kort øjeblik, inden han kurede ned på stentrappen med et nærsynet udtryk.

Sirenerne lød nu lige uden for hospitalet. Han løb hurtigt nedad, uden egentlig at ane, hvor han kom hen, da han befandt sig i kælderen, der var en stor, mørk garage med hvide ambulancer samt en slags modtagelse, eventuelt skadestue. Han løb den modsatte vej af det han mente var hovedindgangen, og fandt en nedkørsel, og kom op i den friske luft. Der var ingen politi, men han vidste, at de inden længe ville have omringet og afspærret hele området.

Han begyndte at løbe ned mod nogle lys ved en bred vej, som viste sig at være Calzada del Cerro. Det var blot at følge den, så ville han komme til Trinidadkvarteret og huset med de to palmer.

På vaklende ben nåede han frem, og fandt det grønne hus, hvor Hannah stod ved den frønnede dør sammen med den tykke mamma Blanca og to, tre unger. De trak ham hurtigt indenfor, hvor der også var nogle mænd og flere børn. Alle talte i munden på hinanden, og af ordene kunne han forstå, at de i hvert fald ikke kunne blive der. Han så på Hannah og på de to kufferter, der stod i den mørke gang. Og han spurgte til Hardinger, og forstod, at der ikke var mere at gøre. Ikke flere grunde til at blive i Havana, så meget som en time længere. Hun forklarede ham, mens en yngre kvinde skæn-

246

kede cubansk kaffe, at det hele var ved at blive ordnet.

– Der går et Iberiafly om fire timer, til Madrid. En af mændene arbejder i lufthavnen, han siger der altid er plads.

– Hvad med penge? spurgte han.

– Wesley havde ... nogen, mumlede hun.

Han stirrede udmattet, træt og totalt eftergivende på de ivrigt diskuterende cubanere, på mændene i de hvide undertrøjer og på kvinderne med børnene på armene. For første gang i sit liv tænkte han en kreativ tanke, og så for sig et maleri af denne gruppe cubanere, et billede af et folk og dets historie. Han så kort på Hannah, og mærkede øjenlågene glide i. Tænkte, at Wesley Hardinger kunne have fået et godt liv her.

24

– Jeg sæber mig ind i hotellets sorte sæbe, sagde han dæmpet og tænkte på de lange dage på Marazul.

– Jeg sæber mig ind og lader min krop frisvømme, mens jeg tænker på de små tvillingepiger i Barajas Airport, deres grønhvide porcelænshoveder, de sørgmodige øjne, halse som stilke på rødvinsglas. De ser indgående, en anelse grådigt på hinanden, da de fortærer hver deres is. Store bløde tunger, rytmisk slikkende, og den forræderiske tåre på moderens kind.

Og han tager kufferterne og følger efter den energiske Hannah, og tænker, at her begynder en anden historie, og hvis jeg bare havde sovet i flyet, men det kunne jeg ikke.

Lettelsen, da hjulene slap jorden i Havanas Airport. Hendes hvide hånd under slumretæppet, da de hang over Atlanten. Borte, borte, som en drøm man forlader ved blot at vågne.

Og han lukkede øjnene i ankomsthallen og hørte det langsomme, svale sus fra den roterende propel i loftet i mamma Blancas hus.

Og han stirrer på de blå lysstriber, der finder vej gennem skodderne, tværs over det blakkede loft, hvor fugtpletterne danner mønstre, der minder ham om isen på søen, tusind mil borte, en dag i februar.

– Han lå mellem vaskesækkene ...

Hendes stemme om og om igen.

Og han ser Hardinger for sig, akavet, ugraciøs og halvnøgen, med et surrealistisk plasticrør i hoften, smurt ind i blod. Mellem vaskesækkene. Kvalt ligesom sin kæreste, den smukke Teresa, pigen fra tobaksfabrikken, der aldrig skulle have besøgt hotel Marazul, hvor hun mødte manden fra Wien, Victor Stern, der aldrig skulle have forladt Østrig.

248

– Han lå mellem vaskesækkene …

Og han sæber sig ind, og mærker uvirkeligheden krybe ind over sig. Stemmerne i det store hus, hviskende spansk, fra ansigter han aldrig vil få at se.

Og han lader sig glide ned i bunden af karret, så vandet skyller sammen over hans hoved, og ser Hannah stå bøjet over Hardinger. Hendes kyndige hænder omkring hans hals. Hendes tæthed med señor Lucas, der står og venter på den lange gang. På den dumme Johan Klinger.

– Ligger du der endnu? Johan …

Hendes stemme var bebrejdende. En smule utålmodig, og latent ærgerlig. Hun stod med hans Budweiser i hånden. Den hun havde hentet nede i baren på det dyre hotel Princesa Plaza, i Madrids hjerte.

Han kom med besvær op af karret. Hun rakte ham håndklædet.

– Vi er hjemme i morgen, sagde hun. – Tænk på det.

De havde selvfølgelig talt meget om det: Hvad der skete, når de kom hjem?

Han ser gløden fra hendes cigaret i det fugtige hus i bydelen Cerro. Hører hendes stemme sige, „vi finder ud af det, elskede".

Han stod med det hvide håndklæde svøbt om livet og glanede ned på Plaza de San Miguel, hvor duer og mennesker fandt sammen i et kaotisk mønster.

– Måske skulle jeg ikke ha ligget så længe i badekarret, sagde han, – jeg er helt opløst. Men trætheden er forsvundet.

Han fikserede stakken af friske aviser hun havde lagt på sofabordet.

– Der er ingen hjemlige, sagde hun og tog en af de spanske. – Men nok til at slå tiden ihjel til i morgen. Tænk dig, i morgen. Så er vi hjemme. Hjemme, Johan.

Han så adspredt ned på trafikken på Calle Mayor.

– De kører i Fiat i Madrid, sagde han, og gik hen til hende.

– Nu skal vi bare slappe, af, hviskede hun og kyssede ham på brystet.

Han sagde han følte sig tung og vægtløs på een gang.

Hun sagde det var flyveturen og tidsforskellen.

– Gu er det ej, brummede han og gjorde sig fri.

Hun kom hen til ham. Lagde armene om ham.

– Hvorfor elsker vi ikke? Ligesom i gamle dage …

Han så ned på hende. Hun så oprigtig ud. Han nikkede og var samtidig klar over, at han var totalt ude af stand til noget som helst i den retning.

– Jeg forstår godt, hvis du er … ved siden af dig selv. Hun så på hans fingre, og han tænkte, at det plejede hun ikke at gøre. At se på hans fingre.

– Hvorfor gør du det?

– Hvorfor gør jeg hvad?

– Med mine fingre. Hannah, hvad foregår der?

– Johan, menneske … bare du kunne sove lidt. Du skulle se dig selv.

Han gik ud på badeværelset og skulle netop til at kaste lidt koldt vand i ansigtet, da han med en grimasse tog sig i det. Han så på sig selv i spejlet og fulgte tårerne komme frem og sløre blikket, som lå han igen i karret, under vandet, ligesom Stern og Rose Valentin. Hænderne rystede, da han vædede ansigtet. Han snurrede rundt og så hende stå lænet op ad dørkarmen.

– Gider du ikke gå ud?

– Hvad skal du?

Han gik hen til døren.

– Bare lad mig være. Hannah, gør nu som jeg siger.

– Du er ikke dig selv, elskede. Hvorfor prøver du ikke at få lidt søvn?

Han lukkede døren og lagde ryggen til og pustede ud.

Fem minutter efter bankede hun på.

– Er du der?

– JA, jeg er her.

– Må jeg komme ind?

Han åbnede døren og så hende stikke hovedet frem.

– Jeg har skaffet nogle sovepiller. Nede i receptionen. Hvorfor tager du ikke to nu og lægger dig en time eller tre?

250

Du vil ha godt af det.

Hun stod med avisen. Inde på bordet stod en flaske Cola og endnu to flasker Budweiser. Samt stakken af aviser og en pose peanuts.

Han skyllede pillerne ned med en sjat øl.

Hun puttede ham og smilede.

– Det blir man aldrig for stor til.

Dynen blev lagt ind under hovedpuden. Det plejede hun heller ikke at gøre. Hun var overhovedet ikke den omsorgsfulde type. Snarere den kontante. Han så indgående på hende.

– Pillerne virker i løbet af et kvarter. Nu slapper du bare af. Her tag en avis. Det hjælper at læse.

– ... ligesom at tælle får, sagde han.

– Ligesom at tælle får, smilede hun og gav ham The Daily Mirror.

Han begyndte at blade avisen igennem. Så på billeder og læste sportsresultater. – Briterne har altid været gode på de lange distancer og til tikamp, mumlede han sløvt, og mærkede en gryende svimmelhed. En tyngde i kroppen. På de sidste sider var der små billedreportager med lokalt stof. Nyt fra indland og udland. Petit, petit. Han sukkede og blinkede med øjnene, og så et stort, meget smukt Pariserhjul, fotograferet, så det stod aftegnet i silhouet. Fotografen kunne være tilfreds med det billede. Han lukkede øjnene. Samtidig begyndte Hjulet at dreje. Langt borte kunne han høre en harmonika, måske ligefrem en lirekasse. Melodien var fransk. – Jeg har aldrig været i Paris, mumlede han, og spærrede øjnene op og lukkede dem igen.

Der var endnu et billede fra markedet med det store Hjul, som hed Clacton Pier. Endnu et billede fra byen, der hed Clacton On Sea. Et foto af ejeren, der smilede til fotografen, flankeret af to piger, to identiske piger. Johan mumlede og prøvede, at få styr på avisen og billedet og manden og Hjulet, der hele tiden drejede rundt og rundt, indtil søvnen kom som en hammer i mørket.

Da han vågnede, var det mørkt udenfor. Han lå med

avisen over ansigtet. Duften af tryksværte brændte hjemligt i hans næse.

Vi er i Madrid, sagde han til sig selv. Hannah og jeg er i Spanien. Og det hele er virkelighed. Jeg har bare sovet.

– Hvor længe har jeg sovet, mumlede han, men fik intet svar. Han flyttede avisen og så sig om. Der var halvmørkt i rummet. Han kaldte på hende og satte sig op. Gik ud på badeværelset, tissede og skyllede munden og strakte sig.

Tændte en lampet og overvejede at se fjernsyn, men smed sig så på sengen igen. – Hvor faen er hun henne?

– Hannah! råbte han.

Han gik hen og åbnede de franske altandøre. Trafikken var tæt. Lyset var smukt, det helt rigtige tidspunkt.

– Jeg har drømt, mumlede han. – Feo sagde, det er vigtigt at huske på sine drømme.

Han satte sig på sengen og trak i bukserne, da hans blik faldt på den engelske avis. På det store Pariserhjul. Det var præcis dét han havde drømt om. At han snurrede rundt og rundt, og at der lugtede af æbleskiver og sukkerstænger.

Han smilede for sig selv ved tanken om Otto. Gode, gamle Otto. Otto og Pariserhjulet.

Han tog avisen op fra gulvet og så nærmere på fotografiet fra byen Clacton On Sea. Ejeren af Hjulet var foreviget, og hans navn stod under billedet. Han hed Raymond Lewis. Og pigerne var selvfølgelig de to gimper fra hans hus ved kysten, derhjemme.

– Jeg har set det Hjul før, mumlede han. – På Lewis' kontor.

Han klædte sig hurtigt på og gik hen til døren, netop som hun trådte ind med tre poser og flere aviser.

– Jamen du godeste, Johan. Hvor skal du hen? Jeg har været ude og købe mad …

– Kommer igen. To sekunder.

I receptionen fandt han et landkort over Europa, det var tysk og kostede 14 D-mark.

På vejen op ad trapperne fandt han Clacton On Sea, der lå syd for Ipswich, ikke langt fra London.

Hun havde dækket op på sofabordet, da han kom tilbage.

– Det var hvad jeg ku få ... hvad skal du?

Han stod ved telefonrøret og bad om at få nummeret til Barajas Airport.

Hun kom hen til ham.

– Er der noget galt? Johan! Se på mig, hvad laver du?

Han rakte hende røret.

– Du er bedre til det her end mig, spørg om vi kan ændre den ene reservation!

Hun så på ham, men flyttede så blikket i et ryk forbi ham, ned til madposerne, og tilbage igen: – Ændre den ene ... reservation?

Manden i receptionen gav dem nummeret på lufthavnen. Johan skrev det ned.

– Hvad laver du? spurgte hun stille.

Han drejede nummeret.

– Jeg forsøger ... hallo, yes hallo ...

– Uno momentico, por favor ...

Hun havde sat sig på sengen. Med hænderne i skødet. Han samlede avisen med artiklen op fra gulvet og smed den hen til hende. Nu var stemmen fra lufthavnen tilbage igen. Johan forklarede, at han havde en reservation, lavet tidligere på dagen, med Iberia, som han gerne ville have ændret til en London destination. Tre minutter senere var han booket ind til Heathrow Airport.

Han lagde røret på og gik hen og åbnede dørene ud til trafikken.

– Jeg trænger snart til noget skiftetøj, mumlede han med ryggen til hende.

Hun kom hen til ham med avisen i hånden.

– Johan, se på mig. Hvad skal det her forestille?

– Forestille? Han så på hende.

– Ja. Hvad fanden skal du derover efter? Har du ikke fået nok?

Han lænede sig ud over den lille franske altan, der sad som krymmel på hotellets facade.

– Jeg ved ikke, hvordan jeg skal forklare det, begyndte

253

han.

Hun trak ham ind i værelset og lukkede dørene.

– Du skal slet ikke gøre dig nogen ulejlighed, for du rejser ingen steder.

Han tænkte: Jeg går inde i et ilttelt, hvor væggene er lavet af gråt plastic. Jeg kan se mennesker derude, ansigter og kroppe, men kan ikke identificere nogen af dem. Jeg blir idiot, hvis de ikke lukker mig ud.

– Jeg går inde i et ilttelt, Hannah …

– Du går ingen steder. Du er ikke dig selv, du vader rundt i en tåge i en tilstand af chok …

– Så hjælp mig ud.

Hun tog fat i ham, stirrede bange og rådvild på ham.

– Når vi kommer hjem. Det hele bliver godt, når vi først er kommet hjem. Vi har et liv, Johan. Sammen. Dig og mig. Alt det andet kommer i anden række.

Han nikkede og gjorde sig fri og satte sig ved siden af hende.

– Den nat Hardinger skyder Como og Rose Valentin …

Hun slog hænderne mod lårene og stirrede opgivende op i loftet.

– Nej! Jeg holder det ikke ud mere. Johan, for fanden, du må holde op. Det er slut. Kan du da ikke begribe, at det er forbi. Det har aldrig været dit bord. Lad dem selv rydde op.

Han så frem for sig:

– Men det var jo ikke Hardinger, der gik rundt og pillede projektilerne ud af væggene, vel?

Hun satte sig på hug foran ham. Tog hans hænder.

– Johan, elskede, se på mig. For min skyld: Glem det! Jeg ved ikke, hvordan det er gået til, og jeg tror aldrig de vil finde ud af det. Men sådan er der cirka en million forbrydelser der bare aldrig blir opklaret. Hvert år. Hvad vil du gøre ved det?

Han rejste sig op og stod med ansigtet vendt mod hende, uden at se på noget bestemt.

– Nogen kører Rose ud i havnen og Como ud til Vestskoven. Hvorfor? Hans blik focuserede på hendes mund.

Hun rystede svagt på hovedet og lukkede øjnene. En

254

sindsbevægelse gik som et jag hen over hendes ansigt.

– Jeg kan se dem for mig, mumlede han. – I dagene derpå. Lewis og hans venner. De sidder og griner, følger opklaringsarbejdet med største sindsro. Selv da skvadderhovederne Volmar og Klinger dukker op, er Lewis kold som is. Og direktør Koch kan tillade sig at være fræk, lige op i fjæset på os. Ingen kan røre dem, for de ved noget, som ingen andre ved. Frem for alt ved de, at statsmagten, politikerne, politiet, hele Comogruppen fortier sandheden over for befolkningen. Pludselig har Kong Lewis fået en klemme på systemet. Hvilken ufattelig frihed den mand nu har …

Han ser på hende.

– Og de kan ikke ramme ham, for med Lewis kan man aldrig vide. Måske ligger der et stykke papir hos hans sagfører, måske ved Koch også, måske er de mange, der deler denne statshemmelighed. Det er simpelt hen for meget af det gode. Og på toppen af det hele: Alle de uskyldige mennesker.

Hun kom hen til ham og tog hans hånd. Blidt og forsigtigt, som når man holder en fugl, der er faldet ud af reden.

– Hvornår begynder du at tænke som et menneske, og ikke som en politimand, Johan? Hvornår, sig mig det. Du tror du løser noget ved at likvidere Raymond Lewis. Og alligevel har du lige forklaret, at efter ham, kommer der en ny. I grunden er det hævn du vil ha.

Han så hurtigt på hende.

– Det er præcis sådan det hænger sammen.

– Er vi virkelig ikke kommet længere, hviskede hun.

– Tilsyneladende ikke, sagde han og begyndte at gennemgå sin sparsomme kapital.

– Men Lewis vil jo blive straffet før eller senere. Når det hele kommer frem. Hvad har det med dig at gøre?

– Lewis? Han bliver sgu aldrig straffet …

Hun gik hen til telefonen og bestilte kaffe.

Kort efter kom en ung tjener med bakken.

Hun skænkede op og spurgte, hvad han havde tænkt sig at gøre, når han nåede til Clacton?

– Jeg er i Heathrow klokken 12. Der er masser af tid til at nå ud til kysten. Jeg regner med der er mellem 150 og 200 km.

– Jeg spurgte ikke, hvor langt der var …

Han slog ud med armen.

– Jeg ved det ikke, Hannah. Men det har hele tiden slået mig, at Lewis er en del af vores retssystem. I Italien har de Camorraen. Hvis du vil dem til livs må du ta sagen i din egen hånd. Kald det selvtægt. Hardinger kaldte det moral.

– Wesley Hardinger er død, Johan, sagde hun.

Han så på hende.

– Ja, det er han godt nok.

– Men det gør ikke noget indtryk, vel? Bare du får din hævn.

– Sådan er det ikke …

– Alle strømere er dommere. Og bødler. Og moralister, og i den rækkefølge …

– Du er god til ord.

– … hævet over al sund fornuft. Mahler, Wagner, Otto og dig. Hele bundtet. Det er fuldkommen meningsløst.

– Præcis ja. Der var engang en pige ved navn Suzan. Måske lever hun endnu. Jeg tror det ikke. Hun var en simpel luder i Rose Valentins menageri. Hun havde en alfons ved navn Svenne. Suzan var een af de meget få, der foruden Rose og Lewis vidste om Comos besøg i „Masken". Måske fik Svenne besked på at tæve hende på plads. I hvert fald var hun svær at genkende, da jeg så hende på Centralhospitalet. Senere fik jeg at vide, at hun foruden et øje også havde mistet det barn hun ventede. Tænk dig, luderen ventede et barn. Måske hendes og Svennes barn. Og hvad gør så denne Svenne? Han gennembanker hende.

– Og hvad gør du, Johan, spurgte hun stille.

– Jeg … der var for fanden da ikke andet at gøre, i den situation.

– Hvad nu hvis du tager fejl, Johan?

– Hvis jeg tager fejl? I hvad?

– Hvis det hele er gået helt anderledes til? Hvorfor venter du ikke et par dage. Lewis løber ingen steder.

– Tiden arbejder ikke nødvendigvis for os, Hannah. Vi aner ikke, hvad vi kommer hjem til. Hvad der sker med os, når vi sætter fødderne på hjemlig jord. Måske burer de os inde på livstid.

– ... måske vælger man Otto Volmar løsningen, indskød hun.

– Ja, måske. Men tingene passer sammen, når man rykker Lewis ind som den sidste dark horse. Goe gamle Otto havde ret. Lewis har selvfølgelig presset penge af Como. Gnavet og suget af den arme mand. Efter eet eneste besøg, med eller uden maske. Hvem ved? Det er en satans smart og neder-drægtig gesjæft de driver, især for Lewis, den tilbagetrukne mastermind, manden ved tastaturet. Men han har glemt moralisten Wesley Hardinger, han har overset den mulig-hed, at en eller anden idiot trodser alle regler og går på tværs af både retssystemet og underverdenen, mens stakkels naive Hardinger har overset, at systemerne i den sammenhæng overlapper hinanden.

Hun lagde sig fladt på ryggen på sengen.

– Og nu kommer så den store hunter og slår dyret ihjel. Er det sådan det er?

Han hørte hende ikke.

Ude på badeværelset løb vandet.

Jeg skyller bare nakken, tænkte han. Lader lidt koldt vand kølne mig af.

Langt senere, da natten har sænket sig over Madrid, ligger de hånd i hånd, side om side, med kun et lagen over de nøgne kroppe.

Og han hører hende hviske, at et mord altid rummer et stænk af kamikaze, og hun vender ansigtet i det grå mørke og siger, at hun ved, at Raymond Lewis er gået ind i sit sidste døgn, og at hun ikke håber, at det også gælder moralisten Johan Klinger.

Og han hører hendes stemme i flyet sige ... „han lå mellem vaskesækkene" og han ser Teresa sidde på badeværelses-gulvet, med tungen ude af munden, og lytter til det dumpe plask, da Victor Stern forsvinder i Havanas havn, for aldrig mere at skulle dukke op igen.

25

Hotellet i Londons Westend hed Mount Pleasant og var stort som et fængsel og lige så anonymt.

Han så på receptionisten i den blå uniform, der gloede adspredt på værelsesplanen, som om et enkeltværelse var noget problem. Johan spurgte, om der var telefon på værelserne?

– No, sorry mr. ... Lucas, svarede manden og så på papiret Johan netop havde udfyldt, – you have to use the line in the lobby.

Manden pegede, Johan smilede og gik hen til elevatoren, der var „out of order", fandt trappen, nikkede endnu en gang til receptionisten, og fortrængte hendes ansigt, da de tog afsked ved lufthavnsbussen i Madrid. Underlig tapper, bleg og farligt eftergivende.

– Er du sikker på, du gør det rigtige, Johan?

– Der er ingen vej udenom.

Han ser hende vinke fra bussens bagsæde og tænker, at man med tiden kan tage så meget afsked, at det bliver omsonst at ses igen.

I flyet sad han ved siden af en cirka 40-årig skotte, en journalist fra BBC, der venligt og imødekommende hjalp ham med at finde rundt i Londons transportsystem. Den rare mr. Bremner kunne til overflod følge Johan helt til Victoria, hvor de i fællesskab fandt Piccadilly Line.

Hotellets værelser var rene men lurvede. Et sted for støvsugeragenter og rejsende assurandører. Han var glad for, at han ikke behøvede overnatte mere end een gang.

Han lagde sig på briksen under vinduet og gennemtænkte sin plan. Der var to timer til toget gik fra Liverpool Street St.

Altså ud igen.

Nede på gaden, om i et broget forretningskvarter, hvor

han uden besvær fandt, hvad han ønskede: Et par solbriller med gule glas, en bordeauxfarvet poloskjorte og et billigt, men troværdigt hårfarvningsmiddel.

Hurtigt tilbage til Mount Pleasant, hvor han lagde Lucas' pas ind under gulvtæppet og brændte sit eget.

Tuben med hårfarvningsmiddel stillede han parat under vasken, idet han et ganske kort sekund granskede sit spejl-billede og konstaterede, at alt var okay. Alting har en ende, tænkte han. Og ligesom i undergrundsbanen er skinnerne lagt ud i forvejen.

Han forlod hotel Mount Pleasant på slaget to og prajede en taxa, der kørte ham til stationen. Han fandt uden problemer toget til Clacton On Sea, hvor han satte sig ind i en ny taxa og bad om at blive kørt til „The pier, please"!

Det var nu hen på eftermiddagen, og køreturen varede kun ti minutter.

Der var mange mennesker på gaderne, også mange turi-ster,men flest lokale, tykke og tynde briter, der sev i tætte stimer ned fra byens spillehaller, tombolaer og skydetelte, ned mod vandet, hvor lyset ganske langsomt veg.

Han så uinteresseret på børnene, der red på pinkfarvede elefanter, på de unge, der åd fish & chips, candifloss og sukkeræbler.

– Alting er som det skal være, mumlede han og fandt en bænk, hvor han kunne sidde de næste par timer og kon-centrere sig om det, der lå forude.

Og rundt omkring ham kværnede popmusikken og bånd-sløjferne og klokkerne fra spillehallerne, og det hele var måske en smule mere tarveligt og desperat end det plejede. Eller også er det mig, tænkte han. I hvert fald i skærende kontrast til børnene på bussens bagperron på Santa Maria uden for hotel Marazul.

Hvis man overhovedet kan sammenligne den slags, mum-lede han og fik øje på en høj, uniformeret politimand, der fredsommeligt gik rundt med hænderne på ryggen.

Overfor sad en stribe gamle koner på høje stole, dinglende med tynde ankler, i færd med at formøble formuen i det

260

lokale Bankospil. Og pludselig kom trætheden sivende som en indre tågebanke og trak fra bevidstheden ned gennem lemmerne, der bekræftede den ro han havde så meget brug for.

Han svingede benene op på bænken og gav efter og lagde sig ned.

Nu tror de jeg er skidefuld, tænkte han og konstaterede, at lydbilledet havde taget en uvirkelig form.

Han trak vejret dybt et par gange, og sagde til sig selv, at han ikke ville sove, bare hvile lidt. Billedet af Raymond Lewis tonede frem. Bedst at være udhvilet. Hvis Lewis overhovedet var der. Hvis man overhovedet kunne stole på, hvad de skrev i petitartiklerne. Men et eller andet sted, måske var det i taxaen, havde han set en plakat eller en reklame for The Great Lewis Ferris Wheel. Et eller andet sted dernede var både hjulet og gøglet og Lewis. Han sukkede og indåndede den tunge, lumre luft, der var fuld af popcorn, bilos og brændt olie.

Kort efter kunne han høre bølgerne på stranden ved Marazul. De taktfaste skvulp og den klippende lyd i palmerne, når vinden tager til hen under aften. Og han ser Feo komme løbende på havets bund, og hun råber et eller andet til ham, men man kan ikke råbe under vandet, og han forsøger alligevel, og får tang og alger i munden, og prøver at nå hen til hende, men deres bevægelser er langsomme og mareridtsagtige, og pludselig vælter boblerne ud af hendes mund, og han kan høre, at hun advarer ham mod Søkongen.

Da han vågnede, var lyset næsten forsvundet. De fleste af de gamle og de mindste børn var også væk, man var midt i et vagtskifte. De elektriske lys var tændt. En anelse for tidligt. Stod og brændte i neonrødt og algegrønt, forlorent blåt og frem for alt lokkende gult. Lysets magiske time, inden mørket tager over.

Den berømte Clacton Pier er en lang træmole, der som en høfde rækker direkte ud i Nordsøen. Man går nogle trin ned fra byens markedsgade, og så ligger den der, som en forlystelseshangar, et aflangt, sugende tivoli med spredte neon-lys, fortsat i silhouet mod den endnu lyse horisont, primært med det store, meget smukke Pariserhjul i bunden af molen.

Folk spadserer parvis eller i familiegrupper, forbi boderne med pandekager og æbleskiver, forbi papfigurerne med Dolly Parton og Samantha Fox, hvor man kan lade sig forevige formedelst tre pund sammen med de to dejlige damer.

Han betalte for at komme ind på selve molen, og fikserede endnu et fotografisk tilbud, måske for den mere kræsne, i form af en fem meter lang python, der snoede sig om halsen på sin ejer.

Der var nu rigtig mange mennesker, flest helt unge, og som lyset svandt, accelererede lydene; hele det store maski-neri kom i sving og stimlede sammen som en mur, der mindede ham om en plade han engang havde købt ved en fejltagelse. Han stod lidt for at sondere terrænet og gik hen til rækværket, for at vurdere afstanden ned. Skråt til venstre for ham hang en orangefarvet plakat, der forkyndte, at man denne dag kl. 21.00 ville indvie Lewis Ferris Wheel og at Clactons borgmester ville være til stede.

Johan begyndte at gå længere ud på molen, der smalnede til på midten, for til sidst at slutte i en kvadratisk plads, på hvis midte det store Pariserhjul residerede. Der var rødhvide snore spændt ud om pladsen, hvor et par unge mænd i cowboybukser og T-shirts gik omkring og efterprøvede lys og maskineri.

Han så hen på et lille, jordbærfarvet træhus med skiltet Privat. Så gik han hen til billetlugen, hvor en gammel kone var i færd med at rulle strimlerne med billetter ud. Han slog på ruden.

– We are closed, mister, sagde hun og suttede på sin tandløse mund.

– But ... I wonder if I could ...

Hun åbnede den lille rude og gentog, at billetsalget først startede klokken ni.

Johan så på sit ur. Om tre kvarter.

– But you see, I am a friend of mr. Lewis.

262

– Yes?

– Do you know where I can find him?

– Who?

– Mr. Lewis.

– I don't know. Come again at nine …

Han nikkede til hende, og bukkede sig, så han kunne kravle ind under snoren, da døren i træhuset gik op. Han stirrede på de to unge, klassisk smukke piger, der nøjagtig ens i tøjet, nemlig store, brune kjoler og nedringede bluser med pufærmer, gik over mod en bod med æbleskiver. For lang tid siden, havde han troet der kun var en. Han kunne ikke huske deres navne, men vidste, at Lewis dengang havde præsenteret dem. I sin eksklusive villa. Johan noterede, at den ene var tyndere end den anden. Ellers var de identiske, og de spiste deres varme æbleskiver præcis på samme måde som de to spanske tvillingepiger i Barajas Airport.

Han så dem bestille en portion mere og gik hurtigt hen til husets todelte dør. Indenfor sad en cirka 40-årig mand i mørkt jakkesæt og en irgrøn skjorte med et spraglet slips. Meget lapset, meget slikket og meget britisk.

– Oh, I'm sorry, sagde Johan.

– Yes?

– I was … I was looking for Raymond.

Manden kom på benene. Knappede den midterste knap i jakken. Var i færd med at sætte små kort på tre buketter i cellofan.

– I am the manager, sagde han. – Mr. Lewis will be here with the Mayor.

Johan nikkede og så sig hurtigt omkring.

– I am from the Mayors office. Security, you know.

Johan smilede bagatelliserende.

– Arh yes. Manden rakte hånden frem. – Pender, John – . Haven't seen you before.

Johan tænkte, at Clacton eventuelt var lidt mindre end han havde ventet.

– I am new here … from London. Michael Klinger.

– What exactly was …?

263

– Just ... security. Can you spare a moment, mr. Pender?

Johan åbnede døren. Manden gik med ud, hvor der var begyndt at komme folk bag snorene. Henne ved billethullet var den lille, tandløse kone kørt i stilling. Og ved æbleskiveboden lo de elegante tvillingepiger af et eller andet og tørrede melis af munden. Johan vendte ryggen til dem og fik mr. Pender helt hen til Pariserhjulet. Han pegede på det lille, oliestinkende rum under selve maskinen, hvor to unge mænd havde indrettet sig med et par klapstole og et bord. Der stod en oliekande og en transistorradio.

– I wonder if I could stay here, just for security, sagde Johan.

– Yes, of course, no problem. Do you have some kind of identification.

Johan smilede og undskyldte, idet han trak sit hjemlige politiskilt frem. Mr. Pender gloede indgående på det, så Johan smækkede det hurtigt i igen.

– I am from London, sagde han.

– From London, mumlede Pender, og så skeptisk på ham. Johan gik tæt på ham.

– I didn't catch your name, sagde Johan hårdt, – was it Pender?

– Okay, yes Pender. It's all right, sagde manden og klappede Johan på skulderen. – We'll do it your way, help yourself.

Bagefter gik han ud til de to unge mænd, der omsider havde fået lyset til at fungere. Mr. Pender sagde et eller andet til dem, hvorefter de gloede ind på Johan, der havde sat sig på bordet.

Kort efter sad mr. Pender atter i det lille røde hus og fik straks selskab af de to smukke piger. Og præcis et kvarter senere lød der en fanfare, og fra huset under Hjulet kunne han skimte en pigegarde trække op nede ved molens begyndelse. Og da de kom nærmere, og skilte sig bedre ud fra de øvrige lyde, kunne han også se en stor, hvid bil bag garden, en åben vogn med chauffør. Der var nu sort af mennesker, og lyset over vandet tyndede ud. En frisk, let salt

264

vind slog ind over molen, hvor tre sølvfarvede måger tog plads på bolværket. Han så op på de gyngende kurve, hvor der var plads til fire personer. Imens kom musikken nærmere, og nu dukkede de første politifolk op, som venligt, men bestemt gennede folk væk fra snorene. Johan iagttog den store, hvide vogn og rykkede ind i skyggen, hvorfra han ugenert kunne studere den lille, tynde borgmester iført gråt jakkesæt og blåt borgmesterskærf. Han sad ved siden af den elegante Raymond Lewis, hvis hajagtige udseende var så tilpas glamouriseret, at selv hans tænder reflekterede samtlige kulørte lamper og pærer, da han som 80ernes Fagin holdt sit indtog på Clacton Pier.

Pigegarden slog nu kreds langs snorene, mens de officielle gæster modtog blomsterbuketter af de smilende tvillingepiger. Alt sammen overvåget af manageren, mr. Pender, der skyndte sig at klappe for. Borgmesteren sagde et par meningsløse ord i en trådløs mikrofon og gik hjulbenet hen til snoren, som han straks klippede over. Folk klappede og Raymond Lewis lo og trykkede borgmesterens hånd. I det samme begyndte pigegarden at spille, og nu steg den lille borgmester op i den første kurv sammen med Lewis og de to piger. De vinkede ud til folket, der strømmede hen til billethullet. Straks efter begyndte det store Hjul at snurre, og folk klappede og vinkede, og Lewispigerne kastede papirblomster ud fra den forreste kurv.

Johan så dem snurre og snurre, indtil Hjulet langsomt gik i stå, så borgmesteren og Lewis kunne komme af. Ny hold kom til, mens den gamle mand tog plads i den alt for store og alt for skinnende vogn. I hans følge fulgte den truttende pigegarde, men publikum blev, for alle skulle have en tur i Lewis Ferris Wheel 1986.

Johan så Lewis gå ind i det lille træhus sammen med pigerne og mr. Pender. Og nu snurrede Hjulet næsten uafbrudt. Han nikkede til de to unge mænd, der lod som om han ikke var der.

Der gik nøjagtig en halv time, så gik døren til det jordbærfarvede træhus op. Mr. Pender og mr. Lewis så meget målbevidste ud og styrede direkte over til skuret under Hjulet, hvor Johan kom på benene.

Lewis genkendte ham øjeblikkelig, om end hans udtryk skiftede fra forbløffelse til overbærenhed.

– ... der kan man sgu se, smilede han.

Johan så ned i jorden og rømmede sig.

Lewis' arrogance fornægtede sig ikke. Han tændte en cigaret og bød oven i købet Johan en.

– Om jeg fatter jer, sagde han. – Det må være meget dyrt for staten, at sende jer rundt i verden, for at holde øje med, hvad jeg laver. Men det er måske min licens, du vil se?

– Egentlig ikke, mumlede Johan.

– Blot en rutinesag, foreslog Lewis og skød øjenbrynene i vejret.

– Heller ikke. Faktisk så drejer det sig kun om et par minutter. Så lover jeg, at vi lader Dem være i fred.

– Det lover du? Ja, jeg siger du, for vi kender efterhånden hinanden, ikke?

– Jeg lover det, sagde Johan og så væk.

– Det lyder næsten for godt til at være sandt. Lewis smilede til sin manager, der gik tilbage til huset. – Har du for resten fået en tur i mit lille Hjul?

Johan så op på de dinglende kurve. Det var mørkt nu; og pærerne stod smukt til den sorte himmel.

– Ikke, endnu. Måske det var en ide.

– Selvfølgelig, firmaet giver. Bagefter kommer du over til os andre i skuret, Jordbærskuret, kalder pigerne det. Så får vi en kop kaffe. Måske en lille een til halsen, men du drikker måske ikke i tjenesten?

Pariserhjulet standsede, blev tømt og fyldt lige så hurtigt. Lewis smilede og gik hen til den ene af de unge mænd og gav ham en kort besked, idet han pegede på Johan.

– Du får en hel kurv for dig selv, råbte han, vi lægger bare nogle blylod i. Så du ikke bliver dårlig.

Johan gik hen til ham.

– Jeg har ikke så meget tid, Lewis, sagde han. – Det drejer sig blot om et par spørgsmål. – Kan De ikke gøre turen med?

Lewis lo og så indgående på Johan. Så så han på sin cigaret, flyttede blikket og så indgående på Johan, lo en lille smule og overvejede. Hans blik var stikkende, kroppen en smule urolig. Som rotten, der vejrer en skjult fare. Som manden, der lytter til sit instinkt.

– Jeg tror jeg springer over denne gang.

– Jeg ville blive glad, hvis De tog med.

Lewis så skråt på Johan.

– Jeg tror ikke, jeg fik fat i dit navn.

– Johan. Johan Klinger.

– Arhja, Klinger. Jeg er temmelig god til at huske ansigter, men navnene smutter altid. Du var sammen med en kraftig fyr.

– Otto Volmar.

– Volmar ja. Det er rigtigt. Flot par. Jaja. Og nu vil du ha vi skal ta en tur i Hjulet. Hvorfor ikke, Klinger? Hop ind. Den lille metaldør falder i. Det rykker i maskineriet. Hjulet begynder at snurre. Lewis sidder med ryggen til kørselsretningen, med armen på kurvens kant. Afslappet, og på vagt. Han slikker sin underlæbe. Kurven når op til sit toppunkt og glider ned igen. Lewis ler.

– Hvad nu, Klinger? Skal vi tale sammen?

Johan så alvorligt på ham.

– Det drejer sig om Albert Como, sagde han.

Lewis' ansigtsudtryk ændrede sig ikke.

– Om Albert Como?

– Ja. Og jeg skal gøre det kort, Lewis. Jeg ved, at De ikke skød Albert Como ...

– ... nå det var da altid noget, grinede Lewis. Hans polerede, kosmopolitiske facade krakelerede så småt. Lige inde under passede han meget godt til Pariserhjulet.

– ... for det gjorde nemlig en mand ved navn Hardinger. Han skød også Rose Valentin, en af Deres bekendte. Det hele foregik i et bordel kaldet „Masken", som De delvist ejede. Jeg ved også, at efter dette noget tilfældige dobbeltmord, var det Dem og Deres hjælpere, der ryddede op efter Hardinger og dermed forpurrede efterforskningen. Spørgsmålet er nu, hvorfor De gjorde det, Lewis? Hvad fik De ud af det?

Lewis flyttede blikket en anelse til venstre, så han kunne overskue hele molen, alt gøglet og den uendelige Nordsø, hvor blinkene fra boretårnene blandede sig som reflekser i natten.

– Er du her på egen hånd, Klinger, spurgte han roligt.

Johan nikkede.

– Der er ... ingen, der har sendt dig? Ingen chefer, der har betalt din flyvebillet, du skal ikke aflevere bilag, når du kommer hjem? Han lo lidt.

Johan flyttede ikke blikket.

– Du er måske bare den nysgerrige politimand?

– Det kan man godt sige.

Lewis rystede på hovedet og foldede hænderne.

– Hvad fanden får dig til at tro, at jeg vil fortælle dig noget som helst?

Johan så ned i det gyngende gulv.

– Det ved jeg sådan set ikke, sagde han stille.

Lewis tændte en ny cigaret, idet kurven gled opad i et stigende tempo. Rundt omkring dem var pigerne så småt begyndt at hvine.

– I er sgu nogle mærkelige nogle, sagde han filosofisk.

Johan rykkede frem i sædet:

– Jeg går ud fra, at Como var der den nat, for at få sat en stopper for afpresningen? Det var jo trods alt det, det hele gik ud på, ikke sandt, Lewis. At presse systemet nedefra.

Lewis så for første gang indgående på ham. Som om der var noget han ikke kunne greje. En taktik, han endnu ikke havde regnet ud. Et forhold han ikke var bleg for at indrømme.

– Hvorfor blir du ved med at snakke om Como? Hvad rager Como mig?

– Lad nu være, Lewis, sukkede Johan. – Du ved, og jeg ved, og Mahler ved, og hele den satans Comogruppe ved, at vi aldrig nogen sinde kan knalde dig for noget som helst efter det her.

Lewis' ansigt snørede sig en smule sammen. Han smilede

vantro og alligevel vagtsomt til Johan.

– Er du bindegal, mand? Tror I jeg har noget med Como-mordet at gøre?

– Jeg vil gerne vide, hvorfor I ryddede op efter Hardinger? Hvorfor I kørte Comos lig ud til Vestskoven. Jeg vil gerne høre Dem sige, at De indgik en aftale med Mahler.

– Du er bindegal!

– All right, så begynder vi forfra.

– Nej, vi begynder aldeles ikke forfra. Hvad fanden tror du det her er for noget.

Lewis stirrede på Johan.

– En mand skyder Rose Valentin, sagde Johan stille. – Manden møder op i Valentins bordel og skyder Rose. Bagefter går han ud på gaden og forsvinder. Manden hedder Hardinger og er musiklærer og moralist. Han bryder sig ikke om „Masken" og det, der foregår derinde. Desværre var Rose ikke alene den nat.

– Et øjeblik unge mand. Lewis holdt en finger i vejret. – Hvis det her skal være sandhedens time, så lad for fanden være med at gætte dig frem. Det er rigtigt, at en eller anden idiot plaffer Mercedes ned, og det er rigtigt at det ikke var nogen af os. Og det er meget muligt at nogle af Mercedes' venner ryddede en smule op efter det lidt triste intermezzo. Man kan sige, at et mord er bad for business. Kunderne bliver utrygge af den slags, specielt hvis de gerne vil være anonyme. Er det til at forstå, Klinger?

– De glemmer noget.

– Glemmer jeg noget?

– De glemmer den tredje person på Rose Valentins kontor.

– Der var ikke nogen tredje person.

Johan så væk. Havde han virkelig regnet med, at det ville blive så nemt? Skulle Raymond Lewis, af alle, være mere ærlig end Mahler og Stern? Også han var bundet af deres bilaterale aftale. Udbyttet af denne pagt mellem ordensmagten og underverdenen var for Lewis for stort til, at han ville snakke over sig til en tilfældig politimand i en luftgynge.

– Jeg har … ikke så meget tid, sagde Johan.

– Ved du hvad, kammerat, sagde Lewis, – det har jeg sgu heller ikke. Så jeg foreslår du skrubber af, når turen er forbi, eller betaler for en tur mere, eller hvad fanden du finder på.

Han så bistert på Johan, men flyttede så blikket til sin cigaret, som han knipsede ud over kurvens kant.

Det første slag ramte ham på kinden. Det havde ikke været Johans mening, at ramme ham så hårdt. Lewis' hoved hvirvlede et kort sekund bagud, som en tangplante, inden han fik kontrol over sig selv. Det blødte fra underlæben.

– Hvad fanden laver du?

Det næste slag var ikke så hårdt, men ramte ham rent på kæben. Lewis gled halvvejs ned på gulvet, hvor Johan samlede ham op. Mandens blik sejlede en smule, men han blev hurtigt klar, så han kunne skubbe sig bagud i sædet, ind i hjørnet, hvorfra han stirrede chokeret på Johan.

– Du *er* sgu bindegal, mumlede han.

I det samme standsede Hjulet. Man gik i gang med at tømme og fylde kurvene, een for een.

Lewis mumlede noget om sin skjorte, der var stænket til af blod.

– Jeg har voldsomt brug for nogle svar, sagde Johan indædt.

– Du ved vist ikke, hvad en jacketkrone koster nu om stunder, mumlede Lewis og rettede på sit slips.

– Sandheden, Lewis, sagde Johan. – Kom så med den.

– Sig mig, er du dårligt begavet?

– Ja, jeg er dårligt begavet.

– Ja, det må du fanme være. Jeg har fortalt dig det hele. Præcis som det gik til. Jeg fatter ikke, hvorfor det er så helvedes interessant at en gammel mær kradser af. Mercedes havde et hav af fjender, men hun levede med den risiko. Og døde af den.

– Talte du nogen sinde, ansigt til ansigt, med Mahler?

– Med Mahler? Hvem fanden er Mahler?

– Du ved udmærket, hvem Mahler er.

– Mener du ham nikkedukken fra politiets pressekonferencer?

270

Johan nikkede.

– Hvorfor skulle jeg tale med ham? Tror du jeg slog Como ihjel?

– Nej, jeg tror ... jeg har fortalt Dem, hvad jeg tror, Lewis.

– Okay, nu siger jeg det for sidste gang, og jeg beklager, hvis det blir lidt kontant, men jeg er ikke vant til at omgås evnesvage: Jeg er bekendt med, at nogle af Mercedes' venner gjorde sig den ulejlighed at tørre gulvet af, efter hun var blevet skudt. Det er muligt at disse mennesker også kørte liget ud i havnen, men så vidt jeg ved, så er liget fisket op og manden, der skød hende fundet, og på toppen af det hele, har vi måttet lukke „Masken". Hvad mere kan I forlange, mand?

– Hvad med pigen der hed Suzan?

– Hvem Suzan?

– Svennes pige!

– Hvad er der med hende? Altså hvilken planet kommer du fra, Klinger? Den må fanme ligge langt ude.

Johan nikkede og tænkte, at han ville huske de ord.

– Tror I, at Como var i „Masken" den nat?

– Det ved jeg at han var.

Lewis sank tilbage i sædet.

I det samme faldt deres kurv ned til bundpositionen, hvor den unge mand stod parat med et nyt hold.

– Vi tager en tur til, sagde Johan.

– Vi tager bestemt ikke nogen tur til, snerrede Lewis og kom på benene.

Johan holdt ham tilbage med håndfladen.

– Vi tager en tur til Lewis, sagde han bestemt.

Et øjeblik flakkede Lewis' blik. Så trak han på skuldrene og satte sig ned.

– Det er selvfølgelig ingen skade at kunderne er begejstrede, mumlede han og nikkede til den unge mand.

De stirrede indgående på hinanden, mens de snurrede op og ned. Til sidst spurgte Lewis, hvad det egentlig var, Johan ville opnå.

– Hvorfor er du egentlig her?

271

– For at slå Dem ihjel, svarede Johan tørt.

Over dem var et hold på fire unge piger begyndt at hvine, hver gang kurven rutsjede nedad. Lewis' hænder flyttede sig langsomt fra sædet til kurvens kanter, hvor knoerne blev hvide.

– Du er sindssyg, sagde han.

Johan svarede ikke. Lewis så ned. Musikken larmede. Det lød som wienervals udsat for lirekasse.

– Stop Hjulet, skreg Lewis, da de kurede hen langs asfalten, men der var ingen der hørte ham. Kurven fór op igen. Under dem var ansigterne vendt opad. Hvide, lidt forkomne ansigter. Folk i køen skuttede sig, vinden var kold.

Johan rykkede frem i sædet. Og nu råbte Lewis ned. Imens åbnede Johan den lille metallåge, der straks gav sig til at klapre i vinden.

– Stop the wheel, skreg Lewis desperat. – Help me …

Hans øjne bulnede voldsomt ud, som var han for sidste gang i færd med at puste sig op. Johan rejste sig, og fandt balancen på det gyngende gulv. Lewis skar tænder og lagde sig baglæns, idet han sparkede ud. Johan løftede ham ud af sædet. Over dem skreg pigerne som besatte. Lewis forsøgte at vride Johans hoved bagover ved at flå ham i håret. Johan plantede et knæ i hans lyske og så ham knække sammen. Hjulet kørte nu i højeste omdrejningstal. Nede på jorden stod de to unge mænd og grinede op til de skrigende piger. Måske var de i stand til at give maskinen en ekstra spand kul. Lewis så på Johan med øjne som æg. Han ventede til kurven nåede toppunktet; så så han Lewis direkte i øjnene og skubbede ham blødt ud over kanten, hvor Lewis vendte i luften med strittende arme og ben, som et polygon i natten, et fremmedlegeme i gøglet, da han ramte en wire, der halvvejs klippede ham over, inden han slog mod asfalten.

Hjulet snurrede fortsat rundt, men nu kom skrigene nedefra, og på sekunder spredtes panikken, og samledes lige så hurtigt i et størknet kaos. En eller anden forbarmede sig og standsede Pariserhjulet. Folk hang i deres gynger og råbte om kap med øjenvidnerne i køen. Imens lykkedes det Johan, at komme fri af sin kurv og ud på stålkonstruktionen, der bar hele menageriet, hvorfra han kunne springe fem meter ned i mængden.

Hurtigt fik han mavet sig bort fra åstedet, gennem de stadig tættere og tættere masser, inden han fandt det sted, hvor han tidligere havde stået og målt afstanden til vandet. Han var nu midt på molen, hvor nyheden om det, der var sket, spredtes som en løbeild. Folk sprang sidelæns ud af radiobilerne og bort fra spillepladerne i bankohallerne. I løbet af minutter var al koncentration hæftet på Lewis Ferris Wheel.

Johan svang benet op over rækværket, så sig kort tilbage og satte af. Da han ramte vandoverfladen, kom kulden og ikke mindst stilheden som en lise. Et behageligt, kulsort indelukke han ville have brug for de næste ti minutter. Med lange, seje tag svømmede han under vandet og mærkede tang, alger og vandmænd slå mod ansigtet. I løbet af minutter fik han fast grund under fødderne og stak hovedet oven vande. Han var cirka halvtreds meter fra molen, hvor lyden af tumult nu var stilnet af. Langt væk kom de nødvendige sirener. Han vadede op på en stenet strand og mærkede vandet fosse ud af lommer og hulrum. Kulden var nu alt andet end behagelig, han begyndte at småløbe, men satte hurtigt farten op og løb med skoene i hånden. Efter et kvarter standsede han ved nogle spraglede badehuse. Stod et øjeblik og lyttede, syntes at have opfanget en snurrende bilmotor oppe på vejen. En motor der trofast fulgte ham, og som nu var standset og gik i tomgang. Han tog skjorten af og vred den, idet han listede frem til bolværket, kravlede op på nogle kampesten, for at se ind på vejen.

Husene overfor var sikkert meget attraktive og meget dyre, men der var intet luksuriøst over dem, ingen trang til fiskerromantik. Ét af dem havde dog tilladt sig at skrive Bellevue på facaden. Johan svang sit våde bukseben op over muren. Den sorte Morris holdt parkeret lidt væk, men gjorde ikke noget forsøg på at gemme sig, eftersom den holdt under en gul gadelygte. På afstand lignede den en taxa. Han satte sig med ryggen mod bolværket og stak i skoene. Men flytte-de straks hovedet, da der lød skridt til venstre for ham. En skikkelse kom roligt, men målbevidst over til ham. Manden måtte have stået i skyggen fra et af træerne, siden Johan ikke havde set ham. Han havde en kort, blå jakke på og gik med hænderne i jakkelommerne. Johan rejste sig op og fikserede endnu en gang den smilende, rødhårede mr. Bremner fra BBC. Udtrykket i de klare blå øjne var om ikke muntert, så opmuntrende.

– Can I give you a lift, mr. Klinger?

Johan vidste, at han ikke havde givet manden sit rigtige navn. Rent bortset fra, at en tilfældig journalist fra BBC næppe fandt det ulejligheden værd at skygge en tilfældig turist helt til Clacton On Sea. Mr. Bremner var stået på flyet i Madrid, akkurat ligesom Johan, og med hensyn til hans nationalitet, så kunne den svinge mellem samtlige lande på den nordlige halvkugle.

Henne ved den sorte Morris var en anden mand steget ud.

– Do I have a choice?

– Certainly, mr. Klinger. Bremner trak skuldrene op til ørerne.

– How do you know my name?

– Come come, Klinger. Bremner smilede.

Johan sukkede. Manden var brite. Måske var han kollega til señor Lucas, måske med det samme speciale.

De gik hen til bilen, hvor Bremner præsenterede ham for sin kollega McDowell.

Johan satte sig ind på bagsædet.

– Back to London, foreslog Bremner.

Johan så ikke på ham. Spurgte bare, hvad det hele gik ud på. Bremner tændte en cigaret og sagde, at det havde han ikke den ringeste anelse om.

– You were just there, by coinsidence? Johan smilede svagt.

– No, of course not. I was ordered to Madrid to meet you, and to … take care of you.

Johan så på ham.

274

– Very nice of you.

– Thank you, mr. Klinger.

Bremner bankede på mellemruden.

– McDowell, to Mount Pleasant, please ...

De kørte ad motorvejen, og undervejs gentog Johan sit spørgsmål angående mr. Bremners rolle på fem, seks forskellige måder.

Men manden påstod hårdnakket, at han intet vidste.

– Are you some sort of an agent?

– I was. Interpol, you know.

– And what now, mr. Bremner?

– Now I'm in S.S.C. ... State Security Corps.

Vognen rullede op foran hotellets pauvre indgang.

– Do you know a man called Mahler? Johan så indgående på Bremner.

– No, I don't think I do.

Johan så på ham. Og gjorde tegn til at ville stige ud. Bremner smilede til ham.

– You better change in a hurry, its a cold night.

Johan tøvede.

– Do you know what I did tonight?

– No, I don't, and I don't wanna know, mr. Klinger. Its not our department. Others will take care of that.

– So you do know.

– Goodnight, Klinger. Oh, just one thing before you leave. Please call mr. Tabor, I believe he is your boss back home. Its very urgent. Please, mr. Klinger. And one more thing. I know you are leaving UK tomorrow at nine o'clock, you haven't changed your mind, have you?

– No, I haven't, and if I do, Bremner, I'm sure you will be the first to know.

Bremner smilede og lukkede døren efter Johan, der vadede ind i lobbyen, hvor natportieren gav ham hans nøgle.

Lidt efter lå han i sengen og fik varmen tilbage. Tøjet hang på stoleryggene foran radiatoren, som han havde tændt på fuldt blus.

Han nærede ikke nogen falske forventninger om at kunne

275

falde i søvn, men lå en halv time, indtil han følte sig nogen-
lunde tilpas igen. Så stod han op og stak i sit andet par bukser
og trak i den ny poloskjorte og påbegyndte hårfarvningspro-
ceduren. Det var ikke noget stort problem, og efter en halv
time var han om ikke Lucas så en helt anden person, og med
de gule solbriller kunne han meget vel imitere det temmelig
dårlige foto af spanieren i det røde pas.

Det bankede på døren. Johan så på sit ur og tøvede et par
sekunder.

– Yes, who is it?

– Its me, mr. Klinger, Bremner. Have you got two minu-
tes?

– No I haven't, I am actually trying to get some sleep.

– It was just a matter of your passport. When do you leave
UK tomorrow?

Johan åbnede døren. Udenfor stod den rare Bremner og
skråt bag ham hans store, mutte kollega.

– Oh ... Bremner så med påtaget alvor på Johans nye hår,
– ... Oh, I see.

– What do you see?

– You have ...

– Yes. You see, Bremner, I am leaving Britain on another
passport.

– But mr. Klinger ...

– I don't want to be stopped in the airport, just because
someone fell from a Ferris Wheel in Clacton. That's all!

– But don't worry about that, my friend. Bremner satte sig
hjemmevant på sengen. – We'll take care of that. No pro-
blem. Anyway, what are friends for?

Johan så på ham. Spurgte hvad Bremners præcise ordrer
egentlig gik ud på?

– To take care of you. To see that your journey back home
is safe and sound. That's all, Klinger.

– Who gave you that order?

– My chief. I believe he's been in contact with your old
man.

Johan nikkede. Bremner tændte en cigaret og lod til at

hygge sig.
– Now, Klinger. The false passport ...
– What about it?
– Could we just see it.
– Why?
– Is it fixed, or is it ... somebodys?

Johan satte sig ved siden af Bremner.

– I killed a man in Havana, sagde han. – I actually shot him three times. His name is Lucas, and he was from Madrid. Now you know!

– You don't say. Bremner lænede sig tilbage. Hans måde at spille komedie på, var ved at gå Johan på nerverne. Måske var det bare trætheden. Måske var det det hele. Egentlig burde han også have ringet hjem. Der var så mange ting han burde.

Bremner bad om at se Lucas' pas. Johan smed det hen til ham. Så manden falde ud af rollen som engelsk gentleman. Han stirrede op på den store McDowell, der gloede på Johan med et nyt udtryk.

Pludselig var Bremner en helt anden. En alvorlig kollega, et menneske med ægte træk. Han rakte Johan passet.

– Is he really dead? spurgte han stille.

– Yes, sagde Johan en smule forundret. – He is dead. Why?

– But ... the whole world is looking for that man.

Johan så fra Bremner til McDowell, der havde lagt armene over kors.

– Looking ... for him? Lucas?

Bremner så indgående på ham.

– Who do you think this mr. Lucas is, Klinger? spurgte han stille.

– I ... I don't know, mumlede Johan og satte sig på det lille bord.

– No one knows his real name, of course, fortsatte Bremner, – but he is known as Mehmet from Damaskus.

Sætningen stod i gule typer foran Johan. Tredimensionale gule typer, der pludselig begyndte at snurre om en usynlig akse. Hurtigere og hurtigere, en centrifuge af ord.

Han bukkede hovedet ned mellem benene.

– You are a hero, sagde McDowell anerkendende.

Johan stirrede op på ham.

– Jeg fattede ... ikke en skid af det hele, sagde han til Bremner.

– In English, please, smilede Bremner tørt.

Johan kom på benene. Måske var hele verden ved at spille ham et puds. Måske kunne han ses på en monitor i Rio de Janeiro og i Houston og i Moskva. Måske var det noget man morede sig over. En konkurrence. Hvis Lucas var Mehmet ... nej, det hele krakelerede. Hvis Lucas var Mehmet kunne han umuligt have samarbejdet med Stern. Medmindre Stern; hvilket var utænkeligt. Altså måtte Lucas, og ikke Teresa, have skudt Stern. Måske havde Stern ligefrem kvalt Teresa inden. Måske havde Lucas fuppet Stern. Men cubanerne påstod jo, at Stern havde dolket Hardinger. Hannah påstod, at Stern havde dolket Hardinger.

– Mr. Klinger, sagde Bremner.

Johan vinkede ham af. Det var væsentligt at holde tankerne på det rette spor. Men i lommen lå den lille filmrulle han havde fundet på Lucas' alias Mehmets værelse, nr. 302 på Marazul. Han så på Bremner og spurgte, om det var muligt at få den fremkaldt i løbet af natten? Bremner svarede, at det kunne ordnes på en halv time.

Minutter efter var McDowell gået.

Johan så på Bremner.

– Do you want to hear a strange story, spurgte han.

– No, mr. Klinger, svarede Bremner, – I don't think so.

Johan nikkede og så på sit sorte hår i spejlet. Enten finder jeg den sidste brik nu, eller også er det begyndelsen til et helt nyt spil. Eller enden på alle spil.

Tre kvarter senere var McDowell tilbage med en kuvert med positiver.

På det tidspunkt havde Johan fastslået, at Lucas alias Mehmet selvfølgelig vidste, at Stern og Johan Klinger var på vej til Cuba. Spørgsmålet var: Hvor vidste han det fra?

Og endnu bedre: Vidste Stern, at Mehmet også boede på Marazul? At han var på Cuba. Vidste Mahler det? Noget kunne tyde på det. Det havde hele tiden generet Johan, at man skulle sende hele to mand af sted for blot at likvidere Hardinger. Det var en typisk enmandsopgave. Næppe noget problem for en mand af Sterns kaliber. Medmindre han samtidig skal sende politimanden med den store indsigt samme vej som Hardinger? Men Stern kan vel ikke klare både Hardinger, Klinger og Mehmet?

Han åbnede kuverten. Der var ialt 108 farvefotos, og det overraskede ham egentlig ikke, at samtlige billeder havde ham som motiv. På gaden, ved opgangen, i parken, sammen med Otto. Flere af dem gode billeder, et smilende ansigt der fylder hele rammen. Det var vel, hvad man kunne forvente af en lejet mand med mord som speciale. Havde han ikke selv taget dem, havde han brugt en kilde, en medsammensvoren. Næ, det overraskende var omgivelserne. Alle de hjemlige omgivelser. Mehmet havde ikke taget et eneste af de 108 fotos. Faktisk var der flere, der forestillede både Johan og Feo. I parken, på badeanstalten, i Zoologisk Have.

Johan lagde billederne tilbage i kuverten og mærkede en ny tyngde i kroppen, en hang til apati og en tomhed, der var ham totalt fremmed. Forbindelsen fra Mahler til Stern, og fra Mehmet til Johan, og så videre og så videre ... – Måske ønsker jeg ikke, at få puslespillet til at gå op, mumlede han.

Een ting stod imidlertid tilbage. En enkelt lille sag, som kunne afgøre, hvad han skulle gøre i morgen. Et sidste usikkerhedsmoment, angående hans hjemrejse.

Han så på Bremner.

– I should like to make a call?

– Now?

– Yes, now.

– We could drive you to the police-station, mr. Klinger. In many ways ...

Johan åbnede døren.

– You can stay here if you like, sagde han tørt. – Or you can follow me to the lobby. I don't care, and one more thing

279

mr. Bremner, I'm not planning to go anywhere. Just down to the lobby.

Der brændte et skiddent lys i den tomme lobby, hvor natportieren sad med en paperback og en kop the.

Johan så Bremner og hans kollega tage opstilling uden for den lille, tørt lugtende boks med det runde vindue.

McDowell sagde et eller andet og Bremner trak på skuldrene. Imens så Johan på sit ur. Det var sent, men det var der ikke noget at gøre ved.

Han drejede de mange cifre og hørte forbindelsen gå igennem og telefonen ringe fem gange. Så lød en søvndrukken, velkendt stemme:

– Ja? Hallo ... det er Otto Volmar, hvem taler jeg med?

Han stirrer på røret og stemmer ryggen mod væggen. Ser sin frie hånd spile fingrene ud mod den runde rude, og han tænker på vand og på ilt, og finder det lille håndtag i døren, der bare er en rund knop, da lyset går ud. Imens snurrer håndtaget bare rundt og rundt, og stemmen i det nu dinglende telefonrør lyder mere og mere desperat.

26

Han drømte han gik på havets bund. Han drømte, at tyngdekraften var ophævet, og at alle lyde var borte. Og han lagde sig i brisen fra tusind milde strømme, og fandt et brus af bobler, der hvirvlede ham rundt til fremmede banker, hen over ukendte kroppe, hvis oliefarvede skæl slår sprækker og blotter de torskekødsfarvede indvolde, der flyer fra pillede skrog og kranier, og efterlader vrag på vrag på havets bund, en katedral af ribben og søanemoner.

De tog imod ham i lufthavnen: En lille, tætsluttet, alvorlig komite med Tabor i spidsen. I alt ni personer. Da han flyttede fødderne ned ad rampen og stødte på den hjemlige jord, tænkte han endnu en gang på Havana og på Cuba og på huset i Trinidad, hvor musiklæreren og moralisten Wesley Hardinger kunne have fået et godt liv.

Han havde brugt en halv time på hotel Mount Pleasant, primært på at vaske det sorte ud af håret, sekundært på at tænke situationen igennem. Til sidst skummede al den sorte farve i afløbet, altimens tankerne koagulerede til en sviden i mellemgulvet, en mat træthedsfølelse, som hurtigt lagde sig over evnen til fortsat at ræsonnere.

Han blev dirigeret uden om al told og kontrol og ind i VIP-rummet, hvor chefen for Sikkerhedspolitiet kom imod ham sammen med tre af sine medarbejdere. Deres håndtryk var faste og hjertelige, og de yngre kolleger så tilpas respektfulde ud, da de tog opstilling langs de dueblå vægge med hænderne på ryggen. Jeg må have det hele med, tænkte han; registrere så meget som muligt, måske vil brikkerne en dag falde på plads, og så går det ikke at mangle et hjørne. Stemmerne var lavmælte, en smule formelle, men venlige. Han satte sig ned. – Ja, sid ned, Klinger, sagde Tabor og lød en smule forlegen. Hjemme var han sikkert vant til, at konen tog sig af høflighedsfraserne. – En kop kaffe?

Ja tak, han ville gerne ha en kop kaffe.

– Noget til?

Nej, han trængte ikke til noget.

Tabor var, som han huskede ham. Høj, mager og tør. Mere upersonlig end Mahler, mindre kontrast i karakteren. En bureaukrat, der ikke stak noget under stolen.

De sad rundt omkring ham og iagttog ham, mens han drak sin kaffe. Omsider begyndte så chefen. Slog indledningsvis ud med armene og sukkede.

– Det er jo ikke så lidt af en bedrift, Klinger, sagde han.

De andre mumlede bifaldende. Det var som om han havde drejet på en ventil. Folk blev mere afslappede og nikkede til hinanden.

De helt unge så beundrende på ham.

– Solidt arbejde, bjæffede S.P.-chefen, – helt igennem solidt.

Lidt efter blev der stille igen. Folk flyttede på fødderne. Udenfor ankom og afgik flyene regelmæssigt. Det hylede i atmosfæren, og han var glad for lydene. Tabor rykkede hen til ham.

Stemningen var ikke god, og slet ikke hjemlig eller hyggelig. Johan tænkte, at det måske skyldtes, at de alle sammen havde deres cotton- og trenchcoats på.

– Vi ved naturligvis, begyndte Tabor, – at der er ... begået fejl, alvorlige tjenstlige ... også menneskelige fejl.

Johan så på ham over kaffekoppen.

– Jeg vil gerne hjem, sagde han.

– Selvfølgelig, Klinger, smilede Tabor og så sig nærmest lettet om i kredsen, hvor smilene kom frem. Chefen for Sikkerhedspolitiet kom på benene, og det virkede som et tegn, for pludselig forlod alle de menige politifolk lokalet og tilbage blev kun de to ældre chefer og tre af deres nærmeste medarbejdere.

– Vi forventer selvfølgelig en fuldstændig rapport fra din side en af de nærmeste dage, sagde Tabor. – Vi ved, sådan nogenlunde, hvordan det hele er gået for sig, både med hensyn til Hardinger og Victor Stern.

– Hvad med Mehmet, spurgte Johan og så direkte på Tabor.

Chefen for S.P. satte sig på den anden side af Johan. Det bistre ansigt krummede sig sammen, så det lignede en knyste. – Jeg vil bare sige, at med hensyn til den side af sagen, så er det et fandens godt arbejde du har gjort, min ven. Han rakte hånden frem, som om han ville tage Johan på skulderen, men tog sig i det. Og lidt efter var de ude af lufthavnsbygningen, hvor det atter slog Johan, at Tabor måske virkede knap så euforiseret af begivenhederne som et par af de andre. Måske var han typen, der aldrig tillod sig at blive revet med, måske syntes han ligesom Johan, at der slet ikke var noget at feste over.

De satte sig ind på bagsædet af en luksuriøs tjenestebil med en uniformeret betjent på forsædet. Tabor bukkede sig frem og skubbede ruden til førersædet på plads. Vognen begyndte at rulle ind mod byen, efterfulgt af tre andre.

– Hvor meget ved I egentlig om mordet på Como, spurgte Johan og så adspredt ud ad vinduet. Mærkede Tabors blik.

– Ikke så lidt, sagde han. – I øvrigt er sagen officielt afsluttet. Mehmets billede har været på forsiden af alverdens aviser. Et ord fra dig Klinger, og du er nationalhelt.

Johan drejede hovedet og så kort på Tabor, der ligesom tog sig i det.

– Du må forstå … Han gned sig over panden … – Du må forstå, at da vi fandt ud af sammenhængen mellem Hardinger og hans eks-kone og den store Mehmet og hans folk, så var det ikke et anliggende, der kun gjaldt os og vores sikkerhed. Hele Europa, ja hele verden har forsøgt at få fat i denne mand. Jeg skal ikke trætte dig med hans meriter, og måske har han aldrig været i landet. Måske *var* det virkelig Mehmet, der skød Como den nat. Jeg hører imidlertid ikke til typen, der går så meget op i, hvem der havde den sidste finger på aftrækkeren. Men da vi erfarede, at Rose Valentin og Albert Como var skudt med det samme ikke helt almindelige våben, troede vi selvfølgelig, at Como vitterligt havde været i „Masken". Problemet havde dermed fået en ekstra politisk dimension. Mahler lod to hold arbejde uafhængigt med sagen Rose Valentin, et officielt og et uofficielt. Forbindelsesleddet var Wagner. I løbet af kort tid fandt vi ud af, at Como aldrig havde været på bordellet. Hvor han egentlig blev myrdet, ved vi ikke. Men da du og Volmar pludselig kommer ind med Hardinger, blir Mahler klar over, at han har fået nøglen til mindst tre ting: 1. Vi har fanget Valentins morder. Ingen tvivl om det. Fra S.P. erfarede vi yderligere, at Hardinger mindst een gang har været i Damaskus, for nøjagtig fire år siden, og i øvrigt flere gange på Cuba; derudover er der hans udklipsmappe, som du selv fandt. Umiddelbart kan man undre sig over, hvordan gruppen kunne være så uforsigtig at lade sådan en mappe stå fremme, medmindre det var meningen, at I skulle finde den. Punkt 2. Vi vidste, at Hardinger muligvis var manden, der kunne føre os til Comos morder, og punkt 3. Hardinger kunne føre os til Mehmet. Fra politisk hold vidste Mahler, at Como var på Mehmets sorte liste.

– Hvad med ... Hardingers tidligere kone? Johan forsøgte at finde en saglig tone.

– Det kommer vi til, svarede Tabor. – Mahler står nu med Hardingers tilståelse. En falsk tilståelse, men det er et satans faktum, at Valentin og Como er skudt med eet og samme våben. Og det er et satans stort problem, at vi har en mand, der tilstår at han har gjort det. Vi ved bare, at det ikke forholder sig sådan, vi kan bare ikke bevise det. Det er med andre ord en nederdrægtig plan, vendt mod hele opklaringsarbejdet, mod hele vort samfundssystem. Mehmet kunne ikke nøjes med at skyde Como, aktionen skulle også have et eftermæle, der kunne tilsvine ikke bare Como, men alle de mennesker, der stod ham nær og som viste ham den ære at være til stede ved hans bisættelse. En moralsk tommelskrue på hele det politiske system. Men vi vidste, ét hundrede procent, at Como ikke blev skudt på Valentins kontor.

– Hvorfra?

– Fra en herre ved navn Raymond Lewis.

Tabor så kort på Johan. Blikket var ikke anerkendende.

– ... samt naturligvis fra vore tekniske undersøgelser. Derfor vidste vi også, at Hardinger var part i en helt anden plan. Og at der lå en mastermind bag det hele.

– Hvad var Hardingers motiv?

– Fanatisme. Politisk og moralsk. Como havde jo i flere år udvist stor personlig courage i forbindelse med forhandlingerne i Mellemøsten.

– Jamen, hvorfor skyder Hardinger Valentin? Er det blot for at svine Comos eftermæle til?

– Manden er for det første gal. Men det er oplagt, at han var besat af tanken om at straffe Valentin. På grund af udnyttelsen af de små piger. Vi havde jo talrige psykologer på ham. Derfor passede han også som fod i hose i Mehmets planer. Og den aften, da Como beslutter sig for at køre en tur i sin kones bil, hvorfor S.P. ikke reagerer, den aften slår Mehmet til. De har simpelt hen ventet på det tidspunkt.

– Først Como, så Valentin?

– Formentlig ja. Vi burde jo kunne sige det, men eftersom Valentin blev smidt i havnen, og faktisk lå der et stykke tid inden vi fandt hende, kan det ikke siges med sikkerhed, men det er selvfølgelig det mest sandsynlige.

Johan nikkede og tænkte tilbage til den sommerdag, da han og Otto, samt den opvakte Wagner, mødtes på Retsmedicinsk Institut.

Imens rullede vognen op foran opgangen i Latinerkvarteret. Han så op ad facaden og ned ad gaden. Det lignede ikke uventet sig selv.

– Vi havde intet valg, Klinger, sagde Tabor. – Vi kunne selvfølgelig ha knaldet Hardinger for mordet på Valentin og bagefter erklæret ham for sindssyg, hvilket der ifølge psykologerne var fuld dækning for ...

– Var der?

Johan så på sin chef, der tøvede et par sekunder.

– I mine øjne, ja. Det kan ikke nytte noget, hvis man begynder at skelne mellem det ene og det andet mord, om det ene er bedre motiveret end det andet. Man må skære igennem.

– Det kan aldrig være fornuftigt at slå ihjel, konkluderede Johan.

– Aldrig, svarede Tabor og mødte hans blik uden at blinke.

– Jeg slog Lewis ihjel, Tabor.

– I tjenstligt ærinde, ja, det gjorde du. Sprang han i øvrigt ikke selv ud? Jeg hører fra London, at der er vidner der siger, han sprang selv.

Johan nikkede.

– Hvis Stern var ude efter Mehmet, betyder det så, at I ville ha ladet Hardinger slippe?

– Hør her, Klinger: Mahler arbejdede med flere teorier. Een af dem hed Hannah Hardinger. Jeg er ked af at skulle ind på det, men det er vigtigt, at du forstår baggrunden. Men det gjorde, at din person blev både central og decentral. Sagt på en anden måde, du blev både meget habil, meget nyttig og temmelig inhabil. En sjælden kombination.

Johan nikkede og mærkede igen den langstrakte sugen i maven. Nu kunne han sætte navn på: Han savnede hende. Og længslen havde fat i luftrøret. Det ligefrem gibbede i hans åndedræt.

– Det var vigtigt at få fat i Comos morder, men for Mahler var det blevet en besættelse at få fat i den store fisk. Og i en sen nattetime besluttede Mahler og den samlede Comogruppe, plus S.P. folkene og adskillige politikere i dette land, at sende påstanden om Comos tilstedeværelse på Valentins bordel, så langt væk som muligt, og da Hardinger i forvejen krævede frit lejde som betaling for at tie, slog man til. Han og Mahler indgik en aftale. En aftale, som vi vidste vi måtte bryde, så hurtigt som muligt. Sagt på en anden måde: Når Mehmet var taget! Det siger sig selv, at det krævede stor forsigtighed og mange forholdsregler. Intet måtte sive ud. Menneskeligt krævede det korpsets dygtigste efterretningsmand. Han boede i Wien.

Johan nikkede og så billedet af den trætte, hårdt prøvede, men til fingerspidserne kosmopolitiske Victor Stern i hans lysegrå letvægtsjakkesæt.

– Desuden … skulle vi også bruge en pålidelig, yngre

286

kollega, der var kendt som en dygtig marksmand, og som havde et vist, om ikke fyldestgørende, kendskab til sagen.

Tabor rømmede sig og så ud ad sideruden.

– Et menneske, som man holdt uvidende hele tiden, sagde Johan stille, – og som løb en enorm personlig risiko, som arbejdede med livet som indsats, og hvis eventuelle død hverken politiet eller politikerne ville begræde. Er det sådan det skal forstås, Tabor?

Den ældre mand så ligeud. Fingerspidserne pegede stift mod hinanden.

– Jeg vil ikke udelukke, at en og anden har haft den tanke, personligt kan jeg kun sige, at den ligger langt fra min opfattelse af, hvad man moralsk og politisk kan tillade sig. Jeg kan i den forbindelse fortælle dig, at Mahler havde det samme synspunkt, og at han tog sin afsked, da han erfarede, at man alligevel havde peget på dig. Det blev hans sidste, meget tunge pligt at bede dig rejse med Stern. Det var i øvrigt op til Victor Stern at afgøre, hvor meget du skulle informeres. Det måtte i sidste instans afhænge af situationen. Vi har ikke mange kontakter på Cuba, som vi kan stole på, og i Mehmets tilfælde erfarede vi, at han i høj grad var på hjemmebane. Under alle omstændigheder kunne Stern ikke tillade, at du fulgte ham rundt i Havana, hvor Hardinger jo boede, eftersom han straks ville ha genkendt dig. Du måtte holde en lav profil, indtil der blev brug for dig.

Johan sukkede og genkaldte sig de mange trivielle og ensomme timer på værelset på Marazul.

– Der var imidlertid et problem med sproget samt naturligvis det forhold, at vi ikke kunne tillade os at løbe nogen form for risiko. Derfor fik vi via Interpol kontakt til en spansk agent, som bookede sig ind på Marazul, og som skulle være der, når I ankom. En kontaktmand, der skulle støtte Stern og foretage de indledende øvelser. Men udadtil, en almindelig turist.

Johan sukkede, og Tabor nikkede bekræftende.

– Ramon Lucas, ja. Mehmet må ha lugtet lunten, hvordan ved vi ikke. Oplysningerne om jeres ankomst må ha sivet et

287

eller andet sted. Fra det øjeblik Mehmet sætter sig selv ind som Lucas, går det i hvert fald galt.

Johan åbnede bildøren.

– Hvornår gik det op for jer, at Stern havde problemer?

– Vi var i telefonisk kontakt med ham et par gange. Det var i sig selv besværligt, eftersom man på Cuba har et temmelig effektivt efterretningsvæsen. Det var S.P. der slog alarm herhjemme, da man pludselig ikke kunne finde Hannah Hardinger, og straks efter erfarede, at hun var rejst til Cuba. Nu var det ikke svært at regne ud, hvordan nyheden havde nået Mehmets ører.

Johan, der nu stod på fortovet, så op i luften og trak vejret dybt. Tabor sagde, at han var oprigtig ked af det. Det lød nu ikke som om han mente det. Mahler havde været bedre til at illudere menneske.

– Hvor er … hun nu, spurgte Johan stille.

Tabor rykkede halvvejs ud af bilen, så han sad med fødderne på kantstenen.

– Tilsyneladende gået under jorden. Men vi skal nok lokalisere hende.

Johan så på ham og forsøgte at smile. Så gik han op ad trapperne, op til sin dør, hvor han famlede lidt med nøglerne, inden han låste sig ind i entreen, hvor han stod et par minutter og indsnusede den lumre, indelukkede atmosfære. Bagefter gik han resolut ind i stuen og løftede telefonrøret af. Med et lille, lakonisk smil, smed han det på igen. Han gik ud i køkkenet, hvor posten lå på bordet. Nogen havde lagt den der. Man havde ikke engang gjort sig den ulejlighed at skjule det.

Der var nogle få regninger, en del reklamer fra lokalbutikkerne og et postkort fra Feo. Samt en lille blå kuvert uden afsender. Han genkendte hendes håndskrift og konstaterede, at brevet havde været åbnet. Han foldede papiret ud og gik hen til køkkenvinduet og så ned i den store, smukke, hvide gård. Kiggede rundt på de mange mørke vinduer, bag hvilke et par af hans kolleger tjente det daglige brød bag kikkerter og lytteapparater.

Kære Johan,
Tusind år er gået siden vi sagde farvel i Madrid. Det hele er ikke som det skal være, og jeg ved, at når du læser dette brev, så er du blevet meget klogere. Måske.

Jeg beder dig tro mig: Jeg elsker dig, Johan. De vil fortælle dig alt muligt andet, men hold fast i det. Jeg elsker dig. Det er sandt, at Wesley og jeg i vore helt unge dage var meget politisk engagerede. Men der er sket så meget i mellemtiden, som jeg ikke kan redegøre for her. Jeg begræder verden, og jeg begræder Wesley og jeg begræder dig og mig. Du må tro mig, når jeg siger at jeg rejste til Havana for at advare dig. For sent fandt jeg ud af, at Mehmet ville være derude. Og med hensyn til fotografierne, så var de oprindelig sendt til Wesley. Vi vidste, at S.P. aldrig ville lade ham være i fred. Det var heller ikke meningen, at han skulle blive på Cuba, men rejse videre til Sydamerika. Men da jeg hørte du skulle til Havana, blev jeg bange. Jeg vidste, at både du og han var ført bag lyset. Jeg troede denne Stern var derude for at slå Wesley ihjel, og jeg ville advare Wesley, men samtidig sikre mig, at Wesley ikke tog fejl af dig og Stern. Jeg vidste jo ikke, at I havde mødt hinanden før. Så jeg sendte ham den filmrulle. Jeg kunne ikke forvente, at Wesley gav Mehmet filmen. Tro mig, Johan. Ellers har alting været forgæves.

Jeg forstår, hvis du lige nu reviderer hele vores forhold, helt tilbage, da vi mødte hinanden, og måske tror du ikke det var en tilfældighed. Det var det heller ikke. Jeg vil aldrig glemme det år vi fik sammen. Jeg vil aldrig glemme vores nætter og aldrig glemme Feo. Jeg vil altid elske dig, Johan.

En dag ringer jeg til dig, på det gamle sted, hvor vi første gang mødte hinanden.

elsker dig
Hannah

Bagefter lå han på sengen, med brevet på brystkassen. Lå og så op i loftet og tænkte på fugtpletterne i loftet i det grønne hus med de to palmer i Trinidad, hvor husene ikke har numre. Wesley Hardinger kunne have fået et godt liv der. Et liv med mening. Desværre var det kun meningen at bruge ham til at finde Mehmet.

Præcis ligesom Johan nu skulle bruges til at finde Hannah.

– Jeg er træt, sagde han højt. – Kan I høre mig derude? Jeg siger, jeg er træt. Skal jeg råbe lidt højere, eller har I i dag så fine apparater, at I kan opfange signalet fra mine tanker?

Han rullede rundt i sengen og borede ansigtet ned i puden.

Og det var som sank hans ansigt og trak resten af kroppen med sig. Dybere og dybere ned. Helt ned til havets bund, hvor han vægtløs går omkring. På lånt tid.

27

Vagthavende betjent, en ung fyr med bumser i panden, hentede en ældre kollega, der kom ud med et kaffekrus i hånden.

– Klinger, kaldte han. – Er det dig?

Johan nikkede.

– Har du noget sted at bo?

– Selvfølgelig har jeg et sted at bo, mumlede han.

Det var hen på efteråret, mange uger siden han tog afsked med Tabor, som han havde haft tre møder med siden. Tre møder uden resultat.

– Jeg er selv inden for korpset, sagde han til betjenten, der lukkede ham ud af detentionen.

– Gå hjem og sov den ud, svarede den unge mand og så med slet skjult væmmelse på manden, der ravede hen til døren.

Udenfor stod to civilklædte opdagere. Johan havde set dem før. De var altid i nærheden. Men på det sidste havde han troet de havde opgivet ham.

Som han sagde til Otto den dag de tilfældigt mødte hinanden på parkeringspladsen foran politigården, efter et af Johans møder hos Tabor.

– Måske er jeg kommet så vidt, at de har droppet at aflytte min telefon. Måske har de opgivet hele lortet, Otto.

Otto havde set længe på ham og trukket ham med ind i sin bil. De havde siddet længe og gloet ud ad forruden, indtil Otto sagde:

– Jeg ved ikke, hvad faen du lavede på Cuba, Johan, og jeg gider heller ikke at høre det. Forstår du det? Jeg gider ikke høre det. Jeg har lært at leve med de små klik, og nu er det ved at ebbe ud, eller også har de fundet på noget nyt. Jeg er ligeglad. Jeg er ude af det. Ikke mit bord. Hvad end de har lavet, så har det tjent et formål.

– Jeg er også ude af det, mumlede Johan.

– Du er ikke en skid ude af det, sagde Otto ligeud. – Du sidder i det til halsen, mand. Se på dig selv. Det er fanme ikke for at genere dig, men du lugter som om du ikke har været i bad i ugevis. Var det ikke en ide, om du droppede flasken en stund?

Johan så på sine hænder, der rystede en smule.

– Det er lettere sagt end gjort, mumlede han.

– Hvorfor tager du ikke hjem til dine forældre?

Johan trak på skuldrene. Han kunne ligesom ikke koncentrere sig mere. Og slet ikke overskue at pakke sine ting og rejse hjem.

Ind imellem talte han i telefon med Feo. Ganske kort.

– Jeg ville jo bare gerne se hende igen, Otto ...

– Hvem?

– Hannah.

Otto rullede vinduet ned og smed sit skod ud.

– Hold nu op, mand. Drop hende for helvede. Du kan sguda ikke leve resten af dit liv på en skygge?

– Hvis bare jeg vidste, om hun sad inde?

– Og hvad så? Hvis hun sad inde? Hvad så, hvis de har knaldet hende ned, ligesom de gjorde med hendes mand.

Johan så hurtigt på ham.

– Ja, undskyld jeg siger det, Johan, men så vidt jeg kan se, så har hun fanme ikke fortjent bedre.

– Jeg tror ... jeg tror bare hun stadig er på fri fod, mumlede Johan og gned sig over munden.

Otto så på ham.

– Kollegerne siger du somme tider ryger ind til udpumpning. Er det rigtigt?

– Det er sket een gang, Otto. Een gang. Og hvad så? Betyder det noget?

– Og at du sidste uge røg på røven inde i byen og måtte sove den ud på Station 4. Er det også rigtigt?

Johan så på sine hænder.

– Jeg har det ikke så godt, Otto. Ikke så godt.

Otto sukkede og sagde, at det kunne han godt se.

– Hvis bare jeg vidste, om hun sad inde, mumlede Johan.

– Bliver du stadig skygget?

– Jah, det fortsætter de med.

– Og telefonen?

– Det er det samme.

– Dag og nat.

– Hvorfor tror du de gør det, Johan?

– Jeg ved det ikke, Otto. Hvis bare jeg kunne ...

– Kan du slet ikke tænke klart mere?

Han så på kollegaen.

– Gu sidder hun da ej inde, stønnede Otto. – Kællingen er slet ikke i landet.

– Ved ... ved du noget?

– Nej. Men jeg er jo ikke idiot, vel? De holder sguda ikke øje med dig dag og nat for deres fornøjelses skyld. De tror sguda du har forbindelse med hende.

– Jamen det har jeg ikke Otto ...

– Nej. Men det tror de. Og måske dukker hun op en dag.

– Jamen hvor er hun?

– Ja, hvor faen er hun? I Beirut måske, hvad ved jeg. Eller på Cuba. De skal nok finde hende, og lur mig, om ikke det passer dem skide godt, at du er blevet så forsumpen. Om tre uger kan du ikke engang tale rent, og om en måned har du drukket hukommelsen væk.

– Du tror du er så klog, Otto. Du tror alting er så ligetil.

Lidt efter havde Otto bedt ham stige ud.

Johan havde stået og set efter bilen, da den forsvandt i mylderet.

– Vi ses, Otto, havde han mumlet.

Det var ikke første gang de fulgte ham hjem.

– Det er næsten alt for meget af det gode, som han sagde, da de låste sig ind og lagde ham på sengen.

– Måske du skulle overveje et bad, Klinger, sagde den yngste inden de gik.

– Jeg ligger om natten og lytter, fortalte han Elis kone, når han om eftermiddagen sad og hang ved stambordet.

De svarede ham ikke.

En aften, da han kom hjem fra byen i dårligt humør, fandt han sin post, som sædvanligt, pænt stablet på køkkenbordet.

– Nå, I har været her, mumlede han og genåbnede den store kuvert fra Feo, hvor der lå to tegninger, meget fine. Den ene forestillede søen derhjemme, den anden nogle rockstjerner på en scene. I brevet stod der „Kære Johan alle tegningerne er til dig. Nu har du een til hver dag".

Han rodede efter i kuverten.

– I svin, mumlede han, – … hvor er de fem andre tegninger?

Og han tog røret af telefonen og råbte „I svin, behøvede I at gøre det? Er det ikke at gå for langt, I svin!"

Bagefter klippede han ledningen over og tømte de sidste to flasker vin og faldt i søvn, og vågnede midt om natten og gik i bad, og stod under strålerne til vandet skiftede temperatur og barberede sig og klippede sit hår og fandt sin sidste rene skjorte.

To timer senere stod han nede hos bageren, hvor han købte kaffe og mælk og ost og æg, og en time senere, da dagen gryede havde han spist så meget, at han brækkede det hele op igen. Alligevel følte han sig stadig bedre tilpas. Op ad formiddagen gik han i svømmehallen, hvor han tog fire baner, inden han gik i dampbad. Fra en telefonboks ringede han til Tabors kontor og meldte sin ankomst. Tabor sagde det var en smule ubelejligt, men Johan lagde røret på.

En time efter var han inde i Kineserkvarteret, hvor han vidste hvor man kunne henvende sig, hvis man ville have en revolver.

Ved blot at true med razzia fik han fingre i en varm Luger og tog en taxa ind til Politigården med skyderen i inderlommen.

Tabors kontor lignede ikke Mahlers. Det var mindre og mindede mere om et kommunalt kontor.

Han blev budt på kaffe. Som altid i et plasticbæger. Tabor

lænede sig tilbage i stolen og så smilende på ham.

– Du ser friskere ud, Klinger. Det glæder mig at konstatere.

Johan sagde ikke noget.

Tabor rejste sig. Nogle påstod han stilede efter den ledige stilling som politidirektør, og at han var sikker på at få den.

– Jeg har ikke tænkt mig at komme til flere møder, sagde Johan.

Tabor snurrede rundt og så eftertænksomt på ham.

– Det skulle heller ikke blive nødvendigt, sagde han.

– Rapporten er afsluttet. Anklagemyndigheden er tilfreds, og vore kære politikere er tilfredse, så kan vi andre vel også tillade os at være det. Kriminalbetjent Klinger kan gøre, hvad han vil. Comogruppen er opløst.

– Men stopper det så, spurgte Johan stille, og mærkede tyngden af Lugeren i inderlommen.

– Hvad stopper, spurgte Tabor og kom tilfældigvis til at se på sit ur.

– De små klik i telefonen. Mændene i ejendommen overfor. Kontrollen med, hvad jeg foretager mig. Det stopper vel ikke, før I har fundet hende.

I det samme ringede Tabors telefon. Han stod henne ved vinduet og gik hen mod den med en utålmodig mine.

– Lad den ringe, sagde Johan og lagde hånden på røret.

– Klinger, jeg er på arbejde, sagde Tabor skarpt.

– Lad den ringe, og fortæl mig så, om hun er på fri fod?

– Jeg vil gerne ha lov til at ta min telefon, Klinger. Jeg vil faktisk sætte pris på, at du fjernede hånden fra røret.

– Svar mig: Er hun eller er hun ikke på fri fod?

Tabor gik hen mod døren.

– Bliv der, Tabor, råbte Johan.

Tabor snurrede rundt og stirrede som forstenet på den sorte Luger. – Johan, sagde han.

Men Johan så en smule forbi ham og tænkte på de mange morgener, hvor han stod ude på badeværelset og stirrede på sine skægstubbe og på den læderagtige kulør han havde fået. På de mange formiddage hvor han var vandret rundt i Par-

295

ken, ved Kastellet, hvor de plejede at mødes, på de utallige aftener på værtshusene, for slet ikke at tale om nætterne, de endeløse nætter.

– Du blir nødt til at fortælle mig det, Tabor, hviskede han og så sin hånd begynde at ryste.

Tabor gik to skridt frem.

– Først og fremmest er det vist bedst, at du giver mig den skyder, Johan, sagde han myndigt. – Inden det hele vokser dig over hovedet.

Johan rejste sig op.

– Hvis du tager et skridt til, så skyder jeg, sagde han. – Først dig, og så mig selv.

– Jeg ved du ikke mener det, Johan ...

– Du ved ikke ret meget om mig, sagde Johan stille.

Tabor så indgående på ham.

– Jeg har ikke tænkt mig at snakke mere med dig, så længe du peger på mig med den der.

Johan strakte armen ud. Nu var hånden helt rolig. Mundingen pegede direkte på Tabor, der stod mindre end en meter borte.

– Han lå mellem vaskesækkene, sagde Johan.

– Hvem? Hvad fanden er det for et cirkus, Klinger, råbte Tabor og gik et skridt til side. – Vi ved ikke, hvor hun er. Og flyt så den skyder ...

– Kan jeg stole på det?

– Ja. Desuden er det ikke mit anliggende. Jeg har arbejdet med sagen bagud, så at sige. Resten er op til Sikkerhedspolitiet. Det burde du vide ...

Johan stak våbnet ind i inderlommen og gik hen mod døren.

– Hvorfor kan I ikke lade os være? sagde han.

Tabor svarede ikke, stod blot ved siden af skrivebordet. Hans ene finger hvilede på samtaleanlægget.

Johan så på den. Han smilede.

– Jeg kommer ikke mere, sagde han. – Du behøver ikke at gøre et stort nummer ud af det her. Lad mig nu gå, så undgår du mere ballade.

296

Tabor svarede ikke. Johan tog Lugeren frem, vejede den i hånden.

– Magasinet er helt fuldt, sagde han. – Her ...

Han kastede pistolen hen til Tabor, der greb den febrilsk. Johan nikkede.

– Jeg er afvæbnet, sagde han.

Tre dage senere sad han atter på Elis Bistro og stirrede ned i kaffen. Det gik bedre med hænderne, det gjaldt bare om at holde sig beskæftiget.

Bagefter gik han en tur gennem byen, og det var en dag med høj, klar himmel og med en svag lugt af hav. Hen mod aften nåede han frem til sin gadedør og stod lidt og fumlede med nøglen og så sig om efter sin skygge, der plejede at holde til i en niche overfor. Da en gammel dame trissede hen til ham.

– Er De Johan Klinger? spurgte hun.

Johan nikkede og fandt sin nøgle. Imens tog konen en papirlap frem. Det lignede noget fra en køkkenrulle.

– Jeg er fru Thielemann, sagde hun. – Jeg har en hilsen til Dem fra Hannah.

Han stirrede på den lille lap papir, og på damen, der bare fortsatte hen ad fortovet. Overfor, mellem to biler kom to mænd til syne. De så meget målbevidste ud og søgte hastigt ud i trafikken.

Johan åbnede sin dør og smækkede den i bag sig, da han hørte dem råbe. Han sprang op ad trappen og nåede op, som han hørte dem låse sig ind. Lynhurtigt var han inde i køkkenet, hvor han læste beskeden på papiret. Der blev banket på døren. Han tændte for gasapparatet. I det samme blev døren smækket op. Selvfølgelig havde de nøgle. De stod ude hos ham, da ilden fra blusset krøllede papiret sammen.

De så opgivende op på ham.

– Okay, hvad stod der på sedlen, spurgte den ældste.

Johan svarede ikke.

– Kom nu, Klinger, råbte den yngre og strakte armene utålmodigt frem. – Vi finder jo ud af det før eller siden.

Imens gik den anden ind i stuen og drejede et nummer på telefonen.

– Jeg har klippet ledningen over, sagde Johan fra entreen.

De gloede på ham.

– Det går fint, Johan, sagde den ene. – Meget fint, du. Du blir her, i lejligheden. Er du med? Du blir her. Det er en ordre! Johan nikkede.

Lidt efter var de gået. Han så dem forsvinde over i genboejendommen og tænkte på stakkels gamle fru Thielemann, der resten af natten skulle sidde på stationen i selskab med de monotone S.P.-folk.

Under alle omstændigheder var det nu et spørgsmål om tid.

28

Tre timer senere havde han været i bad, barberet sig og samlet sine sidste penge, samt ringet til taxa, fra underboens telefon, og bestilt en vogn til klokken 00.30 til en adresse i nabogaden.

Så gik han ned og hentede sin bil, fyldte benzin og olie på, og parkerede den fem meter fra sin gadedør. Rundt omkring sad de to og to og ventede. Faktisk vinkede han til et par af dem. Af en eller anden grund vinkede de ikke tilbage. Tilbage i lejligheden smurte han sig noget mad og trak gardinerne for og tændte for grammofonen og lagde goe gamle Al Jake på skiven, og skruede en lille smule op. Klokken var lidt over midnat. Han listede ind og gav pladespilleren en tand til, for derpå at gå tilbage til køkkenet og ud på køkkentrappen, hvor han forsigtigt lukkede døren efter sig. I seks lange spring var han oppe ved loftdøren, som han åbnede efter at have lyttet et par sekunder. Han tændte sin lille lommelygte og løb langs med loftrummene, gennem tørreloftet, hen til knækket på gangen, hvor han fortsatte, indtil han nåede døren til naboejendommen, der var låst. Han trådte to skridt tilbage og lagde skulderen til. Lynhurtigt passerede han den næste loftgang og fandt døren ned til nabogaden, og spænede ned ad trapperne, helt ned i kælderen, ind gennem cykelkælderen, og op til gaden, hvor en grøn taxa holdt parkeret. Hurtigt så han sig om, så sprang han ind i vognen og bad om at blive kørt til Centralstationen.

Da han løb ind i den store hal, spekulerede han på, om Al Jake mon roterede endnu, men købte så billet til toget nordpå, der ville afgå næste morgen klokken 7.12. Der var seks timer til.

Han fandt en taxa, der kørte ham til den første station på ruten i en lille forstad, hvor han med chaufførens bistand fandt et motel. Han skrev sig ind under et andet navn og bad om at blive vækket klokken seks. Præcis klokken syv stod han på stationen og spejdede efter toget, der ankom planmæssigt 7.12.

I kupeen havde han plads ved døren, men eftersom der ikke var andre end ham, rykkede han hen til vinduet og lagde benene op og forberedte sig på de fire timers togtur. Han havde ikke sovet så meget på motellet, der lå ud til motorvejen, så han blundede lidt i toget og gik senere ned i spisevognen og fik sig en kop kaffe. Han vidste, at toget skulle standse en gang mere, inden det nåede endestationen, og da det rullede ind på perronen i den lille meget landlige provinsby, vidste han også, at det ville holde i nøjagtig fem minutter. Han stod parat, da det med et dybt suk slog bremserne i. Hurtigt skubbede han døren op og løb ind i stationsbygningen, hvor han sprang over til herretoilettet og åbnede døren på klem. Sekundet efter kom to mænd på hans egen alder farende, den ene med en pibe i hånden, ellers uden bagage. De stod et øjeblik og gloede i hver sin retning, inden den ene tog plads på en bænk i ankomsthallens midte, mens den anden fór ud ad døren, ud på vejen, hvor der holdt en enlig taxa.

Johan så på sit ur. Manden på bænken sad halvvejs med ryggen til. Armen hang bag ryglænet, men han så sig hele tiden omkring. Imens spænede hans kollega frem og tilbage udenfor. Der var nu to minutter til afgang. Ude på gaden havde den ihærdige mand stukket hovedet ind i hyrevognen. Imens tændte den anden sin pibe. Johan så ham ryste tændstikæsken og gå over til den lille, propfyldte kiosk i hallens hjørne. Udenfor, på perronen, gik kontrolløren op langs togstammen. Henne ved kiosken fik manden sine tændstikker og rodede i lommen efter en mønt. Den sidste dør i toget blev smækket. En fløjte lød. Johan åbnede døren og løb sidelæns ud af stationsbygningen, da manden med piben skærmede for trækken, i færd med at få ild på piben. Toget var begyndt at rulle, da Johan sprang på den sidste vogn, og modtog et bebrejdende blik af kontrolløren.

300

Han gik ned til sin kupe og satte sig ind. En smule imponeret over kollegernes sporingarbejde, medmindre de havde folk på samtlige udgående tog.

Lige nu glødede telefonerne. I løbet af kort tid ville hele området være finkæmmet.

De ville have hende, koste hvad det ville. Præcis ligesom mig, tænkte han og steg af toget, da det omsider stod stille på endestationen, der var lige så tom og forblæst, som han havde forestillet sig.

Han gik ind på et cafeteria og sad og ventede, gik ud igen, og konstaterede, at han var alene. Endnu et af Ottos gamle tricks var lykkedes. På stationen spurgte han om vej. Der var yderligere femogtyve kilometer. En lang rejse, når man ikke havde noget transportmiddel. Men samtidig et forhold, der gjorde en eftersøgning næsten umulig. I hvert fald langsommelig.

Han begyndte at gå ud ad landevejen og fik en halv time senere et lift med en lastbil. Chaufføren sagde, de ville være der i løbet af tyve minutter.

29

Huset var en nedlagt landsbyskole af den slags, der langsomt forvitrer, forgår og forsvinder. Der hang endnu modne æbler på flere af de små, krogede træer, og op langs den ene gavl stod et kolossalt pæretræ med bugnende frugter.

Engang havde der været en låge, nu var hegnet væltet og tilgroet med snerler og skvalderkål. Hans erfarne blik konstaterede, at vindskederne var gået i råd, og at fundamentet slog revner. Det tofags træhus, bygget i en ret vinkel med udvendig svalegang så tomt og forladt ud. Døren stod åben, og lige indenfor hang to gule oliefrakker over to sæt gummistøvler, næsten lige store.

En hjemlig lugt af træ og brændeovn hang ved huset.

Han kom ind i et stort rum med brun linoleum på gulvet. Overalt på væggene, var der store huller, formentlig fra tavler eller måske ligefrem ribber. Midt på gulvet stod et ramponeret bordtennisbord. Under nettet lå to bat og en æske med gule bolde. Han vendte sig halvvejs og fikserede en cremefarvet trappe med repos op til første sal. Til højre for trappen var en dør. Af hullerne at dømme, havde den båret mange forskellige skilte. Han bankede på to gange og åbnede ind til en lang, smal gang med ensartede, sorte knager,

– Er her nogen? Hans stemme lød ulden og refleksfri.

Ikke en lyd, ikke en sjæl, men på voksdugen på spisebordet i den lille stue lå der daggamle aviser. Møblementet var spartansk, i stil med det han kendte hjemmefra.

Han gik tilbage til trappen og stod lidt og lyttede, syntes han kunne høre hestehove et stykke væk. Han så op ad trappen, trak på skuldrene og gik op til den store repos, hvor der stod en krukke med friske markblomster. Lyset fra første sal vidnede om en stor og meget åben stue.

Trinene knagede voldsomt, så hvis huset var beboet, kunne han umuligt overraske nogen.

Han kom op i en bred vinkelstue, hvor samtlige skillevægge var revet ned for at give plads til noget, der lignede et atelier. De oprindelige vinduesfag var erstattet med store, uensartede termoruder med forskellige, noget nødtørftige gardiner. Lyset var overvældende. Rundt omkring på solide bukke lå kraftige spånplader med små brune linoleumsfelter, tuber med sværte, knive og spartler. Han tænkte på gulvet i stueplanet, og at linoleumen sikkert var hentet dernede.

I det ene hjørne stod en sort valse, i det andet en gammel radio.

Han gik hen til vinduet og så ned på engen, hvor en rytter cirkulerede på en spinkel hest. Det så roligt og afslappet ud. Lidt borte græssede to andre heste, men han kunne ikke se, om der var hegn imellem. Området så vildt og frodigt ud, ikke mange huse, og frem for alt ingen parceller. Der var noget oprindeligt over dette fortidspanorama, og fornemmelsen blev forstærket af stilheden, der forekom mere diskret end pauserende. En naturlig stilhed, en ro man kun nødigt ville forstyrre. Han så ned i vindueskarmen, hvor malingen krakelerede. Der lå fem rosafarvede muslingeskaller og en død flue.

I det samme lød der et lille, metallisk klik, en lyd han straks genkendte som lyden, når man spænder en hane på en gammeldags tromlerevolver. Han stod med ryggen til lyden, men drejede langsomt rundt. Vedkommende måtte have været i rummet hele tiden, gulvet var for gammelt til, at nogen kunne liste sig ind i al den stilhed.

Han så tøvende på hende. Hun var barfodet, i arbejdsbukser, en ulden sweater og et tørklæde om hovedet. Munden var stram, blikket stirrende over to, mørke poser han ikke før havde set. Hun holdt revolveren med begge hænder, i udstrakte arme, og hun sigtede direkte på ham.

– Hannah, hviskede han, og gjorde tilløb til at ville gå hen til hende, da hun vippede med revolveren og gik rundt om bordet, anspændt og vagtsom. Uvilkårligt strakte han armene ud fra kroppen. De stod nu tre meter fra hinanden. Hun så hurtigt ned i gården, men stirrede igen på ham, idet hun sænkede revolveren en anelse.

– Er du alene?

– Ja, selvfølgelig.

– Er du helt sikker?

Han gik helt hen til hende og ignorerede det hårde løb, der borede sig ind i hans mave.

– Hvad fanden laver du, hviskede han.

– Man kan ikke være for forsigtig. Sæt dig ned.

– Jamen Hannah …

– Sæt dig ned! Hun råbte og røbede en desperation han ikke troede hun kunne rumme; en hysterisk, næsten neurotisk vagtsomhed, der fik ham til at vige tilbage.

– Du fik altså min besked, fra fru Thielemann?

Han sukkede og nikkede og satte sig ned.

– Og du er sikker på, at du ikke har nogen med dig?

Han lagde albuen på bordpladen og lod sig falde en smule mere afslappet tilbage i stolen.

– Jeg blev skygget. Selvfølgelig blev jeg det. Men det lykkedes mig at ryste dem af.

– Du er bombesikker? Hun stirrede ud ad vinduet.

Han svarede ikke, men koncentrerede sig om at iagttage hende.

– Hannah, sagde han så stille.

Hun snurrede hurtigt rundt, men lod så skuldrene falde, idet hun lagde våbnet fra sig i vindueskarmen og fandt en pakke cigaretter i baglommen. Hun plejede at ryge, så man kunne se hun nød det. Nu så det ud som om cigaretten havde gjort hende noget.

– Jeg stoler ikke på nogen, sagde hun. – Ikke på en skid. Heller ikke dig. Nej, du skal ikke gøre dig nogen anstrengelser. Bare … drop det. Men jeg har brug for nogle penge. Mange penge. Og jeg har brug for en, der kan hente dem til mig.

Han så ned i gulvet.

– Det var måske ikke lige det, du havde forventet, hva Johan? Eller hvad? Fortæl mig, hvad du havde forventet, fortæl mig det! Hvorfor … hvorfor sidder du bare og glor og siger ikke noget?

– Jeg vil gerne hjælpe dig, sagde han stille og så op på hende i et forgæves forsøg på at genfinde den Hannah han havde kendt for længe siden.

– Du vil gerne hjælpe mig? Okay! Men kan man stole på det? Hun pressede cigaretten ned i en underkop. – Jeg er fanme nødt til at stole på det. Stemmen lød nu mere bitter end desperat.

Han rømmede sig:

– Jeg troede aldrig jeg skulle se dig mere, sagde han.

Hun nikkede og sugede kinderne indad, trak vejret i små stød.

– Hvad tror du nu, Johan?

– Hvad jeg tror nu?

– Ja, hvad tror du nu? Fortæl mig det. Hvad tror du lige nu, om mig?

– Jeg tror …

– Du tror kællingen er skør, ikke? Skør og forstyrret og hysterisk.

Han så væk: – Noget i den stil, mumlede han.

– Nå. Men det er jeg også, sagde hun, påtaget let. – Alt sammen.

Han så op på hende.

– Hvorfor sigter du på mig med den der?

– Generer det dig?

– Ja, gu generer det mig.

Hun så hårdt på ham. Indgående og hårdt, altimens hun rystede lidt på hovedet og kneb øjnene sammen.

– Jeg stoler ikke på nogen, sagde hun, – ikke på en skid, du. De sidste uger … uden søvn. Jeg gider ikke engang fortælle dig, hvordan det har været. Det er alligevel … spild af tid.

Johan så ud ad vinduet, ned på den solbelyste eng, hvor rytteren var i gang med at fodre sin hest med lange totter græs, som han rev af, efterhånden som han gik. Hesten fulgte sindigt efter ham.

– Hvad har de bildt dig ind, Johan?

– Hvem?

– Ja, hvem? Alle dine strømervenner. Tabor og Mahler og hvad de nu hedder alle sammen.

Han lagde armene over kors: – Jeg ville ønske vi kunne tale ordentligt sammen.

– For fanden, det er jo dét vi gør, mand, råbte hun.

Han nikkede resigneret.

– Okay, okay. Så taler vi. Hvad vil du vide?

– Det hele.

– Udmærket. Hvor skal vi begynde? Jo, allerførst, så ... fandt jeg ud af, at vor ven på Marazul, señor Lucas, slet ikke hed Lucas, og slet ikke var spanier og slet ikke havde noget med Stern at gøre.

– Hvad mere?

– Og så ... ja, så var jeg jo i England, i London, og da jeg havde fundet ud af dét, så fik jeg den ide at ringe til Otto Volmar.

Hun nikkede utålmodigt.

– Og hvad så?

– Ja, så tog han sgu telefonen. Og det kom faktisk lidt bag på mig. Hannah!

– Mere ... fortæl mig noget mere, Johan.

Han nikkede og forsøgte at bestemme, hvor tonen i hendes stemme stammede fra. En måde at tale på, et bestemt ordvalg.

– Hvad er der mere? Jo, så rejste jeg hjem. Primært for at være sammen med dig igen, men også for at finde ud af sagens rette sammenhæng. Få ryddet op.

– Fik du så det?

– Ja ... og nej. Jeg fandt ud af, at Hardinger havde løjet. At nogen havde spillet mig ... skal vi sige, et puds, lagt en fælde. Og at Mahler og Stern på mange måder havde talt sandt, men at de selvfølgelig havde fortiet visse ting. Ikke ret meget, når det kommer til stykket.

– Hvad mere?

– Jeg tror ikke der er mere.

306

– Åhjo, der er masser. Der er jo mig. Du må skam ikke glemme mig, Johan. Jeg kan jo se det på dig. Du har altid været som en åben bog. Men du er måske for høflig til selv at komme ind på det?

– Nej, jeg har ikke glemt dig, Hannah, sagde han.

– Jamen, har de da ikke fortalt dig det hele?

– Joh, men det er jo kun deres version.

– Hvad vil du så med min?

Han så væk.

– Et eller andet sted stoler jeg vel stadig på dig, mumlede han, og hørte hende trække vejret dybt et par gange. Han så på hende. Hun havde fået blanke øjne, var blevet bleg om næsen. Underlæben sitrede.

– Er det stadig ... sandheden ... du leder efter, Johan Klinger, stammede hun. – Er det stadig det forpulede fikspunkt, du rejser rundt for at finde, fra Cuba til London, og nu helt herop. Gudfaderbevares. Man burde udstoppe dig og vise dig frem til Børnehjælpsdagen.

– Jeg elsker dig, Hannah!

– Fiktion, skreg hun og knækkede sammen i en krampagtig gråd.

Han satte sig på hug og lagde armene om hende, trak hende ned på gulvet og ind til sig. Hun hang slapt ind mod ham og græd nu lidt mere stille, indtil hun fandt et lommetørklæde og pudsede sin næse. Pegede med en løs tommelfinger på revolveren i vindueskarmen.

– Den er sgu ikke engang ladt. Det lort, snøftede hun.

– Jeg fandt den i en skuffe heroppe.

Han tog hendes hænder.

– Jeg ville ønske du havde sendt bud efter mig noget før, sagde han og kyssede hende på kinden.

Hun nikkede.

– Ja, det ville du vel, men tingene udviklede sig ... ikke præcis som jeg havde ønsket det.

– Jamen, hvorfor gemmer du dig?

– Åh, Johan! Hun satte sig med ryggen til væggen. – Alt det fis med sandheden. Jeg tror efterhånden kun på fortrængningen. Den store, kollektive fortrængning.

Hun så bedrøvet på ham. Det dryppede fra hendes næse.

– Måske burde man altid starte den slags forklaringer med Adam og Eva. Eller endnu bedre, med Kain og Abel. Jeg ved snart ikke, hvornår det hele begyndte. Det er måske også derfor, jeg ikke kan se, hvordan det hele skal få en ende.

– Vi kunne måske nøjes med Mehmet og Comomordet, mumlede han. Hun bøjede hovedet, men lagde det så tilbage, så hun så tomt op i loftet.

– Ja, det kunne vi måske, sagde hun stille. – Hvis du vil. Hun lagde hånden på hans ben: – Ser du, Wesley og jeg, vi var egentlig aldrig sådan rigtig forelskede, ikke som jeg husker det. Men vi var til gengæld meget politisk engagerede. Jeg beundrede ham enormt. Han var så konsekvent, så klarttænkende. Det var lige efter Vietnamkrigen og Seksdageskrigen, hvor vi alle sammen holdt med både vietnameserne og israelerne. Senere var Wesley på studietur til Damaskus. Han havde religion på linjefag. Han tog derned i to omgange og mødte en jævnaldrende fyr ved navn Ismet. Senere kom Ismet også herop. Og ind imellem havde vi Ismet og hans bror Yüce boende. Du ved, hvordan det går, man involveres ganske langsomt. Vi kunne mægtig godt li de to brødre. De var idealister, præcis ligesom Wesley. Jeg tror det var engang i '73, da vi besøgte dem i Damaskus. Vi talte meget om Nixon, der netop havde smidt 60.000 tons bomber over Hanoi. Jeg tror det var i begyndelsen af april. Vejret var pragtfuldt, Damaskus var ubeskrivelig spændende. Der skete så meget, som jeg ikke forstod. Men det var også en ... bevæget tid. De talte hele tiden om Sorte September, der var trængt ind i den Saudiarabiske ambassade i Khartoum i Sudan og havde taget fem diplomater til fange for at få frigivet Sirhan og Baader-Meinhoffolkene.

– Hvem var Sirhan?

– Det var ham, der skød Robert Kennedy. Jeg fulgte ikke så meget med i det, i hvert fald gik det hele i kludder. Det går altid i kludder. Problemet var ... åh, Johan, det er ikke så rart at skulle igennem det hele een gang til. Hun så bedende på

308

ham.

Han lagde hånden på hendes nakke og ruskede hende blidt. Hun trak vejret dybt og glippede med øjnene.

– Jeg blev forelsket i Ismet. Jeg holdt så forfærdelig meget af Wesley, men han var så verdensfjern, så ... jeg ved ikke, hvordan jeg skal forklare det. Da vi kom hjem, lod vi os skille. Det var, hvad man kalder, en lykkelig skilsmisse. Men på det tidspunkt var jeg gravid med Ismets barn. Jeg fortæller dig det hele, som det er. Men Ismet var jo muhamedaner, det hele var så indviklet, og Wesley den mærkelige fyr, tilbød at være alt dét for barnet, som Ismet ikke kunne.

– Jamen, betyder det ...

– Ja, det er Rune. Vi prøvede at opdrage ham så godt vi kunne. Og det lykkedes mig at overtale Wesley til at gå med til, at vi aldrig fortalte Rune, hvem der egentlig var hans far. Og Wesley ... åh, Wesley den underlige mand, han elskede den lille unge, præcis som havde det været hans egen, eller præcis som han elskede alle andre børn. Jeg har altid fået knopper, når jeg hørte ordet idealist, men i Wesleys tilfælde ... ja du har jo selv mødt ham.

Johan så ned og ville have sagt noget om de koncentriske tankebaner, der uafladeligt kørte rundt i hans hoved; om musiklæreren Wesley Hardinger. Huset i Cerro, i Trinidad, vejen uden husnummer. Han kunne have fået et godt liv der. Nu endte han sine dage mellem vaskesækkene på Allende-Hospitalet, ombragt af en galning eller en moralist med lige så megen ret, og mindst lige så megen moral.

Måske var det kun rimeligt, at ingen af dem, nogen sinde, kom derfra med livet i behold.

Hun vendte sig mod vinduet, talte ligesom med sig selv.

– Kønne, naive Ismet omkom i Beirut i '83. Han tilhørte en organisation, der kalder sig Islamisk Jihad. Du har sikkert hørt om dem. I 1983 stjæler han og nogle andre en amerikansk lastbil fyldt med sprængstof og kører ind i det fransk-amerikanske hovedkvarter. Da vi hørte om det, sagde jeg til Wesley, at Ismet var gal. Wesley sagde han følte sig stolt. Året efter bliver Ismets storebror Yüce taget til fange af israelerne i Sydlibanon. Det er på det tidspunkt deres fætter Mehmet kommer ind i billedet. Vi hørte meget lidt nyt, men jeg forstod, at han havde opereret en del på egen hånd i mange år, men nu vendte han altså blikket nordpå.

Hun satte sig ned og så på sine tommelfingernegle.

– Mehmet tilhørte Shia-muslimerne. Jeg brød mig ikke om ham. Det er svært at sige hvorfor. Jeg følte mig utryg. Ismet sagde altid, at fætter Mehmet var født uden hjerte. Den perfekte partisan. Men følelser, det havde han. Han svor at få Yüce ud af fængslet i Tel Aviv. Dernede betyder den slags noget. I to år planlagde han aktionen og brugte modellen fra '73. Jeg ved ikke, men flykapringer var vist gået af mode i de kredse. Jeg tror det var i '85, at Wesley fortalte mig, at Mehmet ville kidnappe Albert Como, for at få Yüce frigivet.

– De må ha stolet meget på Wesley, sagde Johan.

– Et hundrede procent. Men de skulle jo også bruge ham.

– Hvordan kunne Mehmet så myrde ham?

Hannah så op.

– Du kender ikke Mehmet. Wesley kunne ikke bruges mere. Tværtimod, desuden var der forbindelsen til dig. Ikke uden grund følte han sig svigtet, og det gik vel op for ham på hotel Deauville.

– Men hvorfor lige Como?

– Ja, hvorfor? Vores politikere har et godt ry over hele verden. Det skaber en masse presse, og så er de nemt tilgængelige.

Han rykkede hen til hende.

– Vidste du alt det, Hannah?

– Stort set, ja. Hun så på ham.

Johan så væk.

– Gør det mig til noget forfærdeligt?

Han sagde, at han hverken vidste ud eller ind.

– Jeg havde et lille barn, et liv og et ... hvad hedder det ... et engagement, følelsesmæssigt. Jeg ved godt det er forkert, men så meget sagde Albert Como mig heller ikke. Herregud, de dør i stribevis verden over. Almindelige mennesker i uniformer, anonyme frihedskæmpere.

– Det er noget andet, Hannah.

– Ja, for dig, for hvem systemet er noget helligt. Jeg var knyttet til Yüce og Ismet. Wesley og jeg, vi levede hver vores liv. Samtidig var han i gang med sit private opgør. Han var begyndt at undervise i musik. Og typisk nok opsøgte han ligefrem socialt belastede familier, og sørgede for offentlig støtte, så deres unger kunne få undervisning. De fleste underviste han gratis. På den måde kom han jo i kontakt med en masse familier, og det ville ikke ha været ham, hvis ikke han var dykket længere og længere ned, indtil han stod på bunden. Helt dernede, hvor små piger er en vare, man kan handle med. Men alt det ved du mere om end jeg.

– Hvad med Mehmet?

– Mehmet lagde nu en snedig plan. En plan, der skulle gardere dem i hoved og røv. Det var først da jeg mødte Wesley i Havana, at det hele gik op for mig. På sin vis må man være fuld af beundring.

– Er du det? Fuld af beundring?

– Næ. Jeg er nok nærmest fuld af lede. Lige nu.

– Fortæl mig om det, sagde han og tog hendes hånd.

– Ja, de havde jo gennem længere tid holdt Comos familie under observation. Men for at gøre det kort, så kører en politibil op foran hans hus en sommeraften. En betjent fra Sikkerhedspolitiet beder Como og hans frue om at forlade huset. Han fortæller man har modtaget en bombetrussel. Han siger det er ren rutine, men for en sikkerheds skyld. Como og hans kone følger selvfølgelig med ud til politibilen, hvor der sidder to andre mænd. Jeg ved ikke, hvad der sker, men i sidste øjeblik ombestemmer Como sig. Planen var, at han skulle køre med sikkerhedspolitiet. Hvad der sker, er der ingen, der ved.

– Hvad med fru Como?

– Ved du, hvad hun har sagt?

– Næh.

– Como tager sin kones bil, og vil køre på partibesøg, konen tager en taxa og kører ud til nogle venner.

Politifolkene tilbyder Como eskorte, og da de passerer

Vestskoven, standser de ham.

– Hvor ved du det fra?

– Hør nu bare efter: Herfra handler det om en minutiøs timing. Og … det er her jeg kommer ind i billedet. Det er her det hele blir en smule problematisk, Johan. Hendes stemme svigtede og hun bukkede hovedet, samtidig med at hun trak sin hånd fri.

– Fortæl mig om det alligevel, hviskede han.

– Ja, det skal vel ud, på en eller anden måde, sukkede hun. – Du må tro mig, Johan. Hun så på ham. – Hvert et ord jeg siger er sandt. Jeg ville aldrig lyve for dig. Jeg fik bare en adresse på en lap papir.

– Hvor?

– Jeg kan dårlig nok huske det, ude i een af forstæderne. Jeg tog en taxa, og hentede en violinkasse og afleverede den inde hos Wesley. Jeg spurgte ikke om noget. Men gik ud fra, at det var noget han havde ordnet, for at hjælpe de små piger. Jeg vidste jo, at han arbejdede i et kriminelt felt.

– Var det Wesley, der kontaktede dig?

– Ja, det var ham.

– Hvor ved du så alt det andet fra?

– Også fra ham. I små bidder, de fleste stykkede jeg sammen i Havana.

– Men det var Mehmets plan?

– Hele vejen igennem. Og den passer godt med Wesleys. I violinkassen ligger en ret sjælden Parabellum, jeg har ikke forstand på skydevåben …

– Det var den jeg fandt oppe hos Wesley dén aften.

– Og dén han skød Rose Valentin med og dén Como blev skudt og dræbt med, inde i skoven.

– Men hvem skød ham? Como?

Hun trak på skuldrene.

– Mehmet måske. Jeg ved det ikke. Wesley vidste det heller ikke.

– Men jeg troede de ville kidnappe ham?

– Mehmet arbejdede med to planer. Det gør de vist altid. For det første så var Yüce død i sin celle i '85. Der er altså

312

ingen mening i at kidnappe Como. Samtidig er der ikke noget så risikabelt som kidnapninger, og Mehmet ved, at israelerne aldrig giver efter. Han er imidlertid nået så langt i sin planlægning, at han simpelt hen ikke kan stoppe. Han står så at sige med en international forbrydelse, der er så godt som perfekt, men har intet motiv. Indtil Wesley fortæller ham om Rose Valentins bordel. Om sit lille, private opgør med en eksistens, der i hans øjne ingen eksistensberettigelse har. Nu øjner Mehmet den helt store gevinst. At få en klemme på hele vort samfundssystem.

– Ved at foregive, at Como blev skudt på Valentins bordel ...

– Nemlig.

– Og mordvåbnet skal være forbindelsesleddet. Når teknikerne finder ud af, at Valentin og Como er skudt med det samme våben, på samme tidspunkt, og at det oven i købet er noget af en sjældenhed, så kræver det ikke den store opdager at lægge to og to sammen. Facit bliver, at Como er skudt på et sted, en stor statsmand ikke kan tillade sig at blive skudt.

Johan kom på benene, stod et øjeblik og så ud ad vinduet.

– Men det tager sin tid, mumlede han. – Opklaringsarbejdet. For hvad Mehmet ikke kan vide er, at Raymond Lewis og hans folk ikke bryder sig om lig i butikken, og slet ikke alt for meget politi. De rydder simpelt hen op og fjerner alle spor. Ja, ikke nok med det. De hælder faktisk bordelmutter i havnen og lægger dermed et slør over hele opklaringsarbejdet. Imens gøres Albert Como til en folkehelt. Stor statsmandsbegravelse, statue i parken og så videre og så videre ...

Han vendte sig mod hende.

– Hvor meget vidste egentlig Wesley?

– Det meste. Men han vidste ikke, at Yüce var død. Det fik han først at vide i Havana.

Johan sukkede og så ud ad vinduet.

Nede på engen var rytteren atter i sadlen, på vej op mod huset. Det så smukt ud. Drengen og hesten i solen.

Johan åbnede vinduet og lænede sig ud, og genkendte nu

Rune.

Bag ham var hun gået hen til bordet, hvor hun tændte en cigaret. Han vendte sig og så på hende.

– Men Mahler havde alligevel luret Mehmet, sagde han.

Hun blæste røg op i luften.

– Ja, det påstår du. Det er jo så nemt at sige nu, hvor i hvert fald Mehmet ikke er her til at vidne, og slet ikke Stern, ej heller Wesley Hardinger. Faktisk er der kun dig og mig tilbage, Johan.

Johan svarede ikke, men skævede ned til Rune, der red omkring i cirkler. Han lo højt og klappede hesten på halsen.

– Men okay, jeg vil ikke underkende, at Mahler måske var på sporet til allersidst, sagde hun. – Pludselig gik det jo meget hurtigt.

– Fordi du blandede dig, sagde han uden at flytte blikket fra drengen og hesten.

– Det kan vel ikke undre nogen, at jeg havde fulgt med i sagen hele tiden. Og i lang tid troede jeg virkelig, at politiet var af den opfattelse, at Como blev myrdet på bordellet, og at du og Stern var i Havana, for at lukke munden på Wesley.

– Måske brugte Mahler kun Hardinger som lokkedue?

– Måske, sagde hun – måske er det en efterrationalisering.

Han gik hen til hende.

– Jeg véd det hænger sådan sammen, sagde han.

– Mahler vidste ikke noget som helst, han var helt ude at svømme. Hele dette rådne samfund gispede ved tanken om at Como blev plaffet ned med maske på.

Johan rystede på hovedet.

– Du tager fejl, Hannah. Forstår du, Mahler havde et satans godt vidneudsagn, der fortalte, at Como IKKE var i „Masken" den nat. At han faktisk aldrig havde sat sine ben i dét bordel.

Hun så på ham.

– Lewis?

– Præcis! Og når jeg tænker mig godt om, så var Lewis meget tidligt oppe hos Comogruppen, hvor Mahler formentlig blev klar over, at nogen var i gang med noget andet og

314

større end blot at likvidere Albert Como. Og nøglen til gådens løsen kunne meget vel ligge hos Rose Valentin. Der var i hvert fald en forbindelse. Jeg troede at Lewis vidste, at Como blev skudt hos Rose, faktum er, at Lewis var eet af de eneste vidner, der kunne fortælle, at det gjorde han i hvert fald ikke.

– Glæden må i så fald ha været behersket, da du smed ham ud af luftgyngen i Clacton? Og lige een ting til, hr. politimand! For der er stadig væk een lille detalje, der aldrig har været oppe og vende i pressen, sagde hun triumferende.

– Og det er historien med den falske politibil. Fru Como havde jo for længst afgivet sit vidneudsagn angående bilen fra Sikkerhedspolitiet. Har vi hørt noget om det? Har aviserne skrevet noget om det? Nul, Johan. Ikke så meget som een eneste notits. Og hvorfor? Fordi Mahler en overgang har været nødt til at operere med den mulighed, at Como blev offer for nogle højreekstremister inden for Sikkerhedspolitiet.

– Hannah, sagde han mildt bebrejdende.

– Chefen er fascist!

Johan sukkede.

– Der mangler stadig noget, sagde han. – Førend det hele går op.

– Det går aldrig op.

Han gik hen til hende.

– Du viste mig et udklip i Havana.

– Angående Otto Volmars påståede ulykkestilfælde, smilede hun. – Nemlig, Johan. Og måske er vi nu inde ved kernen i denne ækle affære. Sæt dig ned og hør godt efter og lad være med at afbryde mig.

Han satte sig tålmodigt ned.

– Se, jeg har længe haft den teori, at S.P. på et tidspunkt tager magten i Comogruppen ...

– Kan vi ikke springe dine teorier over?

– ... resultatet bliver blandt andet, at Mahler må gå af og acceptere, at man sender Victor Stern og Johan Klinger til Cuba for at gøre det snavsede arbejde færdigt. Sagt på en anden måde. For at slå først Hardinger siden Klinger ihjel. Dén teori blev bekræftet en sommerdag, da du er rejst. Eftersom, og nu folder vi ørerne ud, hr. Klinger, eftersom jeg fik besøg af din bekymrede ven, hr. Wagner.

– Wagner?

– Præcis, Wagner. Og med sig har han såmænd det famøse udklip.

– Hvorfor skulle Wagner …

– Ja, forklar mig det.

– Jeg går ud fra, at du allerede har regnet det ud.

Hun satte sig over for ham.

– Wagner kendte til vores forhold, Johan, og på det tidspunkt vidste han også, og S.P. med, at jeg var Wesleys tidligere kone. Nu kommer han med et udklip, der fortæller at din ven og kollega, Otto Volmar, den eneste der sidder inde med en viden på lige fod med din, er omkommet under mystiske omstændigheder. Man ku sige belejligt. Hvorfor gør han det? Hvorfor lader han dette udklip fremstille? Hvorfor lægger de sådan en fælde for mig, Johan?

Hun råbte det sidste ud.

Han nikkede appellerende til hende.

– Det skal jeg såmænd fortælle dig, fordi de ønsker jeg skal gøre ligesom Wesley og Johan Klinger. Tag til Cuba, min pige. Så er ringen sluttet. Så er samtlige implicerede, enten direkte som Wesley, eller indirekte som Klinger eller følelsesmæssigt som mig, ude af billedet.

– Du glemmer Otto.

– Hvad er det med ham, råbte hun arrigt. – Han er sguda totalt ufarlig. Tror du virkelig de har noget at frygte fra den kant? Nix, du. Desuden, hvor er han henne nu? Langt borte …

Johan så væk.

– Det holder ikke, Hannah, sagde han. – Mahler kunne jo bevise, at Como ikke blev skudt hos Valentin.

– Kunne han? Hvordan kunne han det?

– Via Lewis.

– Det er også et godt vidne, hva? Over for det står, at Rose og Como reelt er skudt med det samme våben, den samme nat, og at min forhenværende mand, den troværdige Wesley Hardinger indrømmer, at han har skudt Como på det satans bordel. Hvordan tror du det vil ta sig ud i en retssag? Hvor mange chancer tror du Mahler og vort skinhellige samfundssystem har for at redde bronzestatuen i parken fra at stå resten af tiden med halvmaske på? Og vil man i øvrigt risikere at få sådan en retssag. Gu vil man ej! Og svar mig så, Johan! Kan du huske dine møder med Mahler, efter Wesley var taget?

Johan nikkede svagt.

– Har du aldrig, over for chefen, givet udtryk for, at du måske stolede på Wesleys forklaring, på trods af alt?

Johan så frem for sig. Kunne uden besvær spole filmen tilbage, tilbage til en eftermiddag på Mahlers kontor.

Mahler står i hjemmestrik og spørger: – Hvad er det, der nager dig, Klinger?

Og Johan svarer, at det er Hardinger, der nager ham. Det er mandens psykologi, der nager ham.

De går hen til døren.

– Hvad er der med mandens psykologi, spørger Mahler. Og Johan svarer: – Jeg tror Hardinger taler sandt!

Han så på hende.

– Jeg kan simpelt hen ikke få mig selv til at tro det, hviskede han. – Det må ikke være sandt.

– Hør her, Johan, sagde hun en smule mildere i tonen. – Har det slet ikke undret dig, hvorfor de sender en uskolet og temmelig grøn politimand som dig sammen med Stern ud på en opgave af det format?

– Jo, svarede han. – Det undrede mig. Jeg er også klar over, at Stern havde allieret sig med en fyr ved navn Lucas, som også boede på hotellet.

Hun nikkede.

– Inden Mehmet slog Lucas ihjel og satte sig selv ind i stedet for, fortalte han Wesley, hvad denne Lucas i grunden var for een. Ramon Lucas arbejdede ganske rigtigt mest i Madrid, men ellers over hele verden. Han havde, ligesom

Stern, en blakket fortid i Grapo. Jeg siger dig, han kunne lidt af hvert, Ramon fra Madrid.

– Kan man stole på det?

– Det kan du bande på.

Johan nikkede og smilede lidt.

– Egentlig så kunne jeg jo bare ringe til Wagner, sagde han. – Hvis jeg følte mig i tvivl angående din version …

Hun nikkede og slog ud med armene.

– Du er velkommen, spørgsmålet er blot, om du kan stole på ham?

Johan sukkede og satte sig tungt på en stol. Hun kom hen til ham og lagde armene på hans bryst og kinden på hans hoved.

– Og hvor er den så henne, min elskede, hviskede hun.

– Sandheden. Om mordet på Albert Como?

Han tog hendes hænder.

– Den er vel et eller andet sted …?

De gik hen til vinduet og så ned i haven, hvor Rune stod med sin lille hest. Han havde armene rundt om dens hals, den nappede ham blidt i øreflippen. Han lo højt.

– Bliv dér, sagde hun. – Bliv der og stå lidt og se på ham. Så laver jeg en kop kaffe imens. Og bagefter lægger vi en plan.

Han så på hende.

– En plan?

– Ja, en plan. De stod lige over for hinanden, ansigt til ansigt. – Vil du være mit gidsel, så vil jeg være dit. Til døden os skiller.

Han smilede alvorligt.

– På æresord, spurgte han og skævede til hende.

– Cross my heart, so help me God!